L. y M. Landra

500

RECETAS DE

MICROONDAS

Fotografías del interior: © *Studio Novak-Milan.*

Diseño gráfico de la cubierta: © *YES.*

Fotografías de la cubierta: © *Sagel & Kranefeld/Zefa/Corbis; J. Bilic/Sucré Salé.*

© Editorial De Vecchi, S. A. U. 2008
Balmes, 114 - 08008 Barcelona
ISBN: 978-84-315-3876-7

Editorial De Vecchi, S. A. de C. V.
Nogal, 16 Col. Sta. María Ribera
06400 Delegación Cuauhtémoc
México

Índice

Introducción

Generalmente, se considera el horno de microondas como una herramienta muy útil para calentar o descongelar alimentos en muy poco tiempo. En realidad, más allá de estas funciones —que por otra parte resultan fundamentales hoy en día—, el microondas permite preparar todo tipo de platos (entrantes, primeros, platos de carne, platos de pescado, guarniciones de verduras y queso, tartas saladas y postres), sabrosos y sanos al mismo tiempo.

Hay quien sostiene que este tipo de hornos se idearon para facilitar la preparación de la comida en los submarinos durante la segunda guerra mundial, y que su país de origen fue Alemania.

Lo único cierto es que, después de la guerra, esta tecnología se desarrolló en los Estados Unidos, y que el primer horno de microondas fue comercializado allí en 1952 por la Raytheon Company. Este nuevo electrodoméstico conquistó primero Japón, y posteriormente se introdujo en Europa.

En sus comienzos, esta innovadora forma de cocción encontró muchos obstáculos en los consumidores, pero con el tiempo y las estrictas normas de seguridad que han controlado su fabricación se ha ganado cada vez más adeptos.

En efecto, las normas de seguridad españolas y europeas para la fabricación de hornos de microondas son muy severas: por tanto, no se debe temer ningún riesgo de radiación.

En los comercios se pueden encontrar modelos con programas de descongelación, que tienen bases giratorias o fijas. También hay hornos muy prácticos, compactos o minis, multifunciones o combinados, que asocian la cocción con microondas con la tradicional de rayos infrarrojos o de circulación de aire caliente y grill, permitiendo así dorar los alimentos (algo hasta ahora imposible en los microondas tradicionales).

De los más sencillos a los más complejos, todos los microondas llevan un ventilador incorporado en la carcasa que difunde las vibraciones de manera uniforme en torno a los alimentos, alejándolas de las paredes para concentrarlas en la comida.

¿QUÉ SON LAS MICROONDAS?

Las microondas son ondas electromagnéticas que encontramos en la naturaleza en forma de rayos ultravioletas, luces visibles, rayos infrarrojos… Por tanto, el hombre está constantemente expuesto a los numerosos campos electromagnéticos presentes en el universo.

La difusión de programas radiofónicos y de televisión, las comunicaciones vía satélite, los controles aéreos y muchas pruebas médicas se llevan a cabo gracias a las microondas, que muchas veces se consideran perjudiciales cuando en realidad no hay nada de cierto en esto.

Se trata de ondas de alta frecuencia y de amplio espectro, el espectro electro-

magnético, que cambia según las oscilaciones y la longitud de onda.

Los hornos utilizan microondas con una longitud de onda de 10-15 cm y una frecuencia de 2 450 MHz (2,45 millones de oscilaciones al segundo), generadas por el magnetrón, un tubo termoelectrónico que tiene la capacidad de transformar la energía eléctrica en energía electromagnética, indispensable para la cocción de los alimentos.

Las microondas actúan sobre las moléculas de agua contenidas en los alimentos; estas moléculas, una vez absorbidas las ondas, oscilan rápidamente provocando así una fricción que se transforma en calor y que permite la cocción de los alimentos. De esta manera, las microondas aseguran una cocción rápida pero gradual, del exterior hacia el interior, ya que penetran en el alimento a una profundidad de 2-3 cm.

La superficie se cuece directamente, mientras que el interior se cuece por conducción, es decir, por contacto con la parte externa. Por otra parte, la cocción prosigue durante el tiempo de reposo que sigue a la detención del flujo de ondas.

Conviene recordar también que, a diferencia de los hornos tradicionales, el microondas cocina los alimentos sin calentar los utensilios ni el espacio de alrededor, con la ventaja de que se puede abrir el horno en cualquier momento sin modificar la temperatura interna.

CARACTERÍSTICAS DE LA COCINA CON MICROONDAS

Debido a la escasa pérdida de humedad, los procesos de calentamiento o descongelación se llevan a cabo muy rápidamente, lo que permite que se mantengan intactos tanto el sabor como el aspecto de los alimentos frescos.

Por otra parte, otra de las características de la cocina con este tipo de hornos es que permite la reducción o incluso la total eliminación de los condimentos, a menudo perjudiciales para la salud. De hecho, este tipo de cocción aprovecha las grasas contenidas en los alimentos, conservando las vitaminas y las sales minerales: los valores nutricionales y el aspecto de las comidas permanecen, por tanto, inalterados.

RECIPIENTES Y CONTENEDORES

En la cocina con microondas es muy importante la forma de los recipientes: en general, los bajos y alargados permiten una cocción más rápida, pero hay que tener en cuenta también el volumen, la densidad y la temperatura inicial de los alimentos. Así, volumen y densidad elevados unidos a bajas temperaturas iniciales (porque los alimentos estaban en el frigorífico) requieren tiempos de cocción más largos. Por tanto, habrá que regular la potencia y el tiempo del microondas en función tanto de las características del alimento (cortado en rodajas finas, congelado…) como de la preparación y del tipo de cocción. Por otra parte, los recipientes y contenedores no habrán de ser de metal (en su totalidad o con adornos metálicos) ni de cristal: el primero refleja las microondas, impidiendo así la cocción de los alimentos; el segundo, en cambio, podría romperse, debido a su alto contenido en plomo. Por el contrario, los demás materiales que normalmente se utilizan en la cocina tradicional pueden utilizarse tranquilamente, cada uno con tiempos y temperaturas distintas. Los más adecuados son los de vidrio, pyrex, cartón, papel, porcelana, cerámica, plástico, barro, madera y mimbre.

Papel y cartón

Vasos, servilletas y platos de papel son muy prácticos, debido a que se tiran después de su uso. Resultan ideales para la cocción de alimentos que no contienen jugos y cuya permanencia en el horno no debe ser prolongada, para evitar que se quemen.

Las servilletas de papel pueden utilizarse para envolver el pan y absorber su humedad durante el calentamiento.

Vidrio y vitrocerámica

Estos recipientes son ideales para calentar o cocinar salsas, y además, como estéticamente suelen ser bonitos, permiten no tener que cambiar los alimentos a otro recipiente para presentarlos en la mesa.

Pyrex

La transparencia de este material permite controlar la cocción a través de la puerta del horno. Como además muchos modelos suelen disponer de tapadera, se evita la pérdida de grasas y de vapor; si no disponen de tapa, se puede utilizar papel de estraza grueso (sujeto a los bordes con hilo de cocina) o plástico de cocina transparente adecuado para microondas; en cambio, no se puede utilizar papel de aluminio, debido a su base metálica. Para no quemarse en el momento de destapar conviene utilizar un guante.

Plástico

A excepción de la melamina, que absorbe la energía de las microondas impidiendo la cocción de los alimentos, los demás tipos de plástico son adecuados. Por seguridad conviene comprobar que los recipientes llevan en la superficie el símbolo que indica que son aptos para el lavavajillas. Por otra parte, hay que tener en cuenta que los contenedores de plástico pueden deformarse por sobrecalentamiento, sobre todo cuando se utilizan para cocinar alimentos ricos en grasas o azúcares.

Para cubrir los alimentos se pueden utilizar plásticos especiales, normales o microperforados, o bien bolsitas de plástico que permiten obtener el estilo *papillote*.

Barro y terracota

Estos recipientes son adecuados para la cocción de platos con jugo, estofados, o asados, porque no necesitan una cocción prolongada o marinadas previas.

Madera y mimbre

Los recipientes de estos materiales sólo son adecuados para cocciones breves y a baja temperatura. Pueden utilizarse bandejas, tablas de madera y cestas de mimbre para calentar alimentos secos como panecillos, rebanadas de pan o brioches.

PREPARACIÓN DE LOS ALIMENTOS

Salsas y jugos

El microondas presenta la gran ventaja de que no hay que remover continuamente las salsas para que no se peguen al fondo del recipiente: no se queman, y no requieren una especial precaución.

En la preparación conviene utilizar recipientes largos y no demasiado bajos, que favorecen una rápida evaporación. Por otra parte, conviene moderar el uso de la sal en las fases iniciales de la cocción, sobre todo en el caso de las verduras, ya que si no perderían rápidamente el agua.

Sofritos

La cocina con microondas resulta ideal para preparación de sofritos ligeros y digestivos. En efecto, para obtener sabrosos sofritos de verduras no hay que utilizar demasiados condimentos, pues debido a la rapidez de cocción sólo se absorbe una mínima parte de estos.

Sopas y menestras

Al igual que con las salsas, también aquí hay que reducir la cantidad de sal y hay que incorporar esta al final de la cocción o durante el tiempo de reposo, para evitar una excesiva deshidratación.

Teniendo en cuenta los siguientes «trucos» podrá obtener sopas y menestras realmente sabrosas:

• para obtener una cocción uniforme, corte las verduras en trozos más o menos del mismo tamaño;
• añada poco líquido;
• tape sólo los recipientes que contengan sopas muy caldosas, para evitar salpicaduras en las paredes del horno;
• lleve a ebullición el líquido sin tapar a la máxima potencia, y redúzcala luego al añadir el arroz o la pasta.

Primeros platos secos

El tiempo de cocción de la pasta y el arroz en el horno de microondas es prácticamente el mismo que el de la cocción tradicional, porque se han de rehidratar, pero no se corre el riesgo de que se quemen o se peguen al recipiente, por lo que no habrá que remover continuamente.

Para cocinar arroz basta añadir de una vez todo el caldo hirviendo, en doble cantidad que el arroz, y programar la duración de la cocción. Con este mismo sistema se cuece la pasta, que se pone directamente en la fuente de servir, donde habrá que dejarla reposar unos minutos antes de añadir el condimento.

Conviene elegir bien el recipiente según la forma de la pasta, de manera que esta quede completamente cubierta con el agua de cocción.

He aquí los pasos que hay que seguir:

• vierta medio kilogramo de pasta en un litro de agua hirviendo;
• cueza 5 o 6 minutos, hasta que la pasta haya absorbido todo el agua;
• deje reposar en el horno 1 o 2 minutos, y condimente la pasta bien caliente.

Carne

Se pueden cocer todos los tipos de carne, reduciendo notablemente el uso de grasas que, si se desea, se podrán añadir crudas al término de la cocción. Los escalopines y la carne se cuecen con una potencia alta y en platos o fuentes anchos. Las salchichas y el würstel habrán de pincharse para lograr una buena cocción. Las aves, el conejo y la caza, sobre todo si están deshuesados, son ideales para la cocción en este tipo de hornos. Envuelva las extremidades con el papel de aluminio girado por la parte opaca. Cuele el jugo de las ocas y los patos, que habrá de cocer con el pecho hacia abajo para que la cocción sea más lenta y así no se deshidraten.

Las carnes preparadas en el horno de microondas siguen cociéndose también

al sacarlas, así que deje siempre que reposen algunos minutos, para que la cocción sea más uniforme. Para que la carne quede más tierna, cubra el recipiente durante el tiempo de reposo.

Pescados

La cocina de microondas es adecuada para todo tipo de pescados, mariscos y crustáceos, que quedarán muy sabrosos, con una única excepción: los fritos.

A continuación, veremos algunos consejos. En primer lugar, es mejor no quitar la piel al pescado, para que conserve su aroma. Los pescados enteros habrán de limpiarse bien antes, y los troceados pueden utilizarse directamente. El pescado congelado, llevado a temperatura ambiente, se cuece antes que el fresco: 1 minuto menos, aproximadamente. La disposición del pescado en el microondas deberá ser con las partes más finas hacia el centro.

En cuanto al condimento, habrá de añadirse al final de la cocción (un hilillo de aceite o unos trocitos de mantequilla). En recetas de crustáceos o moluscos se puede utilizar vino blanco, vinagre, aceite, li-

9

món, hierbas aromáticas, ajo, chalote y especias. Los crustáceos han de ser cocidos enteros, en sus cáscaras y con el recipiente tapado, al natural o añadiendo algo que les dé más sabor.

En cuanto a los mariscos, no necesitan que se añada líquido, porque el que desprenden es suficiente: si se remueve a la mitad de la cocción, se obtiene un jugo muy sabroso.

Verduras

Las verduras frescas se cocinan con muy poca agua, ya que el microondas aprovecha la que contienen, manteniendo así inalterados —gracias a la rapidez de cocción— tanto las propiedades nutritivas como los sabores y los colores brillantes. Si se tapa el recipiente, la cocción será más rápida y uniforme. La sal habrá de añadirse sólo en el momento de servir, para evitar que las verduras se sequen mucho. Las hortalizas muy ricas en fibras, como el apio, las alcachofas y las zanahorias, requieren una mayor cantidad de agua, por lo que habrá que añadir un poco más para que queden más tiernas. Las patatas con piel cuecen más rápido que las peladas, pero hay que agujerear la piel para evitar que se rompan (esta operación ha de hacerse con todos los alimentos cocinados con piel). Si las verduras son de distinta clase, hay que colocar junto al borde del recipiente las más duras, y en el interior las otras.

Todas las verduras frescas requieren una intensidad de potencia elevada. Las verduras congeladas y luego descongeladas requieren los mismos tiempos de cocción que las frescas: hay que remover durante la cocción y salar al final.

Para pelar fácilmente un tomate se puede introducir en el microondas 30 segundos: la piel saldrá sola.

Huevos

Los preparados con huevo se cuecen más deprisa en el horno de microondas que en la cocina tradicional.

Se pueden hacer huevos revueltos, tortillas y crepes, pero no huevos cocidos o pasados por agua, pues la velocidad de cocción los haría estallar.

Para evitar que se rompa, la yema ha de ser agujereada con un palillo. Al ser más rica en grasas, tarda menos en cocerse que la clara. Esta, sin embargo, termina de hacerse durante el tiempo de reposo.

Quesos

Los quesos, ya sea solos o con salsas, huevos y verduras, se hacen muy bien y muy deprisa. Cocínelos a potencia media-alta, porque contienen poca agua y la parte grasa tiende a separarse rápidamente de la parte rica en calcio. Utilice una potencia baja para hacer fondues y salsas que deban servirse calientes.

Púdines y cremas

Su cocción se lleva a cabo de forma uniforme, sin que se peguen y sin remover todo el tiempo. Sin embargo, sí conviene ir girando el recipiente.

Fruta

Toda la fruta se cuece sin añadir agua, porque requiere mucho menos tiempo que en la cocción tradicional, y conserva sabores y aromas. Se puede cocinar entera o troceada. En este último caso, para que la cocción sea uniforme, los trozos han de ser del mismo tamaño, y han de estar dispuestos en corona en el recipiente, dejando vacío el centro. Para pelar fácilmente un melocotón basta con introducirlo 30 segundos en el microondas: la piel saldrá sola.

No hay que olvidar

Lo fundamental

• Durante la cocción de pequeñas cantidades de alimento, o de platos con poco agua, se puede introducir en el microondas un vaso lleno de agua: esto permite evitar, por un lado, que las paredes del horno se curven, y por otro, que los alimentos se recalienten demasiado debido a una incompleta absorción de las ondas.
• Quite los tapones de las botellas y las tapas de los botes, pues podrían salir disparados por la alta presión de los vapores generados.
• Proteja los alimentos grasos, como la panceta, con papel absorbente de cocina.
• Pinche los alimentos que estén recubiertos de una película o de piel, para evitar que se hinchen y se rompan. Esto se ha de practicar, por ejemplo, en la cocción de patatas con piel, salchichas, hígados de pollo o yemas de huevo, donde resulta necesario favorecer la salida del vapor a través de agujeros practicados en la superficie.
• Evite cocinar con el microondas alimentos como la pasta quebrada, el hojaldre, la pasta fermentada y los huevos con su cáscara, así como los fritos.
• Retire los alimentos antes de que estén completamente cocidos, porque siguen cociéndose durante unos minutos incluso fuera del horno.
• En hornos que no tengan base giratoria, vaya girando el plato de vez en cuando en distintas direcciones, para obtener una cocción más uniforme.
• Cuando se preparan jugos, salsas y sopas es necesario remover del exterior al centro del recipiente con cucharas de madera o plástico una o dos veces durante la cocción, para que el calor sea uniforme y el proceso sea más rápido; en cambio, no es necesario remover continuamente, como en la cocina tradicional, ya que aquí los alimentos no se pegan al fondo ni se queman.
• Termine la cocción de los alimentos con el sistema tradicional cuando estos requieran una superficie dorada o un bonito gratinado.
• Para acelerar la cocción, sobre todo en el caso de los congelados, cubra los alimentos con un plato invertido, o bien con papel o plástico para microondas. Lo ideal es utilizar recipientes con tapa, porque la humedad se condensa en su interior y cae de nuevo sobre los alimentos: estos resultan más tiernos y se cuecen de un modo uniforme; además, se evitan las salpicaduras. Suponen una excepción las menestras, panes, dulces y productos que van en bolsita de plástico, que ha de ser agujereada.

Tiempos de cocción

• El tiempo de cocción es menor que el de la cocina tradicional (aproximadamente un cuarto).

• Hay que tener en cuenta que el incremento del tiempo de cocción es proporcional al aumento de la cantidad de alimento que se va a cocinar, con los ajustes adecuados. El mejor modo de determinar el tiempo de cocción de los alimentos es pesarlos: en general, una cocción normal requiere 6 o 7 minutos por cada 500 g.

• El agua y cualquier otro líquido hierven más deprisa en el fogón: si tiene prisa, póngalos en el horno ya en ebullición. Por otra parte, para reducir el tiempo de cocción, reduzca la cantidad de líquido con respecto al que normalmente se usa en la cocina tradicional.

• Los alimentos porosos (como el pan de molde, la carne picada o el puré de patatas) necesitan menos tiempo para cocerse y descongelarse, porque la facilidad de penetración de las microondas y, por consiguiente, la velocidad de cocción, dependen de la densidad del alimento.

• Cuando se cocina un alimento que se acaba de sacar del frigorífico hay que calcular un tiempo mayor, teniendo en cuenta que los que se indican en las tablas y recetas son aproximados, y que los distintos frigoríficos que se pueden encontrar en los comercios alcanzan a menudo diferentes temperaturas.

Condimentos

• Reduzca al máximo las grasas: el horno de microondas aprovecha las que ya contienen los alimentos.

• Teniendo en cuenta que la cocción con microondas tiende a ensalzar las propiedades de los alimentos, utilice con moderación hierbas y especias a la hora de aromatizar las salsas, para que no resulten demasiado fuertes.

• Sale los alimentos al final de la cocción o durante el tiempo de reposo para evitar la deshidratación. Utilice menos sal, porque el horno de microondas impide la dispersión de las sales minerales debido a la rapidez de cocción.

Nota: el tiempo de cocción depende también de la temperatura del alimento: un alimento a temperatura ambiente se hará antes que uno que se acaba de sacar del frigorífico. Los tiempos que figuran en las tablas de las páginas siguientes y en las recetas hacen referencia a un horno de 1 000 W (sobre todo en la tabla, utilizado a la máxima potencia).

Dosis: las preparaciones de las recetas son para cuatro personas.

Tiempos de cocción de los principales alimentos

Alimento	Peso en gramos	Tiempo de cocción en minutos	Alimento	Peso en gramos	Tiempo de cocción en minutos
CARNES			Pato (magret)	250	8
Buey (chuleta)	500	8-10	Pato (en trozos)	500	12
Buey (costillar)	500	15	Pavo (entero)	3 000	30
Buey (filete)	500	6-7	Pavo (muslo)	500	15
Buey (guiso)	500	12	Pavo (ossobuco)	500	8-10
Cabrito (costillas)	500	5	Pavo (pedazo entero)	500	10-11
Cabrito (pierna)	500	20	Pavo (en trozos)	500	8-10
Cabrito (trozo entero)	500	9-10	Pintada (entera)	1 000	10
Capón (en trozos)	1 000	18	Pintada (en trozos)	500	3-4
Cerdo (costillar)	500	8	Pollo (entero)	500	15
Cerdo (costillas)	500	8	Pollo (en trozos)	500	12
Cerdo (en trozos grandes)	500	6	Salchichas	250	5-6
Cerdo (en trocitos)	500	6	Ternera (chuleta)	500	8
Codornices	500	20	Ternera (costillar entero)	500	15
Conejo (filetes)	250	10	Ternera (costillas)	500	4
Conejo (en trozos)	500	15	Ternera (guiso)	500	10
Cordero (costillas)	500	5	Ternera (ossobuco)	500	12
Cordero (pedazo entero)	500	9-10			
Cordero (pierna)	1 000	25			
Cordero (en trozos)	500	7-8	**PESCADOS**		
Cordero lechal (en trozos)	500	6-7	Aguja	500	6-7
Faisán (entero)	1 000	20	Almejas	500	4
Faisán (en trozos)	500	15	Anchoas	500	5
Gallo (entero)	1 000	15	Anguila	500	6
Gallo (escalope)	250	6	Arenques (filetes)	500	5
Gallo (en trozos)	1 000	8	Atún (rodajas)	500	5-6
Hígados de pollo	250	2	Bacalao (filetes)	500	5-6
Jabalí (en trozos)	1 000	12	Caballa	500	4-5
Jamón serrano	250	5-6	Calamares	500	4-5
Liebre (en trozos)	500	10	Calamares (pequeños)	500	4
Oveja (en trozos)	500	12	Cangrejo (carne)	200	3-4
Paloma	250	8	Caracoles de mar	250	2
Panceta ahumada	250	5-6	Chirlas	250	4
Pato (entero)	1 500	25	Cigalas	500	2-3

13

Tiempos de cocción de los principales alimentos

Alimento	Peso en gramos	Tiempo de cocción en minutos	Alimento	Peso en gramos	Tiempo de cocción en minutos
Congrio (rodajas)	500	5-6	Sepia (pequeña)	500	3-4
Corcón	500	4-5	Trucha	500	4-5
Dentón	1 000	8	Vieiras	250	3
Dorada	500	6-7			
Escorpina (filetes)	500	4-5			
Esturión (rodajas)	500	5-6	**VERDURAS Y LEGUMBRES**		
Farra	500	4-5	Achicoria	500	3-4
Gambas	50ú	3-4	Achicoria rizada	500	4-5
Huevas de mújol	50	2-3	Achicoria roja	500	4-5
Langosta	500	8	Alcachofas	500	5-6
Langostinos	500	3-4	Apio	500	10
Langostinos (colas)	250	2	Berenjenas (en dados)	500	8
Lenguado	250	4	Berza (troceada)	500	8-10
Lucio (rodajas)	500	5-6	Brécol	500	8-10
Mejillones	1 000	5	Calabacines (en rodajas)	500	7-8
Merluza (filetes)	500	4-5	Calabacines (en trozos)	500	5-6
Mero (filetes)	500	5-6	Calabaza (en trozos)	500	10
Mújol (filetes)	500	4-5	Cardos	500	10
Navajas	250	2-3	Cebollas (en rodajas)	500	8-10
Pagel	500	5-6	Cebolletas frescas	250	3-4
Perlón	500	5-6	Champiñones	500	3-4
Pescadilla	500	4-5	Coles de Bruselas	500	5
Pez espada (filetes)	500	4-5	Coliflor	500	10
Pez de San Pedro (filetes)	500	4-5	Endibias	500	3-4
Platija (filetes)	500	4	Espárragos	500	8-10
Pulpitos	500	5	Espinacas	500	3-4
Pulpo	1 000	10	Flor de calabacín	250	3-4
Rape	500	4-5	Guisantes	500	10
Rodaballo (filetes)	500	4-5	Habas	500	8
Sábalo	500	6-7	Hinojo	500	8-10
Salmón	1 000	8	Hortigas	500	3-4
Salmonete	500	4-5	Judías	500	10-12
Sardinas	500	6	Judías verdes	500	12-14
Sepia	500	4	Lechuga	500	3-4

Tiempos de cocción de los principales alimentos

Alimento	Peso en gramos	Tiempo de cocción en minutos	Alimento	Peso en gramos	Tiempo de cocción en minutos
Lentejas	250	20	Castañas	500	15
Lombarda (picada)	500	10-12	Cerezas	500	4
Maíz	500	15	Ciruelas	500	6
Nabos	500	10	Frambuesas	250	1-2
Patatas (en trozos)	500	8	Fresas silvestres	250	1-2
Pimientos	500	5-6	Fresas	500	2-3
Puerros	500	5-6	Grosellas negras	250	1-2
Remolacha	500	3-4	Higos	500	3
Rúcula	500	3-4	Manzanas (en rodajas)	500	4
Setas	500	3-4	Manzanas enteras	500	6
Soja germinada	250	2-3	Melocotones (en rodajas)	500	4
Tomates (en conserva)	500	6	Melocotones enteros	500	6
Tomates (frescos)	500	3-4	Nísperos	500	5
Tomates (pequeños)	250	3	Papaya	500	5
Tupinambo	500	10	Peras (en rodajas)	500	4
Zanahorias (en rodajas)	500	8-10	Peras enteras	500	6
			Piña (en rodajas)	500	6-7
			Plátanos	500	1-2
QUESOS					
Emmental	100	1-2			
Fontina	100	2-3			
Gorgonzola	100	1-2			
Mozzarella	200	1-2			
Oveja semicurado	100	2-3			
Parmesano	100	2-3			
Requesón	100	2-3			
Taleggio	100	1-2			
Tetilla	100	2-3			
FRUTAS					
Albaricoques	500	5			
Arándanos	250	1-2			
Caquis	500	1-2			

Entrantes

TOSTADITAS DE LUBINA

PREPARACIÓN: 10 minutos
COCCIÓN: 7 minutos
REPOSO: 1 minuto
DIFICULTAD: baja

Ingredientes

300 g de lubina (en filetes)
3-4 cucharadas de aceite de oliva virgen
1 cucharada de salsa de tomate
media cebolla picada
1 ramita de perejil (picada)
4 rebanadas de pan casero
sal
pimienta

Disponga en un recipiente de pyrex el aceite, la cebolla y los filetes de pescado. Añada el perejil picado, tape el recipiente e introdúzcalo en el horno a la máxima potencia durante 3-4 minutos.

Sale ligeramente, añada la salsa de tomate y bata todo hasta que obtenga una crema lisa y homogénea. Introduzca esta crema en el recipiente de pyrex, y póngala en el horno 3 minutos más.

Extienda la crema sobre las rebanadas de pan, y hornéelas a la potencia máxima durante 1 minuto.

Deje reposar otro minuto, y sirva.

APERITIVO DEL REY

PREPARACIÓN: 12 minutos
COCCIÓN: 2 minutos
REPOSO: 1 minuto
DIFICULTAD: baja

Ingredientes

2 rebanadas de pan de molde
2 yemas de huevo bien cocidas
caviar rojo y mantequilla

Retire la corteza de las rebanadas de pan y córtelas en ocho trozos.

Ponga los cuadraditos de pan en un recipiente adecuado para la cocción en microondas e introdúzcalo durante 2 minutos en el horno programando la potencia al máximo.

Finalmente, unte con mantequilla cada cuadradito, distribuya por encima las yemas de huevo reducidas a pasta y espolvoree con caviar.

ÁSPID DE LAS PIRÁMIDES

PREPARACIÓN: 19 minutos
COCCIÓN: 17 minutos
REPOSO: 5 minutos
DIFICULTAD: media

Ingredientes

2 vasos de caldo de pollo caliente
4 cucharadas de harina de arroz
3 dientes de ajo
1/2 cucharadita de cúrcuma en polvo
2 cucharadas de zumo de limón
1 cucharada de aceite de oliva virgen

Vierta un cucharón de caldo en una cazuela de pyrex y añada los dientes de ajo pelados y picados.

Introduzca el recipiente en el horno de microondas, programe durante 3 minutos la potencia al máximo y, a media cocción, agregue el aceite.

Luego saque el recipiente del horno y añada la harina diluida en el caldo restante; introduzca de nuevo en el horno, programando la potencia al máximo durante 10 minutos, y deje cocer hasta que la mezcla empiece a quedar más densa.

A continuación, saque del horno, rocíe con limón y condimente con la cúrcuma. Remueva bien y luego ponga de nuevo en el horno durante 4 minutos a media potencia.

Cuando la cocción haya terminado, vierta la mezcla en una copa de cristal resistente al calor y déjela enfriar.

Lleve a la mesa acompañado con pollo frío o sólo con arroz muy caliente, servido aparte.

BESOS DE QUESO

PREPARACIÓN: 12 minutos
COCCIÓN: 3 minutos
REPOSO: 1 minuto
DIFICULTAD: baja

Ingredientes

40 g de queso rallado
1/2 vaso de nata líquida
2 raíces de hinojo
20 g de mantequilla
buñuelos

Mezcle el queso y la nata líquida, remueva bien y añada las raíces de hinojo.

Rellene los buñuelos con la mezcla preparada y dispóngalos en una fuente refractaria que esté ligeramente untada con mantequilla.

Introduzca el recipiente en el horno de microondas durante 3 minutos a media potencia.

Saque la fuente del horno y sirva tras dejar en reposo durante un minuto aproximadamente.

Canapés
a la genovesa

Retire la corteza de las rebanadas de pan y realice discos en el resto utilizando un molde para cortar la pasta o, en su defecto, un vaso.

Disponga los discos de pan en un recipiente adecuado para la cocción en microondas e introdúzcalos en el horno durante 2 minutos a la potencia máxima.

Transcurrido este tiempo, retire los discos del horno, extienda sobre ellos un poco de pesto, salpimiente y luego espolvoree con el queso.

Decore con las alcaparras y sirva.

PREPARACIÓN: *14 minutos*
COCCIÓN: *2 minutos*
REPOSO: *1 minuto*
DIFICULTAD: *baja*

Ingredientes

2 rebanadas de pan de molde
2 cucharaditas de pesto a la genovesa
2 finas lonchas de queso
14 alcaparras
sal y pimienta

Canapés con paté

Corte en diagonal las rebanadas de pan para obtener triángulos.

Disponga los triángulos de pan en un recipiente refractario e introdúzcalo en el horno de microondas 2 minutos a la potencia máxima.

Saque del horno, extienda el paté por encima de cada triángulo de pan y espolvoree con la pimienta.

Puede servir los canapés en una fuente de servicio.

PREPARACIÓN: *14 minutos*
COCCIÓN: *2 minutos*
REPOSO: *1 minuto*
DIFICULTAD: *baja*

Ingredientes

2 rebanadas de pan de molde sin corteza
30 g de paté de pollo
pimienta

Paté de lubina

PREPARACIÓN: 5 minutos
COCCIÓN: 7 minutos
REPOSO: –
DIFICULTAD: media

Ingredientes

200 g de lubina (en filetes)
30 g de mantequilla
1 cucharada de vino blanco seco
150 ml de leche
1 cucharada de harina
1 cebolla picada
1 cucharada de eneldo picado
sal
pimienta

Trocee los filetes de pescado.

Disponga en un recipiente de pyrex la cebolla con un poco de mantequilla, y cuézala en el horno a la potencia máxima durante 2 minutos.

Salpimiente, riegue con el vino y deje que se haga durante un minuto. Añada el pescado y cueza otros 2 minutos. Espolvoree la harina y disuélvala, removiendo bien.

Agregue la leche y el eneldo, y deje que se haga durante 2 minutos. A continuación, bata todo.

Incorpore la mantequilla restante, remueva y rectifique la sal y la pimienta.

Vierta el paté en un recipiente, decórelo con unas hojas de eneldo y trocitos de cebollino, y sírvalo frío, con algunas verduras de temporada o tostaditas.

Cóctel de verduras y aceitunas

PREPARACIÓN: 15 minutos
COCCIÓN: 10 minutos
REPOSO: 10 minutos
DIFICULTAD: media

Ingredientes

300 g de patatas
300 g de calabacines
200 g de pimientos
200 g de cebolla
30 g de aceitunas negras deshuesadas
2 cucharadas de aceite de oliva virgen
sal y pimienta

Limpie las verduras y córtelas en dados pequeños.

En un recipiente de pyrex untado con aceite, disponga las verduras. Salpimiente ligeramente, incorpore las aceitunas y mezcle. Cueza a la máxima potencia, con el recipiente cubierto, durante 10 minutos.

Destape el recipiente, deje reposar durante 10 minutos y sirva.

PREPARACIÓN: *15 minutos*
COCCIÓN: *6 minutos*
REPOSO: *2 minutos*
DIFICULTAD: *baja*

Ingredientes

4 volovanes congelados
100 g de queso
1 yema de huevo
20 g de mantequilla
1/2 cucharadita de nuez moscada rallada
1 cucharadita de *kirsch*
vino blanco seco y pasta de trufa negra
sal

COFRES PARA DOS

Disponga los volovanes descongelados en una fuente de cristal térmico untada con mantequilla y píntelos con la yema de huevo.

Introduzca la bandeja en el microondas, fije el temporizador en medio minuto y programe la potencia media; luego retire del horno.

Mientras, corte el queso en finas láminas y póngalas en un cazo de pyrex con dos cucharadas de vino blanco seco.

Añada la sal, la nuez moscada y el *kirsch*.

A continuación, introduzca el cazo en el horno de microondas durante 6 minutos a media potencia.

Cuando la cocción del queso haya terminado, retire rápidamente la fuente del horno; distribuya el queso en los volovanes y coloque un trocito de trufa negra encima de cada uno.

Un poco antes de servir, tápelos con su cubierta de pasta.

COSTRONES DE POLENTA

PREPARACIÓN: *5 minutos*
COCCIÓN: *2 minutos*
REPOSO: *1 minuto*
DIFICULTAD: *baja*

Ingredientes

6 lonchas de polenta dura
paté de liebre
sal y pimienta

En un recipiente adecuado para la cocción en microondas, caliente en el horno las rebanadas de polenta durante 2 minutos programando la potencia al máximo.

Después retire del horno, extienda una capa de paté por encima y sirva.

CROISSANTS GRAND-GAZEBO

Vierta en la batidora el atún, el tofu y el zumo de limón y bata durante 2 minutos hasta que quede reducido a crema.

Después ponga la mantequilla en una fuente refractaria e introduzca el recipiente en el horno de microondas durante 1 minuto a media potencia. Retire del horno.

A continuación, abra los croissants por la mitad.

Distribuya un poco de mantequilla en las medias lunas separadas y unte la superficie con la crema.

Cierre los croissants con palillos y dispóngalos en una fuente de servicio.

Sirva enseguida.

PREPARACIÓN: 20 minutos
COCCIÓN: 1 minuto
REPOSO: –
DIFICULTAD: baja

Ingredientes

2 croissants salados y muy frescos
50 g de tofu
50 g de atún blanco en aceite
20 g de mantequilla
1 cucharada de zumo de limón

FARINATA

La noche antes, vierta el agua en una cazuela y diluya la harina de garbanzos en ella. Sale y mezcle bien.

Al día siguiente, tras retirar con un cucharón la espuma que se haya podido formar en la superficie, unte con aceite el fondo de una fuente refractaria con los bordes bajos; en ella vierta la mezcla preparada y remueva con cuidado.

Introduzca el recipiente en el horno, programe el tiempo de cocción en 10 minutos y regule la potencia al máximo.

Cuando la cocción haya terminado, la farinata deberá presentar un color dorado.

Sirva caliente, crujiente, cortada con fantasía y espolvoreada con pimienta.

PREPARACIÓN: 8 minutos
(y la noche anterior en reposo)
COCCIÓN: 10 minutos
REPOSO: 1 minuto
DIFICULTAD: baja

Ingredientes

200 g de harina de garbanzos
3 vasos y 1/2 de agua
2 cucharadas de aceite de oliva virgen
sal y pimienta en grano

CARPACCIO DE SALMÓN A LA PIMIENTA VERDE

PREPARACIÓN: 5 minutos
COCCIÓN: 1 minuto
REPOSO: 1 minuto
DIFICULTAD: baja

Ingredientes

400 g de salmón cortado fino
1 cucharada de eneldo picado
2 cucharadas de aceite de oliva virgen
1/2 limón
4 o 5 aceitunas
sal y pimienta verde en grano

Corte las aceitunas en rodajas.

Sobre un plato de servicio disponga el salmón sin que se superponga. Rocíe con aceite y espolvoree con el romero.

Cueza en el horno a máxima potencia durante 1 minuto.

Tras 1 minuto de reposo, salpimiente, decore con las olivas y unos cuantos piñones y sirva.

ROLLITOS DE JAMÓN Y MELÓN

PREPARACIÓN: 5 minutos
COCCIÓN: 1 minuto
REPOSO: 1 minuto
DIFICULTAD: baja

Ingredientes

4 lonchas de jamón cocido (no muy gruesas)
2 tajadas de melón
20 g de mantequilla
sal y pimienta

Corte el melón en dados, distribúyalos sobre el jamón cocido y forme rollitos. Salpimiente.

Sobre un plato de servicio untado con mantequilla acomode los rollos; hornéelo a la máxima potencia en el microondas durante 1 minuto. Deje reposar otro minuto y sirva.

CARPACCIO
DE PEZ ESPADA

PREPARACIÓN: 5 minutos
COCCIÓN: 2 minutos
REPOSO: 1 minuto
DIFICULTAD: baja

Ingredientes

400 g de pez espada
20 g de aceite de oliva virgen
sal y pimienta
perejil

Lave con cuidado el pescado y luego córtelo en trozos muy finos con un cuchillo bien afilado.

Alinee en un recipiente de pyrex las rodajas de pez espada sin superponerlas, y úntelas con un poco con aceite.

Hornee a la potencia máxima 2 minutos.

Transcurrido este tiempo, deje en reposo durante 1 minuto, luego sale, sazone con pimienta, adorne con unas rodajas de limón, cubra con perejil y sirva.

CARPACCIO DE PEZ
DE SAN PEDRO
CON CALABACINES

PREPARACIÓN: 10 minutos
COCCIÓN: 1 minuto
REPOSO: 1 minuto
DIFICULTAD: media

Ingredientes

600 g de pez de San Pedro cortado en carpaccio
2 calabacines
1 cucharada de vinagre de manzana
2 cucharadas de aceite de oliva virgen
sal y pimienta

En una fuente de servicio, disponga los filetes de pez de San Pedro, sin superponerlos, cubriendo también los bordes del plato; úntelos con el aceite y cúbralos con pimienta y vinagre de manzana.

Tape con papel transparente para microondas y cueza programando la potencia al máximo durante 1 minuto.

Aparte, tueste los calabacines cortados en finas lonchas; luego córtelas en tiras.

Cuando la cocción del pescado haya terminado, destápelo y déjelo reposar durante 1 minuto; luego sálelo y sazone con pimienta.

Antes de servir, cubra el pez de San Pedro con las tiras de calabacín.

Cigalas con sal marina

PREPARACIÓN: 15 minutos + 1 hora marinada
COCCIÓN: 7 minutos
REPOSO: –
DIFICULTAD: media

Ingredientes

12 cigalas grandes con la cabeza
1 kg de sal gorda
1 vaso de vino blanco seco
30 g de aceite de oliva virgen
vinagre balsámico
tomillo
mirto
mejorana
perejil picado
el zumo y la corteza de 1/2 limón
sal y pimienta

Lave bien las cigalas y realice una incisión en su caparazón.

En un cuenco mezcle el vino blanco seco, la sal fina, la pimienta, el perejil picado, las hierbas aromáticas, el aceite, algunas gotas de vinagre balsámico, el zumo y la corteza del limón.

Deje marinar las cigalas en el cuenco durante 1 hora.

Posteriormente, vierta en el fondo de un recipiente 1/2 kg de sal gorda, luego disponga las cigalas en línea por encima, vierta el zumo restante y cubra con la sal restante.

Cueza 7 minutos a la potencia máxima. Sirva bien caliente.

Cigalas con velouté

PREPARACIÓN: 10 minutos
COCCIÓN: 3 minutos
REPOSO: 1 minuto
DIFICULTAD: media

Ingredientes

600 g de colas de cigalas ya peladas
1/2 vaso de nata líquida
100 g tomate triturado
1 nuez de mantequilla
1 trocito de chalote
sal y pimienta

Disponga las cigalas con la parte más gruesa de la cola hacia el exterior en una fuente de servicio untada con mantequilla; añada el chalote.

Cubra la fuente con papel transparente para microondas y cueza programando la potencia al máximo durante 1 minuto.

Añada los demás ingredientes y salpimiente; ponga de nuevo el recipiente tapado en el horno de microondas y termine la cocción en 2 minutos.

Retire el papel transparente y el chalote; deje en reposo durante 1 minuto y sirva.

COLAS DE CIGALAS
A LAS HIERBAS

Unte con mantequilla una fuente adecuada para la cocción en microondas y disponga las colas de cigala y el trozo de chalote.

Luego tape con papel transparente para microondas y deje cocer durante 1 minuto a la potencia máxima.

Después añada el tomate triturado, sale y, si le gusta, aderece con pimienta.

Tape de nuevo y prosiga la cocción 2 minutos más.

Retire el papel transparente y el chalote, añada las hierbas y deje en reposo durante 2 minutos antes de servir.

PREPARACIÓN: *10 minutos*
COCCIÓN: *3 minutos*
REPOSO: *2 minutos*
DIFICULTAD: *baja*

Ingredientes

600 g de colas de cigala ya peladas
100 g de tomate triturado
1 ramita de romero
1 ramita de salvia
1 nuez de mantequilla
1 trocito de chalote
tomillo
perejil picado
sal y pimienta

COLAS DE CIGALAS
CON PUERROS

Engrase una fuente adecuada para la cocción en microondas; disponga en ella las colas de cigala y, por encima, los puerros picados.

Tape con papel transparente para microondas y cueza 3 minutos a la potencia máxima.

A continuación, añada el tomate triturado, sale, aderece con pimienta, si le gusta, tape con papel transparente y complete la cocción 2 minutos más.

Remueva y deje en reposo 2 minutos antes de servir.

PREPARACIÓN: *10 minutos*
COCCIÓN: *5 minutos*
REPOSO: *2 minutos*
DIFICULTAD: *media*

Ingredientes

600 g de colas de cigalas ya peladas
100 g de tomate triturado
3 puerros picados
20 g de aceite de oliva virgen
sal y pimienta

MENESTRA DE ATÚN

PREPARACIÓN: 20 minutos
COCCIÓN: 13 minutos
REPOSO: –
DIFICULTAD: media

Ingredientes

150 g de atún en aceite
120 g de cebolletas
2 alcachofas
2 puerros
2 tomates
1 zanahoria
40 g de aceitunas verdes (deshuesadas)
2 filetes de anchoas en aceite
1 cucharada de alcaparras
1 cucharada de azúcar
4 cucharadas de aceite de oliva virgen
3 cucharadas de vinagre
sal

Limpie las alcachofas, quitándoles las hojas más duras, el tallo y la pelusilla del interior; córtelas en cuatro trozos, y póngalos a remojo en un recipiente con agua y dos cucharadas de vinagre.

Pele las cebolletas. Triture un filete de anchoa y corte en trocitos el otro. Desmenuce el atún.

Lave los tomates, dispóngalos en una fuente e introdúzcalos en el horno durante 30 segundos a la máxima potencia. Pélelos, elimine las semillas y córtelos en trozos.

Pele la zanahoria, lávela y trocéela. Pele el puerro y quítele las raíces, las capas externas y la parte verde; lávelo y córtelo en rodajas.

Ponga en un recipiente de pyrex dos cucharadas de aceite y los puerros; deje que se hagan en el horno a la máxima potencia durante 2 minutos, sin tapar.

Añada la zanahoria y las cebolletas, y riegue con dos cucharadas de agua. Sale y cueza durante 3 minutos, removiendo dos veces.

Incorpore los tomates, las alcachofas, el filete de anchoa troceado, el azúcar y el vinagre restante. Tape y cueza unos 8 minutos, o hasta que las zanahorias y las cebolletas estén en su punto.

Añada las alcaparras, el otro filete de anchoa, las aceitunas, el atún y el aceite restante. Mezcle bien y sirva.

TROPEZONES IDEALES

PREPARACIÓN: 4 minutos
COCCIÓN: 2 minutos
REPOSO: –
DIFICULTAD: baja

Ingredientes

35 g de queso emmental cortado en dados
pan negro integral sin corteza
16 aceitunas sin hueso
16 alcaparras

Para la preparación

16 palillos de madera

Corte dos rebanadas de pan en ocho cuadraditos.

Ponga las rebanadas de pan en un recipiente refractario que introducirá en el horno de microondas durante 2 minutos programando la potencia al máximo.

Luego disponga sobre cada rebanada un dado de queso emmental, una alcaparra y una aceituna.

Por último, fije los ingredientes con un palillo.

Sirva a continuación.

VIEIRAS AUSTRALES

PREPARACIÓN: 15 minutos
COCCIÓN: 9 minutos
REPOSO: –
DIFICULTAD: baja

Ingredientes

250 g de vieiras
1 manojo de perejil lavado y escurrido
1 diente de ajo pelado y picado
aceite de oliva
sal, pimienta y trocitos de limón

Para decorar

conchas de vieiras

Descongele las vieiras y lávelas. Póngalas en un cuenco con dos cucharadas de aceite e introdúzcalas en el microondas 5 minutos a media potencia.

Retire del horno las vieiras y resérvelas calientes.

En un recipiente de pyrex refractario ponga un poco de aceite y el ajo picado.

Deje cocer 1 minuto en el horno de microondas programando la potencia al máximo; retire del horno, remueva y añada el perejil picado.

Salpimiente e introduzca en el horno otros 3 minutos aumentando la potencia.

En el momento de servir, rellene la conchas con las vieiras preparadas y báñelas con el condimento todavía caliente.

Disponga las vieiras en una fuente de servicio y decórelas con trocitos de limón.

Pinchos a la moda

Monde y lave los vegetales.

A continuación, divida en cuatro partes la cebolla, corte el pimiento en dados y lave bien los tomates.

Ensarte los vegetales en los pinchos, alternándolos con las aceitunas sin hueso.

Luego vierta en una fuente dos cucharadas de aceite. Aderece con una pizca de sal y pimienta molida en abundancia y mezcle bien.

Sumerja en el condimento los pinchos, gírelos y déjelos macerar una hora.

Luego ponga los pinchos encima del grill de su horno y colóquelo sobre el plato giratorio.

Deje cocer los pinchos combinando grill y microondas durante 8 minutos programando la potencia al máximo.

Dé la vuelta a los pinchos de vez en cuando.

PREPARACIÓN: *1 hora y 15 minutos*
COCCIÓN: *8 minutos*
REPOSO: *–*
DIFICULTAD: *baja*

Ingredientes

1 pimiento amarillo
1 cebolla
2 racimos de tomates cherry
aceitunas sin hueso
aceite de oliva
sal y pimienta

Para la preparación

pinchos largos de madera
untados con aceite

Volovanes con mousse de salmón

Triture el salmón junto con el kétchup y añada el mascarpone. Salpimiente.

Distribuya el compuesto en los volovanes, lleve al horno durante 1 minuto y deje reposar otro minuto.

Finalmente, decore con trocitos de salmón ahumado y sirva.

PREPARACIÓN: *10 minutos*
COCCIÓN: *1 minuto*
REPOSO: *1 minuto*
DIFICULTAD: *baja*

Ingredientes

12 volovanes
1 huevo
100 g de salmón ahumado
100 g de mascarpone
1 cucharadita de kétchup
sal y pimienta

PREPARACIÓN: *25 minutos + tiempo de freír*
COCCIÓN: *14 minutos*
REPOSO: *–*
DIFICULTAD: *media*

Ingredientes

250 g de bacalao
300 g de patatas
70 g de mantequilla
50 g de jamón cocido
150 g de champiñones
50 g de pan rallado
4-5 cucharadas de aceite de oliva virgen
4-5 cucharadas de leche
3 huevos (1 entero y 2 yemas)
1 cucharada de harina
sal

ALBÓNDIGAS DE BACALAO

Desmenuce el bacalao y pique el jamón.

Limpie los champiñones y trocéelos.

Lave las patatas, agujeréelas con un palillo y dispóngalas en una fuente. Introdúzcalas en el horno a la máxima potencia durante 5 minutos. Sáquelas, pélelas y páselas por el pasapurés.

Coloque el puré de patata en una fuente de pyrex con 30 g de mantequilla y la leche, para obtener un compuesto bastante consistente; introdúzcalo en el horno sin tapar a la máxima potencia durante 2 minutos, removiendo dos veces.

Saque el recipiente del horno y sazone.

Ponga en otro recipiente la mantequilla restante, el bacalao ligeramente salado y los champiñones; introdúzcalo en el horno sin tapar a la máxima potencia durante 5 minutos. Añada el jamón, remueva, tape y prosiga la cocción 2 minutos.

Saque este preparado del horno y añádalo al puré; incorpore también las dos yemas. Remueva, rectifique la sal y deje que enfríe.

Forme albóndigas de 1 cm de grosor, y enharínelas.

Bata el huevo, pase por él las albóndigas y luego rebócelas en el pan rallado.

Ponga aceite en una sartén y caliéntelo en el horno. Cuando esté hirviendo, fría las albóndigas y deje que se doren por ambos lados.

Saque las albóndigas con una espumadera, deje que escurran en papel de cocina y sírvalas calientes.

TORTEL DE SARDINAS

PREPARACIÓN: 20 minutos
COCCIÓN: 10 minutos
REPOSO: 2 minutos
DIFICULTAD: media

Ingredientes

700 g de sardinas
2 cucharadas de aceite de oliva virgen
1 cucharada de perejil picado
medio ajo picado
sal
pimienta

Lave las sardinas, ábralas y quíteles la espina y la cabeza.

Unte con un poco de aceite una fuente redonda y disponga las sardinas en capas, con la piel hacia abajo y las colas en el centro.

Cubra con perejil y ajo, bañe con aceite y sazone. Tape la fuente e introdúzcala en el horno a la máxima potencia durante 10 minutos.

Destape, deje que repose 2 minutos y sirva el tortel templado.

SARDINAS EN TARTERA AL ROMERO

PREPARACIÓN: 20 minutos + maceración
COCCIÓN: 10 minutos
REPOSO: 2 minutos
DIFICULTAD: baja

Ingredientes

700 g de sardinas
30 ml de aceite de oliva
romero picado
pimienta
sal

Se limpian bien las sardinas, se abren, se descaman y se les quita la cabeza.

Se colocan en capas, abiertas, en una cazuela ligeramente untada con aceite; se distribuye el romero picado y se salan.

A continuación, se llevan al horno tapadas con papel de cocina transparente.

Se cocinan durante 10 minutos a la máxima potencia.

Transcurrido este tiempo, se dejan reposar durante 2 minutos y, seguidamente, se sirven.

TOSTADAS
DE MEJILLONES
A LA HORTELANA

PREPARACIÓN: 20 minutos
COCCIÓN: 10 minutos
REPOSO: 3 minutos
DIFICULTAD: baja

Ingredientes

8 mejillones
100 g de pulpa de tomate
20 g de aceitunas verdes picadas
3 cucharadas de aceite de oliva virgen
1 calabacín
media berenjena
medio pimiento
1 diente de ajo picado
1 cucharada de alcaparras picadas
media cucharada de orégano
1 pizca de pimentón
2 rebanadas grandes de pan casero
sal

Lave los mejillones con cuidado bajo el chorro del agua fría, y quíteles las barbas con un cuchillo. Colóquelos en un recipiente, tápelo e introdúzcalo en el horno a la máxima potencia durante 4 minutos.

Saque los mejillones del horno, deje que reposen durante 2 minutos, quíteles las valvas y píquelos gruesos.

Pele la berenjena; lave el pimiento y el calabacín. Corte todas las verduras en dados.

Triture la pulpa del tomate.

Ponga aceite en una fuente de pyrex; incorpore las verduras, las alcaparras y las aceitunas, y sazone. Riegue con dos cucharadas de agua, tape y cueza en el horno a la máxima potencia 5 minutos.

Corte las rebanadas de pan en cuatro trozos, y tuéstelos en el horno tradicional a unos 220 °C durante 2 minutos. Deles la vuelta y déjelos otros 2 minutos.

Incorpore a la fuente de pyrex los mejillones, el orégano y el pimentón, y prosiga la cocción durante 1 minuto, sin tapar. Deje que repose otro minuto.

Disponga las tostadas en una fuente de servir, reparta sobre ellas las verduras con los mejillones y sirva.

VIEIRAS

PREPARACIÓN: *20 minutos + gratinado*
COCCIÓN: *9 minutos*
REPOSO: *–*
DIFICULTAD: *media*

Ingredientes

8 vieiras grandes
4 cucharadas de aceite de oliva virgen
2 cucharadas de vino blanco
2 cucharadas de pan rallado
2 cucharadas de perejil picado
1 diente de ajo picado

Abra las conchas de las vieiras con un cuchillo, lávelas (quitando la parte membranosa que recubre la carne, pero sin romper la parte roja), sáquelas de la concha y páselas por agua.

Disponga en una fuente de pyrex el aceite y el ajo; introdúzcala sin tapar en el horno a la máxima potencia unos 50 segundos. Incorpore los moluscos, riegue con el vino, tape y cueza durante 8 minutos, removiendo dos veces.

Lave con cuidado cuatro valvas vacías y coloque en el interior de cada una las vieiras de dos en dos; cúbralas con el perejil y el pan rallado.

Riegue con el fondo de cocción y gratine con el grill del horno de microondas (o del horno tradicional) durante 5 minutos, o hasta que la superficie esté bien dorada. Sirva enseguida.

PREPARACIÓN: 15 minutos + tiempo de purga
COCCIÓN: 4 minutos
REPOSO: –
DIFICULTAD: media

Ingredientes

24 almejas
8 cucharadas de kétchup
2 chalotes
medio pimiento rojo
medio limón (el zumo)
media cucharadita de pimentón
sal
limón para adornar

COPA DE ALMEJAS

Ponga las almejas en un bol con abundante agua fría salada, y deje que purguen durante una hora. Lávelas bajo el chorro de agua, y escúrralas.

Pele los chalotes y córtelos en rodajas finas. Lave el pimiento y córtelo en tiras.

Disponga las almejas en una fuente de pyrex, tápela e introdúzcala en el horno a la potencia máxima 4 minutos, o hasta que las valvas se abran. Saque las almejas de la fuente, escúrralas y déjelas enfriar.

Reparta en cuatro copas los pimientos y los chalotes. Incorpore las almejas, el kétchup, el zumo de limón y el pimentón. Mezcle bien, y sirva adornado de rodajas de limón.

PREPARACIÓN: 20 minutos
COCCIÓN: 8 minutos
REPOSO: 2 minutos
DIFICULTAD: media

Ingredientes

1,5 kg de mejillones frescos
50 g de pulpa de tomate
30 g de pan rallado
30 g de queso rallado
30 g de aceite de oliva virgen
perejil picado
sal y pimienta negra

MEJILLONES AL GUSTO

Raspe los mejillones con cuidado, lávelos con agua corriente y, con un cuchillo, tire de las barbas.

Póngalos con un poco de agua en un recipiente adecuado para la cocción en microondas, tape y deje cocer 6 minutos a la potencia máxima.

Cuando se hayan abierto, retire las mitades de las conchas que no tienen el molusco adherido.

Amase en un recipiente de pyrex con algunas cucharadas de agua el tomate con el queso y el pan rallado y añada el perejil muy picado.

Luego deje cocer a la potencia máxima durante 2 minutos con el recipiente tapado, destape y deje en reposo 2 minutos.

Sirva los mejillones tras corregir de sal y pimienta.

TOMATES RELLENOS DE MOZZARELLA

PREPARACIÓN: *15 minutos*
COCCIÓN: *3 minutos*
REPOSO: *1 minuto*
DIFICULTAD: *baja*

Ingredientes

300 g de tomates canarios
100 g de mozzarella
2 filetes de anchoa
30 g de parmesano rallado
perejil picado
30 g de pan rallado
30 g de aceite de oliva virgen
sal y pimienta

Lave los tomates, córtelos por la mitad tras haberlos vaciado y dispóngalos en un recipiente de pyrex untado con aceite.

Corte la mozzarella en dados y póngalos encima de los tomates, junto con las anchoas troceadas y los demás ingredientes.

Sale ligeramente y sazone con pimienta.

Luego introduzca los tomates en el horno de microondas durante 3 minutos.

Deje reposar durante 1 minuto.

Sirva de inmediato.

PIMIENTOS AL REQUESÓN

PREPARACIÓN: *15 minutos*
COCCIÓN: *5 minutos*
REPOSO: *1 minuto*
DIFICULTAD: *baja*

Ingredientes

200 g de pimientos amarillos
150 g de requesón fresco
10 aceitunas verdes
2 cucharadas de aceite de oliva extra virgen
perejil picado
sal y pimienta

Se lavan bien los pimientos y se les quita la base y las semillas.

A continuación, se trabaja el requesón fresco con las aceitunas, previamente picadas muy finas. Se sazona con la sal, la pimienta y el perejil picado.

Se rellenan los pimientos con la crema obtenida, con la ayuda de una manga pastelera de boca ancha, y se colocan sobre una bandeja ligeramente aceitada.

Por último, se introducen en el horno de microondas y se dejan cocer unos 2 minutos. Se dejan reposar 1 minuto y se sirven al momento.

Bocaditos de rape

En primer lugar, se corta el pescado en tiras más bien anchas.

Seguidamente, se dispone la escalonia en una cazuela de pyrex adecuada para la cocción en microondas. Se agrega el aceite y el vino.

A continuación, se añade el pescado, se tapa con papel transparente y se cuece unos 5 minutos a la máxima potencia.

Por último, se sazona, se añade el perejil y se deja reposar destapado durante unos 2 minutos.

PREPARACIÓN: 7 minutos
COCCIÓN: 5 minutos
REPOSO: 2 minutos
DIFICULTAD: baja

Ingredientes

500 g de rape
1 escalonia
perejil picado
1 cucharada de aceite de oliva extra virgen
1 cucharada de vino blanco
sal

Canapés de cangrejo

Se cuecen durante 10-15 minutos las espinacas en una cazuela mediana, con el chalote, la mantequilla y la sal.

A continuación, se saca el chalote y se trituran las espinacas.

Se elimina la corteza del pan de molde, se parte en triángulos y se pone encima de cada trozo un poco de puré de espinacas. Sobre él se colocan las barritas de cangrejo picadas y se tapan con el queso, también cortado en triángulos.

Por último, se disponen los canapés sobre la bandeja y se llevan al horno durante 2 minutos.

Transcurrido este tiempo, se dejan reposar 1 minuto y se sirven inmediatamente.

PREPARACIÓN: 5 minutos
COCCIÓN: 2 minutos
REPOSO: 1 minuto
DIFICULTAD: baja

Ingredientes

120 g de espinacas lavadas y escurridas
30 g de mantequilla
100 g de barritas de cangrejo
1 chalote
4 lonchas de queso
4 rebanadas de pan de molde
sal y pimienta

Mousse de mascarpone y requesón

PREPARACIÓN: *15 minutos*
COCCIÓN: *6 minutos*
REPOSO: *–*
DIFICULTAD: *media*

Ingredientes

150 g de mascarpone
100 g de requesón
20 g de mantequilla
2 pimientos amarillos
1 cebolla picada
1 cucharadita de perejil picado
pan tostado
sal

Lave los pimientos, eliminando el tallo, los filamentos blancos internos y las semillas. Córtelos en dados.

Ponga la cebolla y los pimientos en una fuente de pyrex, agregue la mantequilla y sazone. Tape y cueza en el horno a la máxima potencia durante 6 minutos, removiendo a los 3 minutos.

Bata los pimientos y dispóngalos en un bol. Agregue el requesón, el mascarpone y el perejil, y trabaje bien la mezcla obtenida con un tenedor.

Sirva la mousse acompañada de rebanadas de pan tostado.

CANGREJOS PERFUMADOS

PREPARACIÓN: 15 minutos
COCCIÓN: 3 minutos
REPOSO: 1 minuto
DIFICULTAD: baja

Ingredientes

600 g de cangrejos pelados
30 ml de aceite de oliva
4 cucharadas de brandy
1/2 limón exprimido
perejil
sal y pimienta

Se colocan los cangrejos en la bandeja de pyrex. Se ralla la piel del limón y se une con el perejil picado; se moja con el brandy y con el zumo del limón. Se salpimienta y se diluye en el aceite.

A continuación, se distribuye esta mezcla por encima de los cangrejos y se tapan con una hoja de papel engrasado.

Por último, se llevan al horno, a máxima potencia, durante 3 minutos; después se destapan y se dejan reposar 1 minuto antes de servir.

TOSTADITAS TOSCANAS

PREPARACIÓN: 10 minutos
COCCIÓN: 6 minutos
REPOSO: 1 minuto
DIFICULTAD: baja

Ingredientes

300 g de hígado de cordero en trocitos
30 g de mantequilla
1/2 cebolla
1/2 cucharada de salsa de tomate
1 hoja de laurel
4 rebanadas de pan
sal
pimienta

Pele la cebolla y córtela en rodajas finas.

Disponga la mantequilla en una fuente de pyrex y llévela al horno a la máxima potencia durante 30 segundos.

Incorpore la cebolla y el hígado, y cueza a la máxima potencia 3 minutos.

Agregue la hoja de laurel, y cueza todavía 2 minutos.

Sale, añada la pulpa de tomate y retire la hoja de laurel.

Bata todo hasta obtener una crema lisa y homogénea. Extienda la crema sobre las rebanadas de pan, e introdúzcalas en el horno a la máxima potencia 1 minuto.

Deje que reposen 1 minuto y sírvalas.

CANUTILLOS
DE CABEZA DE JABALÍ

Se comienza cortando el queso en dados, que se esparcen sobre las lonchas de cabeza de jabalí, después de haberlas untado con mostaza y espolvoreado con perejil.

A continuación, se enrolla cada corte formando canutillos, que se disponen en corona sobre la bandeja, ligeramente untada con mantequilla.

Finalmente, se meten 1 minuto en el horno. Se dejan reposar durante 1 minuto más y se sirven calientes.

PREPARACIÓN: 5 minutos
COCCIÓN: 1 minuto
REPOSO: –
DIFICULTAD: baja

Ingredientes

8 lonchas finas de cabeza de jabalí
80 g de queso
1 cucharadita de mostaza aromática
20 g de mantequilla
perejil

ROLLITOS DE PAVO
Y QUESO

Unte cada loncha de pavo con el tomate.

Disponga una loncha de queso encima.

Forme un rollito con cada loncha.

Unte con mantequilla una fuente y disponga los rollitos formando una corona.

Introdúzcalos en el horno a la máxima potencia durante 1 minuto.

Deje que reposen otro minuto, y sirva.

PREPARACIÓN: 10 minutos
COCCIÓN: 1 minuto
REPOSO: 1 minuto
DIFICULTAD: media

Ingredientes

4 lonchas de pechuga
  de pavo cocido (no demasiado gruesas)
4 lonchas de queso tierno
20 g de mantequilla
4 cucharadas de tomate

BERENJENAS AROMATIZADAS

PREPARACIÓN: 10 minutos
COCCIÓN: 4 minutos
REPOSO: 2 minutos
DIFICULTAD: media

Ingredientes

400 g de berenjenas cortadas en dados
1 manojo de perejil
1 cucharadita de orégano
1 cucharadita de mejorana
1 tallo de romero
2 hojas de salvia
1/2 diente de ajo
3 cucharadas de aceite de oliva virgen
sal y pimienta

Triture con la batidora las hierbas con el aceite, la sal, la pimienta y el ajo.

A continuación, disponga los dados de berenjena en una bandeja de pyrex.

Vierta sobre ellos la mezcla de hierbas y cubra la bandeja con papel transparente para microondas.

Cueza en el horno a la máxima potencia durante 4 minutos.

Por último, deje reposar todo durante 2 minutos.

Retire el papel transparente, remueva las berenjenas y sírvalas.

Champiñones
Rellenos de Perejil

PREPARACIÓN: *5 minutos*
COCCIÓN: *2 minutos*
REPOSO: *1 minuto*
DIFICULTAD: *media*

Ingredientes

250 g de champiñones sin el tallo
30 ml de aceite de oliva
1 cucharada de perejil
1 diente de ajo
sal y pimienta

Se limpian los sombrerillos de los champiñones y se colocan en la bandeja, rociándolos con el aceite y espolvoreándolos con perejil; se cubren con papel transparente y se llevan al horno de microondas durante 2 minutos.

Transcurrido este tiempo, se destapan, se salan ligeramente y se dejan reposar durante 1 minuto antes de servir.

Champiñones
a la Ruca

PREPARACIÓN: *5 minutos*
COCCIÓN: *2 minutos*
REPOSO: *1 minuto*
DIFICULTAD: *baja*

Ingredientes

250 g de champiñones
1 ramito de ruca
1 cucharada de aceite de oliva extra virgen
sal
pimienta

Primero se limpian bien los champiñones y se cortan en láminas finas.

A continuación, se colocan en una bandeja de pyrex y se rocían con el aceite. Se tapa el recipiente y se lleva al horno de microondas durante 2 minutos.

Seguidamente, se destapa, se sala un poco y se deja reposar 1 minuto.

Por último, se recubren los champiñones con la ruca cortada en tiras finas, tipo juliana, y se sirven inmediatamente.

PAQUETITOS
DE BERZA Y PAVO

Escalde las hojas de berza en un poco de agua hirviendo, escúrralas y póngalas bien extendidas sobre una fuente.

Corte en trozos el queso.

Disponga el pavo en un plato, cúbralo con plástico transparente e introdúzcalo en el horno a la máxima potencia 2 minutos.

Retírelo del horno, destápelo y tritúrelo.

Mezcle el queso con la crema de pavo.

Disponga en cada hoja de berza un poco de esta mezcla, alíñela con unas gotas de aceite de oliva, salpimiente y espolvoree un poco de perejil.

Enrolle las hojas sobre sí mismas, disponga estos paquetitos en forma de corona sobre una fuente e introdúzcala en el horno a la máxima potencia durante 3 minutos. Añada la mantequilla al fondo de cocción.

Tueste las rebanadas de pan en el horno tradicional a 220 °C durante 2 minutos; a continuación, deles la vuelta y repita la operación 2 minutos más.

Corte los paquetitos en dos o tres trozos y sírvalos sobre las rebanadas de pan, regando antes un poco con el fondo de cocción.

PREPARACIÓN: *10 minutos*
COCCIÓN: *5 minutos*
REPOSO: –
DIFICULTAD: *baja*

Ingredientes

200 g de pechuga de pavo cortada fina
50 g de queso tipo holandés
algunas rebanadas de pan integral
20 g de mantequilla
1 cucharada de aceite de oliva virgen extra
4 hojas de berza
1 cucharada de perejil picado
sal
pimienta

ENDIBIAS
EN CARTUCHO

PREPARACIÓN: *10 minutos*
COCCIÓN: *1 minuto*
REPOSO: *1 minuto*
DIFICULTAD: *baja*

Ingredientes

250 g de endibias
algunas nueces
1 cucharada de aceite de oliva extra virgen
sal y pimienta

Se comienza lavando las endibias, separando las hojas exteriores y cortándolas en tiritas finas.

Después se trocean las nueces y se esparcen por encima de las endibias.

Se condimentan bien con el aceite, la sal y abundante pimienta.

A continuación, se envuelve el preparado en una hoja de papel vegetal y se lleva al microondas durante 1 minuto.

Finalmente, se deja reposar 1 minuto y se sirve inmediatamente.

ENSALADA
DE LENGUA Y JAMÓN

PREPARACIÓN: *10 minutos*
COCCIÓN: *1 minuto*
REPOSO: *1 minuto*
DIFICULTAD: *media*

Ingredientes

200 g de lengua cocida
100 g de jamón cocido
2-3 cucharadas de aceite de oliva virgen
1 manojo de rúcula
sal
pimienta

Lave la rúcula y córtela en tiras finas.

Corte en tiras también el jamón y la lengua.

Bata el aceite con sal y pimienta en una fuente de pyrex, añada el jamón y la lengua e introdúzcalo en el horno a la máxima potencia durante 1 minuto. Deje que repose otro minuto.

Disponga el jamón y la lengua sobre una fuente de servir, cubra con la rúcula y sirva.

Gambas perfumadas

Se disponen las gambas en un recipiente de pyrex bajo y ancho.

Seguidamente, se ralla la piel del limón y se añade al perejil; luego se vierte el brandy y el zumo de limón. Se salpimienta y se diluye con aceite.

A continuación, se distribuye el condimento sobre las gambas y se tapa el recipiente con papel para horno.

Por último, se hornea, a la máxima potencia, durante 3 minutos; se destapa y se deja reposar 1 minuto antes de servir.

PREPARACIÓN: *10 minutos*
COCCIÓN: *3 minutos*
REPOSO: *1 minuto*
DIFICULTAD: *baja*

Ingredientes

600 g de gambas peladas
el zumo y la piel de medio limón
perejil picado
1 cucharada de aceite de oliva extra virgen
1 cucharada de brandy
sal y pimienta

Ensalada exótica

Corte el pollo en tiras.

Bata el aceite con la sal y la pimienta.

Condimente las gambas con esta salsa, e introdúzcalas en el horno a la máxima potencia durante 1 minuto.

Agregue el pollo, mezcle y deje que repose 1 minuto.

Cubra una fuente de servir con hojas de lechuga. Vierta la ensalada de pollo y gambas, decore con la piña y sirva.

PREPARACIÓN: *10 minutos*
COCCIÓN: *1 minuto*
REPOSO: *1 minuto*
DIFICULTAD: *baja*

Ingredientes

200 g de gambas (cocidas y peladas)
200 g de pollo (cocido)
2-3 cucharadas de aceite de oliva virgen
2 rodajas de piña (cortadas en dados)
sal
pimienta
hojas de lechuga para decorar

PREPARACIÓN: *10 minutos*
COCCIÓN: *5 minutos*
REPOSO: *3 minutos*
DIFICULTAD: *media*

Ingredientes

350 g de higadillos de pollo
125 g de mantequilla
1 diente de ajo
1 cebolla picada
1 cucharada de brandy
nuez moscada
15 g de aceite de oliva virgen
sal y pimienta recién molida

PATÉ DE HIGADILLOS

Prepare en una fuente 25 g de mantequilla, el aceite, el ajo y la cebolla y rehogue en el horno de microondas durante unos 3 minutos a la potencia máxima.

Añada los higadillos y deje cocer durante 2 minutos más removiendo de vez en cuando.

Luego bañe con el brandy y espolvoree con un poco de nuez moscada.

Bátalo todo con la ayuda de un robot de cocina hasta obtener una masa uniforme. Después deje que se enfríe.

A continuación, añada el resto de la mantequilla. Sale y aderece con pimienta.

Por último, sirva sobre rebanadas de pan tostado.

Huevos en cocotte

PREPARACIÓN: 5 minutos
COCCIÓN: 6 minutos
REPOSO: 30 segundos
DIFICULTAD: media

Ingredientes

4 huevos
1 nuez de mantequilla
agua para el baño María

Para empezar a preparar este entremés, se ponen unos tres dedos de agua en un recipiente adecuado para la cocción en horno de microondas, se tapa y se deja durante 3 o 4 minutos a la máxima potencia.

Entre tanto, se untan con mantequilla unos vasitos de vidrio y se rompe un huevo en cada uno de ellos.

Una vez hecho esto, se llevan los vasos al recipiente con agua. Se tapan y se cuece 2 minutos a máxima potencia.

Finalmente, se sacan los vasos del agua, se dejan reposar unos segundos y se desmoldan los huevos en platitos individuales, momentos antes de servir.

Paquetitos de panceta y endibias

PREPARACIÓN: 5 minutos
COCCIÓN: 2 minutos
REPOSO: 1 minuto
DIFICULTAD: baja

Ingredientes

250 g de endibias
60 g de panceta ahumada en lonchas
2 cucharadas de aceite de oliva virgen
sal
pimienta

Lave las endibias y corte cada una en 4 trozos.

Envuelva cada trozo con una loncha de panceta, y condimente con aceite, sal y pimienta.

Disponga los paquetitos en una fuente, e introdúzcala en el horno a la máxima potencia 2 minutos.

Deje que repose todo 1 minuto y sirva.

Pinchitos de atún

Primeramente, se corta el atún en dados grandes que después se irán clavando en pinchitos de madera alternándolos con las hojitas de laurel.

A continuación, se colocan los pinchitos en una bandeja, se tapan con papel transparente y se cuecen en el horno de microondas, a la máxima potencia, durante 4 minutos.

Finalmente, se quita el plástico, se salpimientan, se rocían con el aceite y se dejan reposar 2 minutos antes de comenzar a servirlos.

PREPARACIÓN: 10 minutos
COCCIÓN: 4 minutos
REPOSO: 2 minutos
DIFICULTAD: baja

Ingredientes

500 g de atún
4 hojas de laurel
30 ml de aceite de oliva
sal y pimienta

Alcachofas al parmesano

Ponga a remojo las alcachofas en agua acidulada con el zumo de limón.

Escúrralas, dispóngalas en corona en una fuente, sale ligeramente y cueza en el horno a la máxima potencia 5 minutos.

Bata los huevos con la nata, el perejil y el queso; sale y rellene las alcachofas con esta mezcla.

Tape el recipiente de las alcachofas e introdúzcalo en el horno a una potencia media-alta durante 5 minutos.

Deje que repose 2 minutos, destape y sirva adornando con ramitas de perejil rizado.

PREPARACIÓN: 10 minutos
COCCIÓN: 10 minutos
REPOSO: 2 minutos
DIFICULTAD: media

Ingredientes

8 corazones de alcachofa
30 g de parmesano rallado
3 cucharadas de nata líquida
2 huevos
1 cucharada de perejil picado
1 limón (el zumo)
sal
pimienta
perejil rizado

TARTA DE ZANAHORIAS Y ALCACHOFAS

PREPARACIÓN: *10 minutos*
COCCIÓN: *7 minutos*
REPOSO: *–*
DIFICULTAD: *baja*

Ingredientes

4 alcachofas
1 zanahoria
80 g de puré de tomate
2 huevos
20 g de harina
1 cucharada de aceite de oliva virgen
sal

Limpie y corte las zanahorias en juliana.

A continuación, corte también las alcachofas en láminas.

En un molde engrasado vierta primero los huevos batidos con la harina, el puré de tomate, sal y pimienta.

Después, añada las verduras que previamente ha picado.

Cueza durante 7 minutos.

Transcurrido este tiempo, retire del horno y sirva.

ALCACHOFAS EN ENSALADA CON SETAS

PREPARACIÓN: *15 minutos*
COCCIÓN: *4 minutos*
REPOSO: *1 minuto*
DIFICULTAD: *media*

Ingredientes

250 g de setas
2 alcachofas
30 g de queso curado rallado
1 cucharada aceite de oliva virgen
1 limón (el zumo)
1 o 2 hojas de menta picada
sal
pimienta

Quite a las alcachofas las hojas más duras y la pelusilla que tienen en el interior; elimine la punta, y córtelas en rodajas finas; sumérjalas en agua a la que habrá incorporado un poco de zumo de limón.

Prepare las setas: quite con un cuchillo todos los restos de tierra y, a continuación, límpielas con un paño húmedo. Córtelas en láminas finas.

Disponga en una fuente de servir las setas y las alcachofas, y espolvoree la menta. Condimente con aceite, sal y pimienta, e incorpore, si lo desea, unas gotas de zumo de limón.

Introduzca la fuente en el horno a la máxima potencia durante 4 minutos. Deje que repose 1 minuto; agregue el queso rallado y sirva.

Rollitos de jamón a las hierbas

PREPARACIÓN: 5 minutos
COCCIÓN: 1 minuto
REPOSO: 1 minuto
DIFICULTAD: baja

Ingredientes

4 lonchas de jamón cocido (no muy gruesas)
80 g de queso en trozos
20 g de mantequilla
orégano

En primer lugar, se disponen algunos trocitos de queso sobre cada loncha de jamón. Se espolvorean con orégano, y se forma un rollito.

A continuación, se unta ligeramente con mantequilla una bandeja redonda y se colocan, formando una corona, los rollitos de jamón.

Por último, se llevan al horno de microondas durante 1 minuto, se dejan reposar 1 minuto más y se sirven calientes.

Tostaditas picantes

PREPARACIÓN: 5 minutos
COCCIÓN: 4 minutos
REPOSO: –
DIFICULTAD: baja

Ingredientes

200 g de tomates
50 g de aceitunas negras sin hueso
2 cucharadas de aceite de oliva virgen
2 filetes de anchoas
1 diente de ajo picado
1 trocito de guindilla picado
1 cucharada de alcaparras
1 cucharada de perejil picado
4 rebanadas de pan de hogaza
sal
pimienta

Lave los tomates, córtelos, quíteles las semillas y aplástelos.

Corte en trocitos las aceitunas.

Ponga el aceite y el ajo en una fuente de pyrex baja y alargada, y cueza en el horno a la máxima potencia durante 1 minuto.

Añada los tomates, las anchoas, las alcaparras, la guindilla, el perejil y las aceitunas. Mezcle y cueza 3 minutos más, siempre a la máxima potencia.

Rectifique la sal, remueva para deshacer las anchoas y distribuya la mezcla sobre las rebanadas de pan cortadas por la mitad. Sirva.

ROLLITOS
DE MORTADELA

Para empezar, se corta el queso en daditos. Se untan con la mostaza y se sazonan con el perejil picado.

A continuación, se distribuyen en las lonchas de mortadela, se enrollan y se colocan en forma de corona en un plato de servicio ligeramente untado con mantequilla.

Por último, se introducen 1 minuto en el horno de microondas y se dejan reposar otro minuto antes de servir.

PREPARACIÓN: 5 minutos
COCCIÓN: 1 minuto
REPOSO: 1 minuto
DIFICULTAD: baja

Ingredientes

8 lonchas de mortadela
80 g de queso tipo carvel
1 cucharadita de mostaza aromática
1 cucharada de aceite de oliva extra virgen
1 nuez de mantequilla
perejil picado

TOSTADITAS
VERDES CON NUECES

Descongele las espinacas introduciéndolas en el horno a la máxima potencia 2 minutos. Bátalas, incorpore el queso y sale ligeramente.

Incorpore a esta mezcla los huevos, remueva con cuidado y sale.

Unte con mantequilla las rebanadas de pan y distribuya encima la mezcla de espinacas.

Disponga las rebanadas en una fuente e introdúzcalas 3 minutos en el horno a la máxima potencia, girando la fuente un par de veces.

Deje que repose todo 1 minuto, adorne con las nueces y sirva.

PREPARACIÓN: 5 minutos
COCCIÓN: 5 minutos
REPOSO: 1 minuto
DIFICULTAD: media

Ingredientes

300 g de espinacas congeladas
70 g de queso rallado
30 g de mantequilla
2 huevos
1 cucharadita de nueces peladas y picadas
4 rebanadas de pan de hogaza
sal
pimienta

Paté de habas al comino

PREPARACIÓN: 25 minutos
COCCIÓN: 12 minutos
REPOSO: 2 minutos
DIFICULTAD: baja

Ingredientes

600 g de habas
60 g de mantequilla
4 cucharadas de caldo vegetal
2 cebolletas
1/2 cucharadita de comino en polvo

Pele las cebolletas, quitando las raíces, las hojas externas y la parte verde. Lávelas y córtelas en rodajas.

Disponga 20 g de mantequilla en una fuente de pyrex e introdúzcala sin tapar en el horno a la máxima potencia durante 50 segundos. A continuación, incorpore las cebolletas y prosiga la cocción otros 2 minutos.

Agregue las habas, espolvoree el comino, bañe con el caldo y cueza, en el recipiente tapado, durante 8 minutos, removiendo dos veces. Si la preparación resultase demasiado líquida, destape la fuente para que espese.

Ponga la mantequilla restante en un bol e introdúzcalo en el horno, sin tapar, durante 1 minuto y 10 segundos, o hasta que la mantequilla esté fundida.

Pase las habas y las cebolletas por el pasapurés; ponga el puré en una cazuela. Incorpore la mantequilla fundida, sazone, deje que enfríe y sirva.

Rollitos de salmón

PREPARACIÓN: 10 minutos
COCCIÓN: 1 minuto
REPOSO: 1 minuto
DIFICULTAD: baja

Ingredientes

4 lonchas de salmón ahumado
80 g de requesón
1 cucharada de perejil picado
20 g de mantequilla
1/2 cucharadita de pimentón

Se trabaja bien el requesón con una espátula de madera.

Seguidamente se le va incorporando uniformemente el pimentón.

A continuación, se unta cada loncha de salmón con la pasta obtenida y se espolvorea con perejil picado.

Se enrollan las lonchas de salmón y se parten por la mitad.

Luego se unta ligeramente con mantequilla la bandeja y se disponen en ella los canutillos de salmón.

Se cocinan en el microondas durante 1 minuto.

Por último, se dejan reposar otro minuto más y se sirven.

Tomates sabrosos

Para empezar, se cortan los tomates por la mitad, se limpian de semillas y se disponen en una ensaladera de pyrex untada con aceite.

Seguidamente, se corta la mozzarella en daditos y se coloca en las barquitas de tomate.

Se espolvorean con el orégano y se salan ligeramente.

Se distribuyen sobre los tomates las anchoas cortadas en trocitos.

Por último, se pone la ensaladera con los tomates en el microondas unos 3 minutos.

Se deja reposar 1 minuto y se sirve ofreciendo la pimienta por separado.

PREPARACIÓN: 5 minutos
COCCIÓN: 3 minutos
REPOSO: 1 minuto
DIFICULTAD: baja

Ingredientes

200 g de tomates rojos
100 g de queso mozzarella
2 cucharadas de aceite de oliva virgen
2 filetes de anchoas
1 cucharadita de orégano
sal y pimienta

MOUSSE DE SETAS

PREPARACIÓN: 15 minutos
COCCIÓN: 7 minutos
REPOSO: 2 horas
DIFICULTAD: media

Ingredientes

300 g de setas
20 g de trufa blanca
80 g de mantequilla
1 patata nueva (pequeña)
1 chalote
rebanadas de pan tostado
sal

Prepare las setas: quite con un cuchillo todos los restos de tierra, y límpielas con un paño húmedo. Córtelas en trozos.

Pele la trufa y córtela primero en rodajas y luego en daditos. Pele la patata, lávela y córtela en cuatro trozos. Pele, lave y corte en rodajas el chalote.

Disponga en una fuente de pyrex 20 g de mantequilla e introdúzcala en el horno sin tapar, a la máxima potencia, durante unos 40 segundos.

Agregue el chalote y, al cabo de 1 minuto, las setas y la patata. Sale y prosiga la cocción durante otros 4 minutos.

Recoja el líquido de la cocción en una cazuelita y deje que reduzca al fuego.

Ponga el resto de la mantequilla en una fuente, e introdúzcala en el horno, sin tapar, durante 1 minuto y 10 segundos, o hasta que esté completamente fundida.

Bata el preparado de setas, incorpore la mantequilla fundida y el líquido de cocción reducido, y agregue la trufa.

Mezcle bien y deje que se espese en el frigorífico durante 2 horas. Sirva con rebanadas de pan tostado.

TOSTADAS DE HÍGADO

PREPARACIÓN: 15 minutos
COCCIÓN: 9 minutos
REPOSO: 1 minuto
DIFICULTAD: baja

Ingredientes

300 g de hígado
50 g de mantequilla
1/2 cucharada de pulpa de tomate
1 hoja de laurel
4 rebanadas de pan de molde
1 cebolla

Se funde la mantequilla en una sartén, añadiendo la cebolla cortada muy fina y el hígado en pedacitos.

A continuación, se añade la hoja de laurel y se deja cocer en el horno, a baja potencia, durante 8 minutos.

Una vez ha transucrrido este tiempo, se sala, se añade la pulpa de tomate y se quita la hoja de laurel. Se pasa todo por la batidora hasta obtener una crema homogénea.

Se extiende esta crema sobre las rebanadas de pan y se llevan al microondas durante 1 minuto.

Por último, se dejan reposar otro minuto y se sirven.

SETAS CON QUESO IDIAZÁBAL

PREPARACIÓN: 10 minutos
COCCIÓN: 4 minutos
REPOSO: 1 minuto
DIFICULTAD: media

Ingredientes

250 g de setas
100 g de patatas cocidas
40 g de queso Idiazábal ahumado, en lonchas finas
2-3 cucharadas de aceite de oliva virgen
sal
pimienta

Limpie las setas con un paño húmedo, y córtelas en tiras finas.

Corte las patatas en dados.

Disponga las setas en una fuente de pyrex con el aceite; tapc e introdúzcalas en el horno a la máxima potencia durante 3 minutos.

Destape, agregue las patatas y remueva.

Salpimiente y deje reposar 1 minuto.

Cubra la fuente con las lonchas de queso, introdúzcala en el horno 1 minuto y sirva.

Tostadas italianas

Se funde la mantequilla en un recipiente para microondas, y se añade la cebolla finamente picada y el hígado en pedacitos.

A continuación, se añade el laurel y se pone a la mínima potencia durante 8 minutos.

Transcurrido este tiempo, se sala ligeramente, se aparta el laurel y se echan las alcaparras.

Se bate hasta obtener una crema lisa y homogénea.

Por último, se unta el pan con este preparado y se lleva al horno de microondas durante 1 minuto.

Antes de servir, se deja reposar otro minuto.

PREPARACIÓN: *15 minutos*
COCCIÓN: *9 minutos*
REPOSO: *1 minuto*
DIFICULTAD: *baja*

Ingredientes

300 g de hígado
50 g de mantequilla
1 cucharada de alcaparras en salmuera
1 hoja de laurel
4 rebanadas de pan francés
1/2 cebolla

Pimientos agridulces

Pique la cebolla, dispóngala en un recipiente con el aceite e introdúzcala en el horno a la máxima potencia 1 minuto.

Agregue los pimientos lavados y cortados en tiras. Cueza 6 minutos, removiendo una vez.

Añada el caldo y el azúcar, y cueza 4 minutos más.

Sale, incorpore el vinagre, deje que repose con el recipiente tapado durante 2 minutos y sirva.

PREPARACIÓN: *15 minutos*
COCCIÓN: *11 minutos*
REPOSO: *2 minutos*
DIFICULTAD: *media*

Ingredientes

3 pimientos amarillos
4 cucharadas de aceite de oliva virgen
1 cebolla
100 ml de caldo vegetal
1 cucharada de azúcar
3 cucharadas de vinagre
sal

GELATINA DE TOMATE

PREPARACIÓN: 25 minutos
COCCIÓN: 4 minutos
REPOSO: 2 horas
DIFICULTAD: media

Ingredientes

400 ml de tomate triturado
3 hojas de gelatina
8 aceitunas negras deshuesadas
8 aceitunas verdes deshuesadas
20 hojas de albahaca
1/2 diente de ajo
1 trocito de apio
sal

Ponga a remojo durante 15 minutos las hojas de gelatina; luego escúrralas.

Corte las aceitunas en cuatro trozos en sentido longitudinal. Limpie el apio, lávelo, séquelo y córtelo en daditos. Pique la albahaca y el ajo.

Disponga en una fuente de pyrex el tomate triturado e introdúzcala en el horno a la máxima potencia durante 4 minutos sin tapar.

Saque la fuente del horno, sazone, agregue la gelatina y remueva.

Deje que se enfríe un poco y, a continuación, añada las aceitunas, el apio y la albahaca. Remueva.

Introduzca esta mezcla en el frigorífico en tarrinas individuales durante un mínimo de dos horas.

CALABACINES AL VINAGRE

PREPARACIÓN: 7 minutos
COCCIÓN: 7 minutos
REPOSO: 2 minutos
DIFICULTAD: baja

Ingredientes

400 g de calabacines
5 cucharadas de vinagre
2 cucharadas de aceite de oliva virgen
1 cucharada de azúcar
sal

Un consejo

Los calabacines así preparados acompañan bien, al igual que el arroz, la carne de cerdo estofada.

Lave los calabacines y córtelos en bastoncitos.

Disponga el aceite y los calabacines en una fuente de pyrex, sazone e introdúzcala en el horno a la máxima potencia durante 5 minutos, con el recipiente tapado. Remueva dos veces.

Retire los calabacines de la fuente, escúrralos y resérvelos al calor.

Ponga en la fuente el vinagre y el azúcar e introdúzcala en el horno sin tapar a la potencia máxima durante un minuto. Agregue los calabacines y el jugo que han soltado, remueva y prosiga la cocción con el recipiente tapado durante un minuto a la máxima potencia.

Apague el horno, sazone y deje que repose durante 2 minutos. Sirva esta guarnición preferiblemente fría.

BERENJENAS A LA PARMESANA

PREPARACIÓN: 15 minutos
COCCIÓN: 6 minutos
REPOSO: –
DIFICULTAD: baja

Ingredientes

500 g de berenjenas
100 g de mozzarella
200 g de tomates pelados
algunas hojas de albahaca
30 g de parmesano rallado
30 g de aceite de oliva virgen
sal y pimienta

Lave las berenjenas y córtelas en rodajas. Luego póngalas en el grill y áselas a la potencia máxima durante 1 minuto y medio. Repita la operación hasta terminar todas las rodajas.

Mientras va asando las berenjenas, deje las que están ya tostadas en remojo con el aceite, la albahaca, la sal y la pimienta.

Ponga las berenjenas en un recipiente de pyrex. Tápelas con los tomates troceados y con la mozzarella cortada en dados y decore con el parmesano. Tape y cueza programando la potencia al máximo 4 minutos.

Cueza con el recipiente destapado durante un minuto más y luego sirva enseguida.

PATÉ DE BERENJENA

PREPARACIÓN: 20 minutos
COCCIÓN: 8 minutos
REPOSO: –
DIFICULTAD: media

Ingredientes

2 berenjenas grandes
120 g de miga de pan
200 ml de leche
4 cucharadas de aceite de oliva virgen
1 limón (el zumo)
1 ramita de perejil
1 chalote
3 nueces peladas
2 yemas de huevo
sal
pimienta

Deje que se ablande la miga en una taza con la leche. Pele el chalote y píquelo.

Retire el tallo de las berenjenas, lávelas y agujeree con un palillo toda su superficie, a intervalos regulares.

Disponga las berenjenas en una fuente e introdúzcalas, sin tapar, en el horno a la máxima potencia 8 minutos. A la mitad de la cocción, deles la vuelta y compruebe que, una vez transcurrido el tiempo indicado, estén tiernas.

Pele las berenjenas mientras están todavía calientes, y déjelas un minuto en una cazuela con abundante agua acidulada con el zumo de limón, del que habrá reservado una cucharadita.

Bata la miga de pan escurrida con las nueces y el chalote.

Escurra las berenjenas, pártalas por la mitad, bátalas junto con las yemas de huevo y vaya añadiendo el aceite poco a poco, para obtener una pasta homogénea. Añada la mezcla de miga de pan, nueces y chalote, y remueva bien.

Condimente la pasta obtenida con sal, pimienta y la cucharadita de zumo de limón reservada. Viértala en una fuente, espolvoree perejil picado y sirva.

TOSTADITAS
DE BERENJENA

PREPARACIÓN: *10 minutos*
COCCIÓN: *4 minutos*
REPOSO: *2 minutos*
DIFICULTAD: *media*

Ingredientes

1 berenjena de 300 g
2 cucharadas de aceite de oliva virgen
1 cebolleta
1 tomate
1 diente de ajo picado
2 rebanadas de pan casero
sal

Un consejo

Si se desea, se puede cortar en rodajas la berenjena y hacerla a la brasa. Una vez asada esta, se prosigue siguiendo la receta.

Lave y pele el tomate; pártalo por la mitad, quítele las semillas y córtelo en dados. Pele la cebolleta y córtela en rodajas finas. Lave y pele la berenjena, y agujeree su superficie con un palillo cada 2 o 3 cm.

Envuelva la berenjena en una hoja de papel para horno y deje que se haga en el microondas a la máxima potencia durante 4 minutos, dándole dos veces la vuelta. Deje que repose 2 minutos.

Ponga en una cazuela la cebolleta, el tomate, el ajo y el aceite. Sale y remueva bien.

Corte cada rebanada de pan en cuatro trozos y tuéstelos en el horno tradicional a 220 °C durante 4 minutos, dándoles la vuelta una vez.

Retire la berenjena del horno, córtela en trozos gruesos y escúrrala.

Trocee la pulpa de la berenjena y mézclela con el preparado de tomate picado. Sale y distribuya esta mezcla sobre las tostadas calientes.

PREPARACIÓN: 15 minutos
COCCIÓN: 10 minutos
REPOSO: 3 minutos
DIFICULTAD: media

Ingredientes

1 pimiento amarillo
30 g de mantequilla
2 anchoas
2 rebanadas de pan casero
1 diente de ajo picado
sal

Un consejo

Si prefiere servir las tostaditas frías, deje que se enfríen los pimientos antes de distribuirlos sobre el pan tostado.

TOSTADITAS DE PIMIENTOS

Lave el pimiento, eliminando el tallo, los filamentos blancos internos y las semillas. Córtelo en tiras.

Lave las anchoas, ábralas, quíteles las espinas y trocéelas.

Corte cada rebanada de pan en cuatro trozos y tuéstelos en el horno tradicional a 220 °C durante 4 minutos, dándoles la vuelta una vez.

Disponga 10 g de mantequilla en una fuente baja de pyrex e introdúzcala en el microondas durante 30 segundos a la potencia máxima.

Añada el ajo y las anchoas, mezcle bien, tape y deje que coja sabor durante 1 minuto, removiendo a la mitad de la cocción. Retire esta salsa del horno y resérvela en una fuente.

En el mismo recipiente de cocción, sin tapar, ponga la mantequilla restante e introdúzcala en el horno a la máxima potencia durante 30 segundos.

Agregue las tiras de pimiento, sale, remueva, tape y deje que cueza durante 5 minutos, removiendo cada minuto.

Destape y prosiga la cocción, siempre a la máxima potencia, durante 3 minutos más. Deje que repose otros 3 minutos.

Con una espátula o con la punta de un cuchillo unte la mantequilla de anchoas en las tostadas. Saque las tiras de pimiento del horno y reparártelas sobre las tostadas. Sirva caliente.

Canapés
con espinacas
y queso

PREPARACIÓN: 15 minutos
COCCIÓN: 5 minutos
REPOSO: –
DIFICULTAD: media

Ingredientes

400 g de espinacas
800 g de queso cremoso
80 g de jamón cocido
40 g de mantequilla
2 cucharadas de leche
2 rebanadas de pan casero
sal

Lave las espinacas, escúrralas y píquelas gruesas.

Corte el jamón en tiras finas.

Ponga en un recipiente de pyrex la mantequilla, las espinacas, la leche mezclada con 2 o 3 cucharadas de agua y una pizca de sal. Tape y deje que se haga en el horno a la máxima potencia 4 minutos.

Destape y prosiga la cocción 1 minuto, hasta que las espinacas hayan absorbido el líquido.

Corte las rebanadas de pan por la mitad en sentido longitudinal y métalas en el horno tradicional a 200 °C durante unos 4 minutos, dándoles la vuelta a los 2 minutos.

Disponga las rebanadas de pan en un plato amplio, adecuado para horno microondas, y reparta en ellas las espinacas y el jamón. Cubra con una porción de queso.

Introduzca el plato si tapar en el horno de microondas a la máxima potencia durante 40 segundos, o hasta que el queso esté totalmente fundido. Sirva estos canapés calientes.

PIMIENTOS
A LA ITALIANA

PREPARACIÓN: 10 minutos
COCCIÓN: 3 minutos
REPOSO: 1 minuto
DIFICULTAD: media

Ingredientes

200 g de pimientos
50 g de aceitunas negras deshuesadas
2 cucharadas de aceite de oliva
1 cucharada de alcaparras
1 cucharada de pan rallado
sal
pimienta

Una vez lavados los pimientos, quíteles las pepitas y las membranas blancas, y córtelos en trozos.

Pique las aceitunas y las alcaparras, y mézclelas con el pan rallado. Sazone con sal y pimienta, y reparta esta mezcla sobre los trozos de pimiento.

Disponga los pimientos en una fuente ligeramente engrasada e introdúzcala en el horno de microondas a la máxima potencia durante 3 minutos.

Deje que repose durante 1 minuto.

PIMIENTOS RELLENOS DE ANCHOAS

PREPARACIÓN: 10 minutos
COCCIÓN: 3 minutos
REPOSO: 2 minutos
DIFICULTAD: media

Ingredientes

400 g de tomates maduros
70 g de queso grana rallado
150 g de cuscús cocido
2 cucharadas de aceite de oliva virgen
4 filetes de anchoas (picados)
50 g de aceitunas negras deshuesadas
sal
pimienta

Lave los tomates, escúrralos y quíteles la parte superior. Extraiga la pulpa, y quítele las semillas. Corte en trozos las aceitunas.

Mezcle en un bol la pulpa de tomate con el cuscús, el queso rallado, la sal, las anchoas y las aceitunas troceadas.

Rellene los tomates con la mezcla; sale ligeramente y espolvoree un poco de pimienta si lo desea.

Cierre los tomates con la parte superior que les había quitado antes, colóquelos en un recipiente sin tapar e introdúzcalos en el horno a la máxima potencia durante 3 minutos.

Apague el horno y deje que repose el plato durante 2 minutos.

Primeros

PASTA CON JAMÓN COCIDO

PREPARACIÓN: 5 minutos
COCCIÓN: 3 minutos
REPOSO: –
DIFICULTAD: media

Ingredientes

320 g de pasta pequeña (conchas, lazos…)
1 loncha gruesa de jamón cocido (180 g)
10 g de mantequilla
80 ml de nata líquida
media cebolla (cortada en dados)
1 cucharadita de pimentón dulce
sal

Disponga la mantequilla en un recipiente de pyrex e introdúzcalo sin tapar en el horno a la máxima potencia, durante 30 segundos.

Añada la cebolla y prosiga la cocción, siempre a la máxima potencia y con el recipiente sin tapar, durante 1 minuto. Incorpore el jamón cocido en daditos y cueza otros 30 segundos.

Agregue la nata, añada el pimentón y prosiga la cocción, a potencia media-alta y con el recipiente tapado, durante 1 minuto.

Cueza la pasta en abundante agua con sal y escúrrala cuando esté al dente. Condimente con la salsa preparada, remueva y sirva.

PASTA CON COLIFLOR

PREPARACIÓN: 15 minutos
COCCIÓN: 7 minutos
REPOSO: 1 minuto
DIFICULTAD: baja

Ingredientes

500 g de coliflor
300 g de pasta pequeña
1/2 vaso de nata líquida
1 cucharada de perejil picado
sal y pimienta

Separe en primer lugar la coliflor en ramitos, lávela, séquela y dispóngala en un recipiente de pyrex. Tápela y cuézala a la potencia máxima unos 3 minutos.

Destape el recipiente, sazone con sal y pimienta y remueva.

Añada la nata líquida, tape de nuevo y prosiga la cocción unos 4 minutos más después de incorporar el perejil.

Después deje en reposo durante 1 minuto.

Mientras, hierva la pasta en abundante agua salada, escúrrala cuando esté al dente y condiméntela con la coliflor.

PREPARACIÓN: 10 minutos
COCCIÓN: 6 minutos
REPOSO: –
DIFICULTAD: media

Ingredientes

350 g de pimientos amarillos y rojos
300 g de pasta mediana
200 g de tomates pelados
30 g de aceite de oliva virgen
1 diente de ajo
1 ramita de albahaca
sal y pimienta

PASTA CON PIMIENTOS

Lave los pimientos, retíreles las semillas y los filamentos blancos y córtelos en tiras.

Después ponga en una fuente de barro el aceite, el ajo, los pimientos y los tomates cortados en trocitos; sazone, cubra con papel transparente para microondas e introduzca en el horno unos 6 minutos.

Mientras tanto, hierva la pasta en abundante agua salada, escúrrala cuando esté al dente y viértala en la fuente de la salsa, a la que habrá retirado el ajo.

Remueva bien todos los ingredientes, añada la albahaca y sirva enseguida.

PREPARACIÓN: 10 minutos
COCCIÓN: 1 minuto
REPOSO: 1 minuto
DIFICULTAD: baja

Ingredientes

600 g de pasta pequeña
200 g de espinacas congeladas ya cocidas
100 g de queso mascarpone
20 g de mantequilla
1/2 vaso de agua salada
sal y pimienta

PASTA CON ESPINACAS

Primero ponga el mascarpone en una fuente de pyrex con algunas cucharadas de agua caliente e incorpore la mantequilla, la sal y las espinacas batidas.

A continuación, cueza durante 1 minuto en el horno de microondas; pasado este tiempo, deje en reposo durante 1 minuto más.

Hierva la pasta en abundante agua salada, hasta que esté al dente, y, después, viértala en una fuente junto con la crema de espinacas.

Mezcle bien y sirva tras espolvorear con abundante pimienta recién molida.

ÑOQUIS
CON GORGONZOLA

PREPARACIÓN: *10 minutos*
COCCIÓN: *3 minutos*
REPOSO: *2 minutos*
DIFICULTAD: *baja*

Ingredientes

800 g de ñoquis de patata
100 g de gorgonzola
1/2 vaso de nata líquida
50 g de parmesano rallado
sal y pimienta

Ponga la nata líquida y los quesos en un recipiente adecuado para el horno de microondas.

Deje cocer la mezcla unos 3 minutos. A continuación, déjelo reposar otros 2 minutos.

Mientras, hierva los ñoquis en abundante agua salada, escúrralos y condiméntelos con la salsa preparada.

Por último, sazónelos con la pimienta y sírvalos enseguida.

ÑOQUIS AHUMADOS

PREPARACIÓN: *10 minutos*
COCCIÓN: *6 minutos*
REPOSO: *–*
DIFICULTAD: *baja*

Ingredientes

600 g de ñoquis de patata
200 g de salsa de tomate
100 g de queso fresco ahumado
1/2 vaso de nata líquida
1 chalote
sal y pimienta

En un recipiente para microondas, ponga el chalote picado muy finamente y el tomate.

Hornee luego unos 3 minutos a la potencia máxima.

Añada la nata, remueva y cueza durante unos 2 minutos.

Corte el queso en dados, incorpórelo a la mezcla y deje que cueza durante 1 minuto hasta que empiece a fundirse.

Mientras, hierva los ñoquis en abundante agua salada.

Escúrralos y condiméntelos con la salsa preparada.

Mezcle bien para que se unan los sabores, salpimiente y sirva enseguida.

ÑOQUIS
CON RÚCULA

PREPARACIÓN: 15 minutos
COCCIÓN: 3 minutos
REPOSO: –
DIFICULTAD: media

Ingredientes

800 g de ñoquis de patata
200 g de queso cremoso
100 g de rúcula
20 g de mantequilla
sal y pimienta

En una cazuela de barro ponga el queso con algunas cucharadas de agua e incorpore, sin dejar de remover, la mantequilla, la sal y la pimienta; cuando obtenga una crema blanda, ponga en el horno de microondas durante 1 minuto.

A continuación, lave la rúcula y córtela en finas tiras.

Añádala al queso y cueza durante 2 minutos a potencia media-alta.

Después hierva los ñoquis en abundante agua salada, escúrralos cuando floten y viértalos en la cazuela.

Por último, mézclelo todo bien y sirva con un poco de pimienta fresca.

ÑOQUIS CREMOSOS

PREPARACIÓN: 10 minutos
COCCIÓN: 6 minutos
REPOSO: –
DIFICULTAD: media

Ingredientes

800 g de ñoquis de patata
200 g de tomate triturado
1 vaso de nata líquida
50 g de parmesano
1 cebolleta
1 nuez de mantequilla
sal y pimienta

Ponga en un recipiente la cebolleta muy picada y deje cocer durante 1 minuto.

Luego añada el tomate triturado y deje cocer durante 3 minutos.

Salpimiente.

Mientras, cueza los ñoquis en abundante agua salada, escúrralos y condiméntelos con la salsa preparada.

Espolvoree con el parmesano, mezcle bien y sirva.

ÑOQUIS
AL GUSTO

Coloque en un recipiente de pyrex la cebolla muy picada. Una vez haya lavado y escurrido bien los tomates, córtelos en trozos grandes.

Después cueza en el horno de microondas unos 3 minutos.

Añada la nata, en la que se habrá disuelto previamente el curry.

Remueva bien y deje cocer durante 3 minutos más en el microondas.

Deje en reposo 3 minutos, y luego bata y espolvoree con el perejil.

Mientras, cueza los ñoquis en abundante agua salada.

Déjelos escurrir bien cuando estén al dente, condiméntelos después con la salsa preparada y remueva bien.

Por último, sazone con pimienta y sírvalo enseguida.

PREPARACIÓN: *5 minutos*
COCCIÓN: *6 minutos*
REPOSO: *3 minutos*
DIFICULTAD: *baja*

Ingredientes

350 g de ñoquis
300 g de tomates pelados
1/2 vaso de nata líquida
1/2 cebolla
1 cucharadita de curry
perejil
sal y pimienta

LASAÑA
CON TRUCHA

PREPARACIÓN: 25 minutos
COCCIÓN: 12 minutos
REPOSO: –
DIFICULTAD: media

Ingredientes

200 g de pasta de lasaña
2 truchas (de 300 g cada una)
100 g de champiñones
40 g de mantequilla
4 cucharadas de vino blanco
1 chalote
sal

Ponga al fuego una cazuela con agua, llévela a ebullición y sálela.

Limpie bien las truchas, quíteles la espina central y la piel y corte cada pieza en 3 o 4 trozos.

Limpie bien los champiñones, quitando con un cuchillo los restos de tierra; lávelos ligeramente bajo el chorro de agua, séquelos y córtelos en láminas.

Pele el chalote, lávelo, séquelo y córtelo en rodajas.

Sumerja de una en una las láminas de pasta en el agua hirviendo.

Ponga en una fuente de pyrex 20 g de mantequilla e introdúzcala sin tapar en el horno de microondas a la máxima potencia durante 1 minuto.

Incorpore los trozos de trucha, bañe con el vino y cueza durante 6 minutos, dándoles la vuelta una vez.

Retire el pescado de la fuente y resérvelo al calor.

Ponga en la fuente de pyrex el chalote y los champiñones, sale y cueza a la máxima potencia durante 5 minutos, hasta que el agua que sueltan durante la cocción esté completamente evaporada.

Condimente la pasta con la mantequilla restante.

Disponga una capa de pasta de lasaña en cada plato, distribuya encima el preparado de champiñones y cubra con otra capa de pasta. Complete con los trozos de trucha y sirva.

PREPARACIÓN: 10 minutos
COCCIÓN: 9 minutos
REPOSO: –
DIFICULTAD: baja

Ingredientes

320 g de macarrones
5 cucharadas de aceite de oliva virgen
2 patatas
2 dientes de ajo picados
10 tallos de cebollino picados
sal

MACARRONES CON PATATAS

Pele, lave y corte en dados las patatas.

Disponga en un recipiente de pyrex el ajo y 2 cucharadas de aceite, e introdúzcalo, sin tapar, en el horno a la máxima potencia durante 2 minutos. Añada las patatas, moje con 3 cucharadas de agua, tape y cueza durante 6 minutos, hasta que las patatas estén tiernas, removiendo tres veces.

Cueza los macarrones en abundante agua con sal, escúrralos cuando estén al dente y póngalos en la fuente de pyrex con las patatas; añada 50 ml del agua de la cocción. Introduzca el recipiente sin tapar en el horno durante 1 minuto, removiendo dos veces.

Vierta los macarrones en una fuente de servir, condimente con el aceite restante, espolvoree el cebollino y sirva.

PREPARACIÓN: 10 minutos
COCCIÓN: 6 minutos
REPOSO: 2 minutos
DIFICULTAD: media

Ingredientes

350 g de calabaza
300 g de macarrones
1/2 vaso de nata líquida
20 g de aceite de oliva virgen
canela
sal y pimienta

MACARRONES CON CALABAZA

En primer lugar, hierva la pasta en abundante agua salada.

Disponga la calabaza cortada en dados en un recipiente de pyrex no demasiado ancho; tápelo con papel transparente para microondas y deje que cueza a la potencia máxima unos 4 minutos.

Retire el papel transparente e incorpore la nata líquida; sale ligeramente, bata y añada la canela.

Por último, deje cocer a la potencia máxima unos 2 minutos, después deje que repose otros 2 minutos; luego añada el aceite y condimente enseguida la pasta escurrida al dente.

MACARRONES A LOS 4 QUESOS

PREPARACIÓN: *5 minutos*
COCCIÓN: *13 minutos*
REPOSO: *1 minuto*
DIFICULTAD: *media*

Ingredientes

600 ml de leche
300 g de macarrones
40 g de mantequilla
40 g de harina
30 g de queso mantecoso
30 g de queso emmental
30 g de queso fresco
parmesano rallado
sal y pimienta

Hierva la pasta en abundante agua salada. Mientras, funda la mantequilla y tueste la harina en un recipiente adecuado para la cocción en microondas, tapado con papel para horno, a la potencia máxima durante 3 minutos. Agregue la leche y remueva con cuidado.

Luego tape de nuevo la cazuela y continúe la cocción unos 5 minutos.

Después deje la mezcla en reposo durante 1 minuto y luego bátala para que quede muy homogénea.

Escurra la pasta, condiméntela con la bechamel, los quesos cortados en dados y el parmesano. Hornee a la máxima potencia en el microondas unos 3 o 4 minutos con el recipiente tapado. Luego dórela en el grill el tiempo necesario antes de servir.

MACARRONES DE ABRIL

PREPARACIÓN: *15 minutos*
COCCIÓN: *8 minutos*
REPOSO: *–*
DIFICULTAD: *media*

Ingredientes

300 g de macarrones
200 g de espárragos
50 g de aceite de oliva virgen
2 alcachofas
perejil picado
sal y pimienta

Monde las alcachofas y córtelas en trozos muy finos. Realice la misma operación con los espárragos.

En un recipiente de barro vierta el aceite junto con los vegetales, tápelo y déjelos cocer en el microondas 8 minutos. Después, añada el perejil y salpimiente.

Mientras, hierva los macarrones, escúrralos cuando estén al dente, condiméntelos con la salsa de alcachofas y espárragos y añada un poco de pimienta.

MACARRONES CON SETAS Y COLES DE BRUSELAS

PREPARACIÓN: 15 minutos
COCCIÓN: 7 minutos
REPOSO: –
DIFICULTAD: media

Ingredientes

300 g de macarrones
200 g de coles de bruselas
300 g de champiñones
100 g de pulpa de tomate
40 g de mantequilla
100 ml de nata líquida
2 dientes de ajo picados
sal

Limpie los champiñones y córtelos en láminas muy finas. Limpie las coles de Bruselas, quitándoles la base y las hojas externas; lávelas, escúrralas y corte por la mitad las más grandes (deje enteras las más pequeñas).

Con un tenedor, mezcle el ajo con 20 g de mantequilla. Ponga la mezcla en una fuente de pyrex e introdúzcala, sin tapar, en el horno a la máxima potencia durante 1 minuto. Añada a esta mezcla las coles de bruselas, los champiñones y la pulpa de tomate; sazone, tape y deje que se haga durante 3 minutos. Riegue con la nata y siga la cocción con el recipiente destapado 3 minutos, incorporando la mantequilla restante.

Cueza los macarrones en abundante agua con sal, escúrralos cuando estén al dente y condiméntelos con la salsa.

MACARRONES CON CARDOS

PREPARACIÓN: 20 minutos
COCCIÓN: 7 minutos
REPOSO: –
DIFICULTAD: baja

Ingredientes

600 g de cardos
300 g de macarrones
50 g de parmesano
30 g de aceite de oliva virgen
un ramito de tomillo y orégano
sal y pimienta

Lave y monde los cardos; córtelos en trocitos finos; póngalos en una cazuela de barro y báñelos con un vaso de agua.

Sale ligeramente; espolvoree con las hierbas aromáticas, tape la cazuela y deje cocer unos 7 minutos. A mitad de la cocción, agregue el aceite.

Hierva los macarrones en abundante agua salada, escúrralos al dente y condiméntelos con el parmesano y los cardos.

Remueva para que el queso quede suelto; sazone con pimienta y sirva.

MACARRONES CON GAMBAS Y BERENJENAS

PREPARACIÓN: *10 minutos*
COCCIÓN: *4 minutos*
REPOSO: *2 minutos*
DIFICULTAD: *baja*

Ingredientes

300 g de macarrones
200 g de gambas peladas
40 g de aceite de oliva virgen
1 diente de ajo
1 berenjena
sal y pimienta

Pele el ajo y píquelo.

Luego ponga en un recipiente de barro el aceite con las gambas y la berenjena cortada en dados. Añada el ajo.

A continuación, deje cocer en el microondas 4 minutos tras tapar el recipiente. Deje en reposo unos 2 minutos.

Hierva la pasta en abundante agua salada, escúrrala al dente y condiméntela con las gambas y las berenjenas. Mezcle bien, salpimiente y sirva enseguida.

MACARRONES INTEGRALES CON SALMÓN

PREPARACIÓN: *10 minutos*
COCCIÓN: *3 minutos*
REPOSO: *1 minuto*
DIFICULTAD: *media*

Ingredientes

300 g de macarrones integrales
300 g de salmón fresco
50 ml de agua
40 g de aceite de oliva virgen
algunas gotas de zumo de limón
perejil picado
sal y pimienta negra

Primero ponga el salmón cortado en trozos en un recipiente de pyrex y riéguelo con una salsa preparada con la sal, el zumo de limón y el agua; luego remueva y añada el aceite y el perejil picado.

Cubra el pescado y póngalo en el horno de microondas unos 3 minutos a la potencia máxima.

Transcurrido este tiempo, déjelo en reposo durante 1 minuto con el recipiente destapado.

Mientras, hierva la pasta y condiméntela con el salmón.

Remueva bien y espolvoree generosamente con pimienta en el momento de servir.

Macarrones
con salsa
de anchoas

PREPARACIÓN: 15 minutos

COCCIÓN: 12 minutos

REPOSO: –

DIFICULTAD: media

Ingredientes

320 g de macarrones

60 g de mantequilla

4 cucharadas de vino blanco

2 anchoas

2 cebollas grandes

sal

Lave las anchoas, quíteles las espina central y trocéelas.

Disponga en una fuente de pyrex 20 g de mantequilla e introdúzcala sin tapar en el horno a la máxima potencia 50 segundos.

Incorpore las cebollas cortadas en dados, sale ligeramente y riegue con el vino. Cueza en el horno con el recipiente tapado durante 10 minutos, añadiendo 3 o 4 cucharadas de agua si las cebollas se secaran mucho.

Mientras, hierva los macarrones en abundante agua con sal.

Agregue las anchoas a la cebolla, riegue con 3 o 4 cucharadas del agua de cocción de la pasta y deje que se haga durante otro minuto más, removiendo dos veces e incorporando la mantequilla restante.

Escurra los macarrones cuando estén al dente, condimente con la salsa preparada de anchoas y sirva.

PASTA Y BRÉCOL A LA MANERA DE BARI

PREPARACIÓN: 15 minutos
COCCIÓN: 7 minutos
REPOSO: 1 minuto
DIFICULTAD: media

Ingredientes

500 g de brécol
300 g de macarrones
40 g de aceite de oliva virgen
1 guindilla
1 diente de ajo
sal y pimienta

Separe el brécol en ramos, lávelos, séquelos y póngalos con el aceite, el ajo y la guindilla en una cazuela de barro.

Tape y rehogue a la potencia máxima unos 3 minutos.

Destape, sale, aderece con pimienta y remueva. Tape de nuevo y deje cocer unos 4 minutos más. Después deshágalo con un tenedor.

Deje en reposo durante 1 minuto, destape y remueva. Retire el diente de ajo y la guindilla.

Luego hierva la pasta, escúrrala cuando esté al dente y condiméntela con el brécol. Remueva y sirva.

MACARRONES A LA SICILIANA

PREPARACIÓN: 10 minutos
COCCIÓN: 8 minutos
REPOSO: –
DIFICULTAD: media

Ingredientes

300 g de macarrones
300 g de berenjenas
200 g de pulpa de tomate
50 g de aceite de oliva virgen
1 diente de ajo
albahaca picada
sal

Lave las berenjenas y, seguidamente, córtelas en rodajas.

Luego ponga todos los ingredientes, salvo la albahaca, en un recipiente de pyrex, tápelo y deje que cueza en el horno de microondas durante 8 minutos aproximadamente.

A continuación, hierva la pasta al dente en abundante agua salada, escúrrala y condiméntela con la salsa de berenjenas, a la que habrá retirado el ajo.

Por último, agregue mucha albahaca picada y un hilo de aceite crudo.

MACARRONES REGADOS CON CREMA DE SETAS

PREPARACIÓN: 15 minutos
COCCIÓN: 15-16 minutos
REPOSO: –
DIFICULTAD: alta

Ingredientes

300 g de macarrones
1/4 l de leche
200 g de setas frescas
1/4 l de caldo
30 g de harina
30 g de mantequilla
perejil
sal y pimienta

Limpie las setas sin mojarlas y córtelas en láminas. Dispóngalas con la mantequilla en un recipiente de plástico adaptado a la cocción en microondas; tápelo y déjelas cocer unos 3 minutos a la potencia media-alta.

A continuación, agregue la harina, tape de nuevo con papel para horno y tuéstela 3 minutos en el horno de microondas.

Destape e incorpore, removiendo, la leche y el caldo; tápelo de nuevo y prosiga la cocción a la potencia máxima 5 minutos.

Deje reposar la salsa durante 1 minuto y luego bátala.

Salpimiente al gusto y espolvoree con perejil.

Hierva la pasta en abundante agua salada, escúrrala y condiméntela con la salsa de setas.

Por último, introdúzcalo todo en el horno de microondas a la potencia máxima unos 3 o 4 minutos.

MACARRONES CON QUESO Y CHAMPIÑONES

PREPARACIÓN: 15 minutos
+ reducción de la crema
COCCIÓN: 8-9 minutos
REPOSO: –
DIFICULTAD: media

Ingredientes

300 g de macarrones
120 g de champiñones
120 g de queso tierno
40 g de mantequilla
100 ml de nata líquida
1 chalote
sal

Ponga la nata en una cazuela al fuego, y llévela a ebullición; baje la llama y deje que se reduzca a la mitad, removiendo de vez en cuando.

Limpie los champiñones: quite con un cuchillo los restos de tierra y lávelos cuidadosamente con un paño húmedo; córtelos en láminas finas.

Pele, lave y corte en rodajas el chalote.

Corte en dados el queso.

Disponga en una fuente de pyrex 20 g de mantequilla e introdúzcala, sin tapar, en el horno a la máxima potencia durante unos 50 segundos.

Añada el chalote y, cuando haya transcurrido un minuto, los champiñones.

Sale y prosiga la cocción durante 5 minutos. Saque la fuente del horno.

Disponga el queso en el recipiente con la nata e introdúzcalo en el horno a media potencia durante 2 minutos, removiendo cuatro veces.

Saque el recipiente del horno e incorpore la mantequilla restante.

Cueza los macarrones en abundante agua con sal y escúrralos cuando estén al dente.

Condimente la pasta con la salsa de queso y champiñones, remueva bien y sirva.

MACARRONES CON SALSA DE SALMONETES

PREPARACIÓN: 15 minutos
COCCIÓN: 8 minutos
REPOSO: –
DIFICULTAD: media

Ingredientes

300 g de tomate triturado
300 g de macarrones
200 g de salmonetes limpios y sin espina
1/2 tallo de apio
1/2 cebolla
1 zanahoria
1 cucharada de vino blanco seco
1 cucharada de aceite de oliva virgen
sal y pimienta

Limpie, raspe y lave los vegetales, y luego píquelos.

Ponga los vegetales picados con el aceite en un recipiente de pyrex, tápelo y rehogue a la potencia máxima unos 2 minutos.

Añada la carne desmenuzada de los salmonetes y prosiga la cocción unos 3 minutos con el recipiente tapado.

Incorpore el vino y el tomate triturado tras haber removido una vez.

Luego tape de nuevo y cueza programando la potencia al máximo 3 minutos más. Sazone con pimienta.

Remueva y condimente los macarrones, que habrá hervido en abundante agua salada, con la salsa de salmonetes.

MACARRONES CON ESPINACAS

PREPARACIÓN: 10 minutos
COCCIÓN: 3 minutos
REPOSO: 1 minuto
DIFICULTAD: media

Ingredientes

400 g de macarrones (de los más pequeños)
400 g de espinacas
200 g de requesón
1 nuez de mantequilla muy pequeña
agua caliente
sal y pimienta

En un cuenco muy ancho disponga las espinacas lavadas y cuézalas unos 2 minutos.

Después añada el requesón y algunas cucharadas de agua caliente e incorpore, siempre removiendo, la sal, la mantequilla, la pimienta y las espinacas picadas.

A continuación introduzca en el horno de microondas durante 1 minuto.

Deje en reposo otro minuto.

Mientras, hierva la pasta en abundante agua salada, escúrrala cuanto esté al dente y viértala en el cuenco donde se ha preparado la crema de espinacas.

Mézclelo bien y sírvalo tras espolvorear con pimienta fresca.

MACARRONES
CON SALSA DE CARNE Y QUESO

PREPARACIÓN: *10 minutos*
COCCIÓN: *13-14 minutos*
REPOSO: *1 minuto*
DIFICULTAD: *media*

Ingredientes

600 ml de leche
300 g de macarrones
60 g de salchichas
40 g de harina
40 g de mantequilla
1 trocito de trufa negra
queso rallado
sal y pimienta

En primer lugar, hierva la pasta en abundante agua salada.

Mientras tanto, funda la mantequilla y tueste la harina en un recipiente adecuado para la cocción en microondas; tápelo con papel para horno, a la potencia máxima durante unos 3 minutos.

Añada la leche y remueva con cuidado.

Después tape el recipiente y prosiga la cocción a la potencia máxima unos 5 minutos.

Transcurrido este tiempo, deje reposar la salsa durante 1 minuto; luego bátala para que quede homogénea e incorpore la trufa en trocitos muy pequeños.

En otro recipiente rehogue las salchichas cortadas en trozos unos 2 minutos.

Después escurra la pasta, condiméntela con la bechamel, las salchichas y el queso rallado. Salpimiente.

Antes de servir, vuelva a cocer en el horno de microondas a la potencia máxima unos 3 o 4 minutos.

MACARRONES
CON JAMÓN Y GUISANTES

Funda la mantequilla y tueste la harina en un recipiente adecuado para la cocción en microondas, cubierto con papel para horno, y cueza al máximo 3 minutos. Luego añada la leche y remueva.

A continuación, tape el recipiente y cueza unos 5 minutos a la máxima potencia.

Deje en reposo la salsa durante 1 minuto, luego bátala para que quede bien homogénea.

Hierva la pasta, escúrrala, condiméntela con la bechamel, el jamón cocido cortado en dados, los guisantes y el queso parmesano.

Vuelva a introducir el recipiente en el horno de microondas a la potencia máxima unos 3 o 4 minutos, tapado con papel transparente para microondas.

PREPARACIÓN: *10 minutos*
COCCIÓN: *11-12 minutos*
REPOSO: *1 minuto*
DIFICULTAD: *media*

Ingredientes

600 ml de leche
300 g de macarrones
100 g de jamón cocido (1 loncha gruesa)
50 g de guisantes
40 g de harina
40 g de mantequilla
queso parmesano rallado
sal y pimienta

MACARRONES
CON SALSA DE PATO

En una terrina mezcle el aceite con el zumo de limón y el diente de ajo cortado en láminas; sale un poco. Luego incorpore los trozos de pato y déjelo marinar durante una hora. Después, escurra la carne y póngala en una fuente.

A continuación, hornee en el microondas unos 10 minutos, añada el huevo batido, al que le habrá incorporado el perejil picado, y sale.

Deje en reposo unos 3 minutos.

Condimente los macarrones con la salsa de pato. Vuelva a introducir el recipiente en el horno de microondas a la potencia máxima unos 3 o 4 minutos, tapado con película transparente para microondas.

PREPARACIÓN: *15 minutos + el tiempo de marinada*
COCCIÓN: *10 minutos*
REPOSO: *3 minutos*
DIFICULTAD: *alta*

Ingredientes

300 g de macarrones
40 g de aceite de oliva virgen
1 huevo
1 diente de ajo
1 limón exprimido
1 cucharada de perejil
sal

125

PREPARACIÓN: *10 minutos*
COCCIÓN: *8 minutos*
REPOSO: *–*
DIFICULTAD: *media*

Ingredientes

300 g de tallarines
200 g de tomates a trozos
40 g de queso rallado
30 g de aceite de oliva virgen
3 alcachofas
sal y pimienta

TALLARINES CON TOMATE Y ALCACHOFAS

Limpie las alcachofas y córtelas en lonchas muy finas. Póngalas con un poco de aceite en un recipiente adecuado para la cocción en microondas. Rehogue durante 4 minutos a la potencia máxima.

Luego añada el tomate y prosiga la cocción 2 minutos más.

Hierva la pasta en abundante agua salada, escúrrala cuando esté al dente y condiméntela con la salsa de alcachofas y el queso.

A continuación, espolvoree con la pimienta.

Póngalo de nuevo en el microondas y cuézalo 2 minutos a la potencia media-alta para que el queso se funda. Remueva antes de servir.

RIGATONI CON SALCHICHAS

PREPARACIÓN: *10 minutos*
COCCIÓN: *4 minutos*
REPOSO: *–*
DIFICULTAD: *media*

Ingredientes

600 g de salchichas
300 g de rigatoni
40 g de aceite de oliva virgen
1 ramita de romero
sal y pimienta

Corte las salchichas en trocitos de 2 cm.

Caliente el grill a la potencia máxima unos 4 minutos, luego espolvoree con romero y hornee los trocitos de salchicha durante 4 minutos a la potencia máxima.

Condiméntelos con un hilo de aceite.

Después hierva la pasta hasta que esté al dente y escúrrala dejando un poco de agua.

Condimente con las salchichas y remueva.

Rectifique de sal y de pimienta, añada un poco más de aceite y sirva.

BUCATINI CON TOMATE

PREPARACIÓN: 10 minutos
COCCIÓN: 3 minutos
REPOSO: 1 minuto
DIFICULTAD: media

Ingredientes

300 g de bucatini
350 g de tomates
2 cucharadas de aceite de oliva virgen
1 diente de ajo picado
1 cucharadita de alcaparras picadas
1 cucharadita de orégano
sal
pimienta

Lave los tomates, séquelos y córtelos en cuatro trozos.

Disponga el aceite y el ajo en una fuente de pyrex e introdúzcala en el horno, sin tapar, a la máxima potencia unos 2 minutos.

Añada los tomates, sale, remueva y deje que se cueza, siempre con el recipiente destapado, durante otro minuto. Deje reposar un minuto.

Agregue a esta salsa las alcaparras, el orégano y un chorrito de aceite crudo.

Cueza los bucatini, escúrralos cuando estén al dente y condiméntelos con la salsa.

PASTA VEGETAL

PREPARACIÓN: 10 minutos
COCCIÓN: 15 minutos
REPOSO: –
DIFICULTAD: media

Ingredientes

300 g de pasta pequeña
200 g de tomates pelados
100 g de pimientos de distintos colores
50 g de aceite de oliva virgen
2 calabacines
1 berenjena pequeña
1 cebolla pequeña
albahaca
sal y pimienta

Limpie los pimientos, quite las semillas y los filamentos blancos y córtelos en trocitos.

Luego lave la berenjena y córtela en dados pequeños.

Lave los calabacines y córtelos en rodajas.

Pique la cebolla.

Después ponga todos los ingredientes, menos la albahaca, en una fuente de barro; tápela y deje cocer en el horno de microondas unos 15 minutos.

Hierva la pasta al dente en abundante agua salada, escúrrala y condiméntela con la salsa de vegetales.

Añada la albahaca y un hilo de aceite crudo.

TALLARINES A LA MARINERA

PREPARACIÓN: 10 minutos
COCCIÓN: 8 minutos
REPOSO: –
DIFICULTAD: media

Ingredientes

300 g de tallarines
200 g de pescado variado (en filetes)
2 cucharadas de vino blanco seco
3-4 cucharadas de aceite de oliva virgen
4-5 cucharadas de salsa de tomate
1 cucharada de perejil picado
1 diente de ajo
sal
pimienta

Pele el ajo y córtelo en cuatro trozos.

Limpie los filetes de pescado y trocéelos.

Disponga en una fuente de pyrex el aceite, el ajo y el perejil, e introdúzcala sin tapar en el horno a la máxima potencia durante 2 minutos, removiendo una vez.

Añada el pescado, mezcle y prosiga la cocción a la máxima potencia 2 minutos, siempre con la fuente destapada.

Sale, incorpore el vino y la salsa de tomate, y continúe la cocción unos 2 minutos. Remueva, parta los trozos más gruesos de pescado y continúe la cocción 2 minutos más.

Al final, sazone con la pimienta y dos cucharadas de aceite.

Cueza los tallarines, escúrralos cuando estén al dente y condiméntelos con la salsa.

TALLARINES RABIOSOS

PREPARACIÓN: 10 minutos
COCCIÓN: 6 minutos
REPOSO: 2 minutos
DIFICULTAD: media

Ingredientes

300 g de tallarines
300 g de tomate triturado
1/2 vaso de nata líquida
1 guindilla
1 diente de ajo
1 cucharadita de aceite de oliva virgen
sal y pimienta

En un cuenco ponga el ajo muy picado, el aceite y la guindilla.

Rehogue durante 1 minuto en el horno de microondas.

Luego añada la nata líquida y el tomate, remueva y prosiga la cocción unos 5 minutos más.

Deje en reposo 2 minutos.

Mientras tanto, hierva la pasta en abundante agua salada, escúrrala cuando esté al dente y condiméntela con la salsa preparada.

Sazone con pimienta y sirva enseguida.

ESPAGUETIS CON SEPIA

PREPARACIÓN: 15 minutos
COCCIÓN: 15 minutos
REPOSO: 2 minutos
DIFICULTAD: media

Ingredientes

800 g de sepia cortada a trocitos
300 g de espaguetis
200 g de tomate triturado
25 g de aceite de oliva virgen
1 diente de ajo
sal y pimienta

Lave la sepia con agua corriente y dispóngala en una fuente de barro con el aceite y el ajo. Conserve la bolsa de tinta aparte.

Deje que cueza, tapada, a la potencia máxima unos 5 minutos.

Añada el tomate triturado, la tinta de la sepia, tape y termine la cocción a menor intensidad unos 10 minutos más.

A continuación, deje reposar 2 minutos. Sazone con pimienta.

Bátalo todo.

Condimente los espaguetis, tras hervirlos en abundante agua salada, con la salsa de la sepia.

ESPAGUETIS PICANTES

PREPARACIÓN: 5 minutos
COCCIÓN: 2 minutos
REPOSO: −
DIFICULTAD: baja

Ingredientes

300 g de espaguetis
50 g de pan rallado
50 g de aceite de oliva virgen
1 diente de ajo
1 guindilla
sal y pimienta negra

Ponga primero el aceite, el diente de ajo, la guindilla y el pan rallado en una fuente de barro, y rehogue unos 3 minutos en el horno de microondas.

Hierva la pasta en abundante agua salada y escúrrala cuando esté al dente.

Condiméntela con la salsa preparada y con un poco de pimienta fresca espolvoreada por encima.

Sírvalo enseguida.

PREPARACIÓN: 15 minutos
COCCIÓN: 12 minutos
REPOSO: –
DIFICULTAD: baja

Ingredientes

300 g de tallarines
1 kg de almejas ya limpias
100 g de calabacines
200 g de tomates pelados
1-2 cucharadas de aceite de oliva virgen
1 cucharada de perejil picado
1 diente de ajo
sal
pimienta

TALLARINES CON ALMEJAS Y CALABACÍN

Lave los calabacines y córtelos en tiras.

Disponga las almejas en una fuente, tápela e introdúzcala en el horno a la máxima potencia durante 6 minutos. Una vez abiertas, retire la carne de las valvas de la mitad de ellas, y deje las restantes como están. Cuele el líquido de cocción con un colador muy fino y resérvelo.

Ponga en un recipiente los calabacines, el aceite, el ajo y los tomates. Sale, tape y cueza a la máxima potencia 4 minutos. Remueva e incorpore el perejil, las almejas y 3 o 4 cucharadas de su caldo de cocción. Hornee 2 minutos.

Cueza los tallarines en abundante agua con sal, escúrralos cuando estén al dente y condiméntelos con la salsa. Espolvoree un poco de pimienta antes de servir.

PREPARACIÓN: 10 minutos
COCCIÓN: 5 minutos
REPOSO: –
DIFICULTAD: media

Ingredientes

1 kg de mariscos mixtos
300 g de tallarines
40 g de aceite de oliva virgen
1/2 vaso de vino blanco seco
1 diente de ajo
perejil
sal y pimienta

TALLARINES CON MARISCOS

Lave bajo el grifo los mariscos. Viértalos en una fuente de pyrex más bien ancha; tápela y deje que cueza durante 3 minutos en el horno de microondas.

Cuando el marisco se abra, retire algunas conchas y filtre el caldo que se haya desprendido con un colador muy fino.

En un segundo recipiente ponga el aceite con el ajo y cuézalo unos 2 minutos.

Añada los mariscos y el vino, mézclelo bien y deje que reduzca.

Después añada el perejil picado y sazone con sal y pimienta.

Hierva los tallarines al dente y condiméntelos con la salsa de mariscos.

TALLARINES FRESCOS CON ESPÁRRAGOS

PREPARACIÓN: *10 minutos*
COCCIÓN: *6 minutos*
REPOSO: *3 minutos*
DIFICULTAD: *media*

Ingredientes

600 g de espárragos verdes
250 g de tallarines
1/2 vaso de nata líquida
30 g de mantequilla
1/2 cebolleta
albahaca
sal y pimienta

Limpie bien los espárragos y luego córtelos en trocitos muy finos.

En un recipiente de pyrex disponga los espárragos, la cebolleta picada y la mantequilla; riegue con un vaso de agua y sale ligeramente.

Luego tápelo e introdúzcalo en el horno de microondas unos 3 minutos, removiendo al menos una vez.

Deje en reposo 1 minuto.

A continuación, incorpore la nata, remueva y deje cocer 3 minutos más.

Vuelva a dejar en reposo 2 minutos.

Mientras tanto, hierva la pasta en abundante agua salada, escúrrala cuando esté al dente y condiméntela con la salsa preparada.

Añada la albahaca desmenuzada y remueva bien.

Sazone con pimienta y sirva enseguida.

Espaguetis en papillote

Frote con cuidado los mariscos, lávelos con agua del grifo y déjelos en remojo con agua salada durante una hora para que suelten la arena.

Luego ponga los mariscos limpios en un recipiente con el aceite, el ajo y el perejil y rehogue a la potencia máxima hasta que se abran (cerca de 4 minutos).

A continuación, retire los mariscos que no se hayan abierto, añada el vino blanco seco y rehogue 2 minutos más con el recipiente destapado, removiendo de vez en cuando para que se evapore el vino.

Salpimiente al gusto; tape y continúe la cocción unos 9 minutos.

Deje en reposo unos 3 minutos con el recipiente destapado para que el jugo quede un poco más denso.

Hierva la pasta y escúrrala cuando esté al dente; condiméntela con la salsa de mariscos y remueva bien.

Después ponga los espaguetis sobre un papel de cocina para horno, y cierre bien.

Coloque el papillote en el horno de microondas durante 1 minuto.

PREPARACIÓN: *10 minutos*
COCCIÓN: *16 minutos*
REPOSO: *3 minutos*
DIFICULTAD: *media*

Ingredientes

1 kg de mariscos
320 g de espaguetis
30 ml de vino blanco seco
30 g de aceite de oliva virgen
1 diente de ajo
perejil picado
sal y pimienta

PAPPARDELLE CON PANCETA

PREPARACIÓN: 10 minutos
COCCIÓN: 3 minutos
REPOSO: –
DIFICULTAD: media

Ingredientes

300 g de pappardelle
150 g de panceta cortada en dados
1 cucharada de aceite de oliva virgen
1 diente de ajo picado
1 cucharadita de semillas de hinojo molidas
4 granos de pimienta (picados gruesos)
sal

Disponga en una fuente de pyrex el aceite y la panceta, e introdúzcala en el horno a la máxima potencia 1 minuto.

Añada la pimienta, las semillas de hinojo y el ajo, y prosiga la cocción durante 1 minuto y medio o 2 minutos, vigilando que la panceta no se queme.

Cueza la pasta en abundante agua con sal, cuélela cuando esté al dente y colóquela en una fuente de servir. Condimente con la salsa de panceta y sirva.

TALLARINES CON NATA LÍQUIDA Y CAVIAR

PREPARACIÓN: 5 minutos
COCCIÓN: 3 minutos
REPOSO: 2 minutos
DIFICULTAD: media

Ingredientes

300 g de tallarines
1/2 vaso de nata líquida
1/2 cebolleta
1 tarrito de caviar
sal y pimienta

Ponga en un recipiente de pyrex la cebolleta picada muy finamente y dos cucharadas de agua.

Luego rehogue en el horno de microondas unos 3 minutos.

Deje en reposo otros 2 minutos para, posteriormente, añadir el caviar.

Mientras tanto, cueza los tallarines en abundante agua salada, escúrralos cuando estén al dente y condiméntelos con la salsa preparada.

Remueva bien.

Por último, sazone con pimienta y sirva enseguida.

ESPAGUETIS CON BOQUERONES FRESCOS

PREPARACIÓN: *20 minutos*
COCCIÓN: *6 minutos*
REPOSO: –
DIFICULTAD: *media*

Ingredientes

400 g de tomates frescos
320 g de espaguetis
300 g de boquerones sin espinas
40 g de aceite de oliva virgen
1 diente de ajo
1 guindilla
1 cucharada de perejil picado
sal y pimienta

Vierta el aceite en un recipiente de barro, y añada el ajo y la guindilla.

Rehogue unos 2 minutos a la potencia media-alta

Luego retire el ajo y la guindilla.

Incorpore el tomate, los boquerones lavados y sin espinas, y remueva con delicadeza. Póngalo a la máxima potencia unos 4 minutos.

Al final de la cocción, corrija de sal.

Mientras tanto, hierva la pasta en abundante agua salada, escúrrala cuando esté al dente y condiméntela con la salsa preparada y un poco de perejil picado.

ESPAGUETIS ISLEÑOS

PREPARACIÓN: *10 minutos*
COCCIÓN: *8 minutos*
REPOSO: –
DIFICULTAD: *media*

Ingredientes

300 g de espaguetis
300 g de pimientos de distintos colores
200 g de tomates pelados
50 g de aceite de oliva virgen
1 cucharada de alcaparras
1 diente de ajo
1 cucharada de albahaca picada
sal y pimienta

Lave y limpie los pimientos, retirándoles las semillas y los filamentos blancos, y córtelos en trozos.

Pique el ajo.

A continuación ponga todos los ingredientes, salvo la albahaca, en una fuente de barro, tápela y rehogue en el horno de microondas durante 8 minutos.

Mientras tanto, hierva la pasta en abundante agua salada, escúrrala cuando esté al dente y condiméntela con la salsa de pimientos.

Complete, en el último momento, con mucha albahaca picada y un hilo de aceite crudo.

ESPAGUETIS
CON MEJILLONES

PREPARACIÓN: 20 minutos

COCCIÓN: 8-9 minutos

REPOSO: –

DIFICULTAD: media

Ingredientes

280 g de espaguetis

4 cucharadas de aceite de oliva virgen

150 ml de tomate triturado

24 mejillones

2 dientes de ajo picados

2 cucharadas de perejil picado

2 cucharadas de pan rallado

sal

Limpie los mejillones y ábralos sin extraer la carne. Retire la valva vacía y, después, filtre el líquido.

Ponga el aceite y la mitad del ajo en una fuente de pyrex, y llévela al horno a la máxima potencia durante 50 segundos, sin tapar. Agregue el tomate y 5 cucharadas del líquido de cocción. Remueva y cueza 3 minutos.

Mezcle el ajo restante con el perejil y el pan rallado, bañe con una o dos cucharadas del caldo de cocción y rellene los mejillones con esta mezcla.

Mientras, cueza los espaguetis.

Ponga los mejillones en una fuente de pyrex con la salsa, tape y siga la cocción 4-5 minutos, regando con 2-3 cucharadas del agua de cocción de la pasta.

Escurra los espaguetis, condiméntelos con la salsa, adorne con los mejillones rellenos y sirva.

ESPAGUETIS CON ANCHOAS

PREPARACIÓN: 10 minutos

COCCIÓN: 8 minutos

REPOSO: –

DIFICULTAD: baja

Ingredientes

400 g de tomates frescos

300 g de espaguetis (si puede ser, huecos)

50 g de aceite de oliva virgen

1 diente de ajo

1 filete de anchoa

perejil

sal

En primer lugar, lave y corte en trozos los tomates.

Ponga todos los ingredientes, salvo el perejil, en un recipiente alto y estrecho.

Luego tape y cueza en el horno de microondas durante 8 minutos.

Transcurrido este tiempo, bátalo y páselo por el colador.

Hierva los espaguetis en abundante agua salada, escúrralos y condiméntelos con la salsa. Complete con mucho perejil y un hilo de aceite crudo.

ESPAGUETIS CON CHIPIRONES

PREPARACIÓN: 15 minutos
COCCIÓN: 15 minutos
REPOSO: 2 minutos
DIFICULTAD: media

Ingredientes

600 g de chipirones limpios
320 g de espaguetis
50 ml de vino blanco seco
25 g de aceite de oliva virgen
1 diente de ajo
perejil
sal y pimienta

Lave con cuidado los chipirones con agua corriente y córtelos a trocitos.

Ponga en una cazuela de barro los chipirones con el ajo y el aceite, sale ligeramente, tape y cueza programando la potencia al máximo durante 2 minutos.

A continuación, riegue con el vino blanco seco y deje reducir durante 3 minutos.

Añada el perejil, rectifique de sal y pimienta, retire el ajo y cueza 10 minutos más en un recipiente tapado.

Deje en reposo durante 2 minutos.

Hierva la pasta en abundante agua salada; después escúrrala y condiméntela con la salsa de chipirones; si lo desea, puede añadirle un hilo de aceite crudo.

ESPAGUETIS CON LANGOSTA

PREPARACIÓN: 20 minutos
COCCIÓN: 3 minutos
REPOSO: 1 minuto
DIFICULTAD: media

Ingredientes

500 g de langosta
300 g de espaguetis
30 g de aceite de oliva virgen
brandy
perejil picado
sal y pimienta negra

Lave la langosta con agua corriente; con un cuchillo afilado, haga una incisión en el dorso de su caparazón y retírelo.

En un cuenco mezcle la sal con un chorro de brandy; luego añada el aceite y el perejil picado.

Seguidamente, corte la langosta en trocitos y riéguela con la salsa preparada.

Póngala en un recipiente de barro, tápela y déjela cocer a la potencia máxima durante 3 minutos.

Deje en reposo 1 minuto antes de condimentar los espaguetis hervidos y escurridos cuando estén al dente. Sirva tras espolvorear con pimienta negra.

ESPAGUETIS CON ATÚN

PREPARACIÓN: 10 minutos
COCCIÓN: 7 minutos
REPOSO: –
DIFICULTAD: media

Ingredientes

320 g de espaguetis
150 g de atún en aceite
4 cucharadas de aceite de oliva virgen
4 tomates
2 filetes de anchoas en aceite
1 cucharada de alcaparras
1 diente de ajo picado
sal

Lave los tomates y, en una fuente, llévelos al horno a la máxima potencia 30 segundos. Pélelos, elimine las semillas y trocéelos.

Escurra las alcaparras. Corte en trozos grandes las anchoas. Desmenuce el atún.

Ponga en una fuente de pyrex el aceite, el ajo, las alcaparras, el atún y las anchoas, y llévela al horno 1 minuto, sin tapar. Incorpore los tomates, sale y prosiga la cocción durante 5 minutos.

Cueza los espaguetis en abundante agua con sal y escúrralos cuando estén al dente. Llévelos a la fuente de la salsa, y deje que cojan sabor en el horno durante 30 segundos. Sirva inmediatamente.

ESPAGUETIS CON ALMEJAS

PREPARACIÓN: 15 minutos
COCCIÓN: 5 minutos
REPOSO: –
DIFICULTAD: media

Ingredientes

800 g de almejas
320 g de espaguetis
40 g de aceite de oliva virgen
1/2 vaso de vino blanco seco
perejil
1 diente de ajo
sal y pimienta

Lave las almejas poniéndolas debajo del grifo unos minutos. Colóquelas en un recipiente de pyrex, tápelas e introdúzcalas en el microondas 3 minutos. Con un colador muy fino o una tela, filtre el caldo que hayan formado las almejas.

Retire las almejas cerradas, o, cuézalas unos minutos más hasta que se abran.

En otro recipiente, vierta el aceite con el ajo y rehogue 2 minutos. Incorpore las almejas y el vino y remueva para que reduzca. Pique el perejil, añádalo a las almejas y salpimiente.

Por último, hierva la pasta en abundante agua salada, escúrrala y condiméntela con las almejas. Sirva a continuación.

TALLARINES A LA CAZADORA

PREPARACIÓN: 15 minutos
COCCIÓN: 17 minutos
REPOSO: –
DIFICULTAD: media

Ingredientes

300 g de tallarines
50 g de champiñones
300 g de tomate triturado
50 g de panceta cortada en dados
1 cucharada de aceite de oliva virgen
1 cucharada de vino tinto
1 zanahoria
1 rama de apio
1/2 cebolla
sal
pimienta

Limpie los champiñones y córtelos en láminas finas. Dispóngalos en una fuente de pyrex con un hilo de aceite e introdúzcalos en el horno a una potencia media-alta 3 minutos.

Pele y lave las verduras, píquelas y dispóngalas en otra fuente con el aceite restante. Tape y cueza en el horno a la máxima potencia durante 2 minutos.

Agregue la panceta y prosiga la cocción durante 6 minutos, siempre con el recipiente tapado.

Remueva una vez, incorpore el vino y el tomate, y salpimiente. Agregue los champiñones, tape y cueza 6 minutos más.

Cueza la pasta, escúrrala cuando esté al dente, condiméntela con la salsa y sirva.

TALLARINES CON CIGALAS Y ESPINACAS

PREPARACIÓN: 10 minutos
COCCIÓN: 3 minutos
REPOSO: 1 minuto
DIFICULTAD: media

Ingredientes

600 g de colas de cigalas peladas
300 g de tallarines
100 g de tomate triturado
100 g de nata líquida
50 g de espinacas cortadas a tiras
1 trozo de chalote
1 nuez de mantequilla
sal y pimienta

En un recipiente adecuado para la cocción en microondas, disponga las colas de cigalas, el trocito de chalote y la mantequilla.

Tápelo y rehogue a la potencia máxima durante 1 minuto.

Luego añada el resto de los ingredientes, sale y, si lo desea, condimente con pimienta; tape y complete la cocción durante 2 minutos.

Una vez retirado el chalote, deje en reposo durante 1 minuto.

Hierva los tallarines al dente. Condiméntelos con la salsa y sírvalos.

TALLARINES CON SALCHICHAS

PREPARACIÓN: *10 minutos*
COCCIÓN: *15-16 minutos*
REPOSO: *–*
DIFICULTAD: *media*

Ingredientes

300 g de tallarines
200 g de salchichas
300 g de tomates
100 ml de vino tinto
2 cucharadas de aceite de oliva virgen
1 cebolla pequeña
sal

Ponga en una cazuela al fuego 2 litros de agua y llévela a ebullición.

Pele la cebolla y córtela en finas rodajas.

Lave los tomates y dispóngalos en una fuente; llévelos al horno a la máxima potencia durante 30 segundos. Sáquelos, pélelos, elimine las semillas y córtelos en trocitos.

Trocee también las salchichas.

Sumerja durante 2 minutos las salchichas en el agua hirviendo, retírelas y escúrralas.

Ponga en una fuente de pyrex la cebolla, las salchichas y el aceite, e introdúzcala sin tapar en el horno a la máxima potencia durante 2 minutos.

Riegue con el vino y prosiga la cocción durante 3 minutos más.

Agregue los tomates, sale y cueza 8 minutos, añadiendo un poco de agua si la salsa se redujera demasiado.

Sale el agua de cocción de las salchichas y cueza aquí la pasta; escúrrala cuando esté al dente.

Disponga la pasta en una fuente de servir y condiméntela con la salsa.

TALLARINES CON BRÉCOL Y LANGOSTINOS

PREPARACIÓN: *15 minutos*
COCCIÓN: *6 minutos*
REPOSO: –
DIFICULTAD: *media*

Ingredientes

320 g de tallarines
400 g de brécol
300 g de langostinos
4 cucharadas de aceite de oliva virgen
2 cebolletas
1 diente de ajo picado
sal

Ponga en una cazuela al fuego 2 litros de agua, y cueza en ella la pasta.

Pele las cebolletas; quíteles las raíces, la capa externa y la parte verde, lávelas y córtelas en rodajas.

Divida el brécol en ramitas y lávelas bien.

Pele los langostinos y quíteles el hilillo intestinal.

Hierva durante 1 minuto el brécol en el agua de cocción de la pasta y sáquelo con la espumadera.

Disponga en una fuente de pyrex las cebolletas, el ajo y 2 cucharadas de aceite, e introdúzcala sin tapar en el horno a la máxima potencia durante 1 minuto.

Añada el brécol, tape y deje que prosiga la cocción 3 minutos. Añada los langostinos, sale y cueza 2 minutos más, hasta que los langostinos estén hechos.

Mientras, cueza los tallarines.

Riegue la salsa de brécol y langostinos con 100 ml del agua de cocción de la pasta; añada el aceite restante, incorporándolo poco a poco.

Escurra los tallarines, póngalos en una fuente, condiméntelos con la salsa y sírvalos.

TALLARINES
CON RAGÚ DE CARNE

PREPARACIÓN: 10 minutos
COCCIÓN: 14 minutos
REPOSO: 2 minutos
DIFICULTAD: media

Ingredientes

300 g de tallarines
300 g de tomate triturado
200 g de carne de buey picada
50 g de panceta
1/2 tallo de apio
1/2 cebolla
1 trozo de zanahoria
1 cucharada de vino blanco seco
1 cucharada de aceite de oliva virgen
sal y pimienta

Limpie, raspe y lave los vegetales; córtelos en dados o, si lo prefiere, píquelos. Póngalos con el aceite en un recipiente de barro para la cocción en microondas, cúbralo y rehogue durante 2 minutos a la potencia máxima.

Después añada la carne y la panceta en dados y prosiga la cocción unos 6 minutos.

Tras remover una vez, incorpore el vino y el tomate triturado.

Salpimiente.

Tape y deje cocer 6 minutos más.

Seguidamente deje en reposo unos 2 minutos y luego remueva.

Hierva la pasta al dente y condiméntela con el ragú.

TALLARINES
CON NATA Y SETAS

PREPARACIÓN: 10 minutos
COCCIÓN: 6 minutos
REPOSO: –
DIFICULTAD: media

Ingredientes

400 g de setas
300 g de tallarines
1/2 vaso de nata líquida
20 g de aceite de oliva virgen
1 diente de ajo
perejil picado
sal y pimienta

Corte en tiras muy finas las setas tras haberlas limpiado.

Después, en un recipiente de barro ponga el aceite, el diente de ajo y las setas; tápelo y rehogue en el horno de microondas durante 3 minutos.

Añada la nata líquida y el perejil picado y prosiga la cocción durante 3 minutos.

Hierva la pasta, escúrrala cuando esté al dente y condiméntela con la salsa preparada. Sirva a continuación.

ARROZ PILAF CON PASAS, PIÑONES Y POLLO A LA ORIENTAL

En una fuente de microondas ponga las pechugas de pollo cortadas en dados con el diente de ajo y el aceite.

Deje cocer unos 2 minutos.

Lave los pimientos y córtelos en trozos no demasiado grandes; trocee también los tomates.

Añada los pimientos y el tomate y deje cocer 13 minutos con el recipiente destapado.

A continuación, corrija de sal y, si lo desea, condimente con pimienta.

En un envase de pyrex ponga el aceite, añada la cebolla picada muy finamente y deje cocer durante 14 minutos tras tapar el recipiente.

Retire el arroz del horno de microondas, corrija de sal, remueva, incorpore los piñones y las pasas, tape y deje reposar unos 2 minutos. Forme un montículo con el arroz pilaf y encima ponga el pollo con los pimientos.

PREPARACIÓN: *10 minutos*
COCCIÓN: *29 minutos*
REPOSO: *2 minutos*
DIFICULTAD: *baja*

Ingredientes

300 g de arroz pilaf
50 g de pasas y piñones
1/2 l de caldo
400 g de pechuga de pollo
200 g de pimientos
150 g de tomates pelados
1 cebolla pequeña
1 diente de ajo
40 g de aceite de oliva virgen
sal y pimienta

Arroz con salsa de anguilas

PREPARACIÓN: 20 minutos
COCCIÓN: 17 minutos
REPOSO: 2 minutos
DIFICULTAD: media

Ingredientes

300 g de arroz
1 anguila
1 l de caldo de verduras
4 cucharadas de aceite de oliva virgen
medio limón (el zumo)
1 diente de ajo picado
1 hoja de laurel
2 cucharadas de perejil picado
sal
pimienta

Ponga un recipiente con el caldo al fuego y llévelo a ebullición.

Practique un corte junto al cuello de la anguila; después, levante la piel y tire hacia la cola para quitarla. Limpie el pescado, séquelo y córtelo en trozos.

Disponga en una fuente de pyrex el aceite, el ajo, el perejil, el laurel y los trozos de anguila.

Llévelo sin tapar al horno a la máxima potencia durante 2 minutos. Riegue con el limón, salpimiente y mezcle. Prosiga la cocción 2 minutos más.

Añada el arroz y el caldo hirviendo. Mezcle y cueza 5 minutos.

Remueva, tape y deje que cueza —siempre a la máxima potencia— 8 minutos más. Deje que repose 2 minutos con el horno apagado, salpimiente y sirva.

Arroz con cebolleta

PREPARACIÓN: 10 minutos
COCCIÓN: 16 minutos
REPOSO: 2 minutos
DIFICULTAD: media

Ingredientes

600 ml de caldo
300 g de arroz
50 g de tomate triturado
40 g de aceite de oliva virgen
1 cebolla
1 manojo de cebolletas

Vierta en un recipiente el aceite con la cebolla picada muy finamente y deje que cueza durante 1 minuto.

Añada el tomate triturado, remueva y agregue el arroz.

Cubra con el caldo hirviendo, mezcle y cueza en el horno de microondas durante 15 minutos a la potencia máxima.

Después deje reposar durante 2 minutos, y sirva en una fuente caliente cubriendo el arroz con la cebolleta lavada y picada.

Risotto con frutos del mar

Ingredientes

300 g de arroz
200 g de sepia
200 g de calamares
200 g de gambas
350 g de mejillones
2 salmonetes pequeños
1 l de caldo de pescado
4 cucharadas de vino blanco
4 cucharadas de aceite de oliva virgen
1 cebolla
1 cucharada de perejil picado
sal

Ponga el caldo en el fuego y llévelo a ebullición.

Lave la sepia y córtela en tiras. Vacíe los calamares y enjuáguelos. Lave las gambas, pélelas y quíteles el hilo intestinal.

Limpie con cuidado los mejillones. Escame los salmonetes, límpielos, quíteles la espina y córtelos en trozos de 2 cm. Pele la cebolla y córtela en dados.

Disponga los mejillones en un recipiente, tápelo e introdúzcalo en el horno a la máxima potencia durante 4 minutos, hasta que se hayan abierto. Escúrralos y resérvelos; cuele el líquido que sueltan.

Disponga en un recipiente media cebolla y 2 cucharadas de aceite, e introdúzcalo sin tapar en el horno a la máxima potencia durante 2 minutos.

Añada los calamares, las gambas y los salmonetes, y cueza durante 1 minuto. Riegue con el vino y prosiga la cocción durante 2 minutos más. Incorpore los mejillones con su líquido.

Ponga en un recipiente para microondas el aceite y la media cebolla restante, e introdúzcalo sin tapar en el horno a la máxima potencia durante 2 minutos. Agregue la sepia, tape y cueza durante 4 minutos.

Incorpore el arroz, moje con el caldo hirviendo y prosiga la cocción 13 minutos más, siempre con el recipiente tapado.

Añada los pescados con su jugo, espolvoree el perejil, mezcle y lleve el recipiente al horno otro minuto.

Deje que repose 2 minutos y sirva.

Risotto
con Gambas
y Aguacates

PREPARACIÓN: 15 minutos
COCCIÓN: 17-18 minutos
REPOSO: 4 minutos
DIFICULTAD: media

Ingredientes

300 g de arroz
200 g de gambas
40 g de mantequilla
1 l de caldo de carne
2 puerros
1 aguacate
1 chalote picado
sal

Ponga el caldo al fuego y llévelo a ebullición.

Pele los puerros, quitando las raíces, las primeras capas y la parte verde; lávelos y córtelos en rodajitas.

Lave las gambas, pélelas y quíteles el hilo intestinal.

Pele el aguacate, quítele el hueso y córtelo en dados.

Aplaste en un plato 1 cucharada de dados de aguacate con la mitad de la mantequilla y el chalote.

Disponga en un recipiente de pyrex la mantequilla restante y, sin taparlo, introdúzcalo en el horno a la máxima potencia durante 40 segundos.

Añada las gambas y deje que se hagan durante 1 minuto.

Retire las gambas de la fuente y resérvelas aparte.

Ponga ahora en el recipiente de pyrex los puerros, y deje que se hagan durante unos 2 minutos. Incorpore el arroz, mezcle y al cabo de 1 minuto añada el caldo hirviendo. Remueva de nuevo y prosiga la cocción 3 minutos.

Tape y cueza durante 10 minutos más.

Agregue al arroz el preparado de aguacate y mantequilla y mezcle.

Añada los otros dados de aguacate y las gambas. Rectifique la sal y, si es necesario, remueva otra vez. Deje que repose en el horno apagado durante 4 minutos, y sirva.

PREPARACIÓN: *25 minutos*
COCCIÓN: *23-24 minutos*
REPOSO: –
DIFICULTAD: *media*

Ingredientes

300 g de arroz
400 g de mejillones
200 g de colas de langostino
1 l de caldo de pescado
4 cucharadas de aceite de oliva virgen
2 tomates
2 calabacines
1 cebolla
sal

RISOTTO
A LA MARINERA

Ponga el caldo al fuego y llévelo a ebullición.

Lave los tomates, colóquelos en una fuente e introdúzcalos en el horno a la máxima potencia durante 30 segundos. Sáquelos, pélelos, elimine las semillas y trocéelos. Pele la cebolla y córtela en rodajas. Lave bien los calabacines, séquelos y córtelos en rodajas finas.

Lave las gambas, pélelas y quíteles el hilo intestinal. Raspe los mejillones con cuidado, lávelos bajo el chorro de agua y elimine las barbas con un cuchillo.

Ponga los mejillones en un recipiente, tápelo e introdúzcalo en el horno a la máxima potencia durante 4 minutos, hasta que se abran.

Escurra los mejillones, retire las valvas y recoja en una taza parte del líquido que hayan soltado.

Ponga en un recipiente de pyrex las gambas con dos cucharadas de aceite e introdúzcalas, sin tapar, en el horno a la máxima potencia durante 2 minutos. Sáquelas y resérvelas.

En el mismo recipiente, ponga la cebolla, los calabacines y los tomates, y hágalos en el horno a la máxima potencia 4 minutos, removiendo dos veces.

Añada el arroz, y deje que coja sabor durante 1 minuto. Vierta el caldo hirviendo, tape y prosiga la cocción 12 minutos.

Eche en el arroz las gambas y los mejillones, mezcle y deje que se haga todo 1 minuto. Complete la preparación con el horno ya apagado, incorporando el líquido de cocción de los mejillones y el aceite restante. Mezcle y sirva.

PREPARACIÓN: *10 minutos*
COCCIÓN: *19 minutos*
REPOSO: *2 minutos*
DIFICULTAD: *media*

Ingredientes

300 g de arroz
60 g de mantequilla
1 l de caldo vegetal
2 calabacines
1 cebolla
1 cucharada de perejil picado
2 cucharadas de queso grana
sal

Un consejo

Una vez terminada la cocción se puede añadir a este risotto 150 g de gambas que previamente se habrán introducido en el horno a la máxima potencia durante 2 minutos con medio diente de ajo picado.

RISOTTO
CON CALABACINES

Ponga el caldo al fuego y llévelo a ebullición.

Lave los calabacines y córtelos en rodajas finas.

Pele la cebolla y píquela finamente.

En un recipiente de pyrex con la capacidad adecuada ponga 30 g de mantequilla y la cebolla picada; llévelo sin tapar al horno a la máxima potencia 2 minutos.

Añada los calabacines y un poco de sal; tape y prosiga la cocción 2 minutos más.

Incorpore el arroz, mezcle y cueza con el recipiente destapado durante 1 minuto.

Riegue con el caldo hirviendo, tape y prosiga la cocción, siempre a la máxima potencia, durante 14 minutos.

Añada el perejil picado, la mantequilla restante y el queso grana rallado.

Mezcle, rectifique la sal y deje que repose durante 2 minutos antes de servir.

ARROZ CON PASAS Y PIÑONES

PREPARACIÓN: 15 minutos
COCCIÓN: 13 minutos
REPOSO: 1 minuto
DIFICULTAD: baja

Ingredientes

600 ml de caldo vegetal
300 g de arroz
50 g de aceite de oliva virgen
50 g de pasas blandas
30 g de piñones
la cáscara de 1/2 limón
1 cebolla picada

Ponga el aceite en una cazuela con la cebolla triturada muy finamente.

Rehogue durante 3 minutos, añada el arroz y mezcle para darle sabor.

Añada las pasas, los piñones y la corteza del limón.

Después incorpore el caldo y haga que cueza durante 10 minutos cubriendo la cazuela.

Pasado este tiempo, controle la cocción, remueva y deje en reposo durante 1 minuto antes de servir

ARROZ A LAS HIERBAS DE PROVENZA

PREPARACIÓN: 10 minutos
COCCIÓN: 14-15 minutos
REPOSO: 1 minuto
DIFICULTAD: media

Ingredientes

600 ml de caldo
300 g de arroz
1/2 vaso de vino blanco seco
1 chalote pequeño
40 g de aceite de oliva virgen
1 cucharada de hierbas de Provenza
sal

Vierta el aceite en un recipiente de pyrex, añada el chalote picado muy finamente y deje cocer unos 2 minutos a la potencia máxima.

Luego incorpore el arroz y el vino blanco; remueva, cubra con el caldo caliente, mezcle de nuevo, tápelo y prosiga la cocción unos 10 minutos.

A continuación, retire del horno de microondas, rectifique la sal y añada las hierbas.

Tape el recipiente y déjelo en reposo durante 2 minutos.

Vierta el arroz en la fuente de servicio y sírvalo.

RISOTTO
CON VERDURAS

PREPARACIÓN: 20 minutos
COCCIÓN: 27 minutos
REPOSO: 2 minutos
DIFICULTAD: media

Ingredientes

300 g de arroz
200 g de gambas
40 g de mantequilla
1 l de caldo de carne
2 puerros
1 aguacate
1 chalote picado
1 cebolla picada
10 cucharadas de aceite de oliva
sal

Ponga el caldo en un recipiente al fuego y llévelo a ebullición.

Pele la cebolla y trocéela. Lave el pimiento, quítele el tallo, las semillas y los filamentos blancos del interior, y córtelo en tiras. Pele la patata, lávela y pártala en dados. Lave la berenjena y trocéela en dados. Lave el calabacín, y córtelo en rodajas de 1 cm de grosor.

Disponga en una fuente de pyrex la mitad del aceite y la cebolla, e introdúzcala, sin tapar, en el horno a la máxima potencia durante 2 minutos.

Añada todas las verduras y sale. Riegue con 5 cucharadas de caldo, remueva y cueza durante 10 minutos, hasta que las verduras estén listas; remueva otras dos veces. Saque la fuente del horno.

Ponga el aceite restante en otro recipiente e introdúzcalo en el horno a la máxima potencia durante 1 minuto, sin tapar.

Añada el arroz, remueva bien y, al cabo de 1 minuto, vierta el cardo hirviendo. Tape y cueza 12 minutos.

Disponga el arroz en la fuente de pyrex con la mezcla de verduras, remueva con una cuchara de palo y prosiga la cocción durante 1 minuto. Deje que repose en el horno apagado 2 minutos y sirva.

RISOTTO
CON CARDOS

PREPARACIÓN: 25 minutos
+ tiempo de cocción de los cardos
COCCIÓN: 20-21 minutos
REPOSO: 2 minutos
DIFICULTAD: media

Ingredientes

400 g de arroz
400 g de cardos
60 g de mantequilla
1 l de caldo de carne
2 cucharadas de queso grana
2 puerros
sal

Ponga el caldo en un recipiente al fuego y llévelo a ebullición.

En otra cazuela, ponga a hervir abundante agua con un poco de sal.

Quite a los cardos las hojas y los filamentos que recorren las pencas en sentido longitudinal; lávelos y córtelos en trozos de 10 cm.

Cueza los cardos en agua hirviendo durante 20 minutos.

Quite a los puerros las raíces, las capas externas y la parte verde; lávelos y córtelos en rodajas.

Escurra los cardos y córtelos en trozos de 1 cm.

Ponga en una fuente de pyrex la mitad de la mantequilla e introdúzcala en el horno a la máxima potencia, sin tapar, durante 50 segundos.

Agregue los puerros y el cardo. Sale, tape y cueza durante 6 minutos, removiendo 3 veces.

Añada el arroz, remueva, incorpore el caldo hirviendo, tape y prosiga la cocción 14 minutos.

Una vez terminada la cocción, incorpore la mantequilla restante y el queso. Tape, deje que repose en el horno durante 2 minutos y sirva.

Risotto
AL CURRY

PREPARACIÓN: *30 minutos*
COCCIÓN: *23-24 minutos*
REPOSO: *2 minutos*
DIFICULTAD: *media*

Ingredientes

300 g de arroz
60 g de mantequilla
900 ml de caldo
100 ml de nata líquida
2-3 cucharadas de curry
1 cebolla grande
sal

Ponga el caldo en un recipiente al fuego y llévelo a ebullición.

Pele la cebolla y córtela en dados.

Ponga 40 g de mantequilla en una fuente de pyrex e introdúzcala sin tapar en el horno a la máxima potencia durante 50 segundos.

Añada la cebolla, tape y cueza durante 2 minutos. Riegue con 3 cucharadas de agua y prosiga la cocción durante 2 minutos.

Agregue el curry, sale y remueva.

Añada la nata y 4 cucharadas de agua, remueva de nuevo y continúe la cocción, a potencia media-alta, durante 4 minutos. Retire la fuente del horno.

Disponga la mantequilla restante en otra fuente de pyrex e introdúzcala, sin tapar, en el horno durante 1 minuto, a la máxima potencia.

Añada el arroz, mezcle y, al cabo de un minuto, riegue con el caldo hirviendo.

Cueza a la máxima potencia durante 3 minutos; luego, tape y prosiga la cocción 10 minutos más, removiendo dos veces.

Agregue al risotto la mezcla del curry y remueva.

Deje que repose durante 2 minutos en el horno apagado, y sirva.

PREPARACIÓN: 15 minutos
COCCIÓN: 15 minutos
REPOSO: 2 minutos
DIFICULTAD: media

Ingredientes

900 ml de caldo
300 g de arroz superfino
50 g de parmesano rallado
50 g de mantequilla
3 puerros
1 cebolleta
1 vaso de vino blanco seco

ARROZ SABROSO CON PUERROS

Ponga los puerros cortados finamente junto con 20 g de mantequilla en una cazuela de pyrex.

Rehóguelos durante 4 minutos, luego añada el arroz y el vino; remueva y vuelva a rehogar durante 2 minutos más para que se condimenten.

Vierta el caldo caliente, tápelo y deje que cueza unos 9 minutos más.

Transcurrido este tiempo, añada el resto de la mantequilla, el parmesano rallado y la cebolleta picada.

Ahora corrija la sal, tape y deje reposar el arroz con el horno apagado unos 2 minutos.

Remueva bien y sirva enseguida.

ARROZ CALIENTE A LA GRIEGA

PREPARACIÓN: 15 minutos
COCCIÓN: 14 minutos
REPOSO: 2 minutos
DIFICULTAD: baja

Ingredientes

600 ml de caldo
300 g de arroz
50 g de queso feta
50 g de aceitunas negras
50 g de tomate triturado
40 g de aceite de oliva virgen
1 cebolla
sal

En un recipiente de pyrex, vierta el aceite, añada la cebolla picada muy finamente y deje cocer unos 2 minutos a la potencia máxima.

Añada después el tomate triturado, remueva e incorpore el arroz.

A continuación incorpore el caldo caliente, remueva y deje cocer unos 12 minutos tras haber tapado el recipiente.

Transcurrido este tiempo, retire el arroz del horno de microondas, rectifique la sal, remueva, añada las aceitunas negras troceadas, tape y deje en reposo unos 2 minutos.

Corte en dados el queso feta y póngalo sobre el arroz como guarnición.

RISOTTO
CON SALCHICHAS

PREPARACIÓN: 8 minutos

COCCIÓN: 22-23 minutos

REPOSO: 3-4 minutos

DIFICULTAD: media

Ingredientes

300 g de arroz

150 g de salchichas

40 g de mantequilla

1 l de caldo de carne

100 ml de vino tinto

1 cebolla

sal

Desmenuce las salchichas.

Pele la cebolla y córtela en rodajas finas.

Disponga en una fuente de pyrex 20 g de mantequilla e introdúzcala en el horno a la máxima potencia durante 30 segundos aproximadamente.

Agregue la cebolla, remueva, tape y deje que se haga a la máxima potencia durante 2 minutos.

Añada las salchichas, remueva con cuidado, tape y prosiga la cocción 2 minutos más.

Destape y cueza durante 1 minuto.

Incorpore el arroz, mezcle y deje que coja sabor con el recipiente destapado y el horno a la máxima potencia durante 1 minuto.

Riegue con el vino y prosiga la cocción otro minuto.

Agregue el caldo, mezcle, tape y cueza con el recipiente tapado y a la máxima potencia durante 14 minutos, hasta que el arroz esté en su punto.

Apague el horno, rectifique la sal y agregue la mantequilla restante.

Deje que repose el risotto durante 3-4 minutos y sirva.

ARROZ
CON PIMIENTOS

PREPARACIÓN: 15 minutos
COCCIÓN: 16 minutos
REPOSO: 1 minutos
DIFICULTAD: media

Ingredientes

1 l de caldo vegetal
300 g de arroz superfino
200 g de pimientos rojos y verdes
50 g de mantequilla
1/2 cucharadita de pimentón
una cebolla
una guindilla

Ponga en una cazuela la mitad de la mantequilla con la cebolla picada muy finamente y la guindilla.

Después lave los pimientos y trocéelos.

A continuación, cueza durante 3 minutos, añada el arroz, remueva y deje rehogar 2 minutos.

Vierta el caldo y termine la cocción unos 11 minutos con el recipiente tapado.

Agregue el pimentón y, el resto de mantequilla, y pruebe y corrija de sal si es necesario.

Tape y deje reposar el arroz en el horno de microondas durante 1 minuto, remueva y sírvalo tras retirar la guindilla.

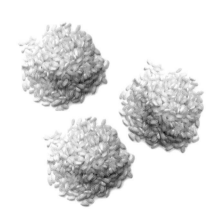

CREMA DE PATATAS Y PUERROS CON ALBAHACA

PREPARACIÓN: *15 minutos*
COCCIÓN: *18 minutos*
REPOSO: *4 minutos*
DIFICULTAD: *fácil*

Ingredientes

500 g de patatas
un vaso de nata líquida
200 g de puerros
un vaso de caldo
un poco de albahaca
sal

Primero pele y lave las patatas, y luego córtelas en trocitos.

Tras lavar los puerros, córtelos también en trocitos.

Ponga en una cazuela las verduras con el caldo y la nata líquida.

Tape y deje cocer durante 18 minutos programando la potencia al máximo.

A continuación, bata todo.

Rectifique la sal, añada la albahaca picada y deje en reposo durante 4 minutos con el recipiente tapado.

Sirva enseguida.

CREMA DE CALABACÍN

PREPARACIÓN: *15 minutos*
COCCIÓN: *14 minutos*
REPOSO: *4 minutos*
DIFICULTAD: *baja*

Ingredientes

1 l de caldo
500 g de calabacines
200 g de patatas
100 g de zanahorias
albahaca
sal y pimienta

Primero lave bien los calabacines, raspe las zanahorias, y lave y pele las patatas.

Luego corte todas las verduras en juliana y póngalas en una cazuela; cúbralas con el caldo y deje cocer durante 14 minutos en un recipiente tapado.

Bátalo todo.

A continuación, sazone con la sal y deje en reposo durante 4 minutos.

Sirva después de espolvorear con la albahaca triturada.

CREMA DE CALABACINES CON HABAS

PREPARACIÓN: *30 minutos*
COCCIÓN: *21 minutos*
REPOSO: –
DIFICULTAD: *media*

Ingredientes

3 calabacines
400 g de habas
5 cucharadas de aceite de oliva virgen
2 cucharadas de cebollino picado
1 cebolleta
500 ml de caldo vegetal
250 g de yogur
sal
pimienta

Pique la cebolleta, dispóngala en un recipiente con el aceite y los calabacines troceados, e introdúzcalo todo en el horno a la máxima potencia 7 minutos.

Agregue la mitad del caldo, y cueza otros 4 minutos. Bata todo, incorpore el yogur y salpimiente.

En otro recipiente ponga las habas con el caldo restante, y cueza 10 minutos a la máxima potencia. Salpimiente.

Reparta en los platos de servir la crema de calabacín y las habas escurridas. Espolvoree el cebollino picado, y sirva templada.

MENESTRA DE CORDERO

PREPARACIÓN: 15 minutos
COCCIÓN: 23 minutos
REPOSO: –
DIFICULTAD: media

Ingredientes

1 despojo de cordero
1 l de caldo de carne
4 cucharadas de aceite de oliva virgen
8 rebanadas de pan casero
4 cucharadas de queso grana
1 rama de apio picada
1 cebolla pequeña
1 zanahoria picada
2 dientes de ajo picados
1 cucharada de perejil picado
sal

Ponga el caldo en un recipiente al fuego y llévelo a ebullición.

Introduzca una fuente para gratinar en el horno y caliéntela durante 4 minutos a la máxima potencia. Disponga sobre ella las rebanadas de pan, y tuéstelas durante 4 minutos, dándoles la vuelta a los 2 minutos.

Lave los despojos y córtelos en rodajas.

En un recipiente de pyrex disponga el aceite y las verduras picadas, e introdúzcalo en el horno a la máxima potencia durante 2 minutos.

Mezcle, añada los despojos, sazone y prosiga la cocción 5 minutos más, removiendo 2 veces. Incorpore el caldo hirviendo, remueva, rectifique la sal, tape y cueza otros 12 minutos.

Disponga las rebanadas de pan tostado en los platos de servir, y vierta encima la menestra. Espolvoree el queso.

SOPA SABROSA

PREPARACIÓN: 15minutos
COCCIÓN: 12 minutos
REPOSO: 3 minutos
DIFICULTAD: baja

Ingredientes

1 l escaso de caldo
500 g de patatas
200 g de puerros
200 g de judías verdes
30 g de aceite de oliva virgen
romero
sal y pimienta negra

Lave las patatas y córtelas en trocitos. Luego lave y pele los puerros.

Limpie las judías y córtelas en trocitos. Después vierta el aceite y los vegetales en un recipiente de barro.

Deje cocer unos 2 minutos, remueva, añada el caldo, sale y condimente con pimienta. Tape y prosiga la cocción unos 10 minutos más.

Deje en reposo unos 3 minutos con el recipiente tapado y luego sirva la sopa espolvoreada con romero.

SOPA DE PATATAS Y MAÍZ

PREPARACIÓN: 15 minutos
COCCIÓN: 12 minutos
REPOSO: –
DIFICULTAD: media

Ingredientes

300 g de patatas
400 g de maíz cocido
500 ml de caldo de carne
200 ml de nata líquida
2 cucharadas de aceite de oliva virgen
2 lonchas finas de jamón serrano
1 cebolla
1 rama de apio
1 cebolleta
sal

Pele la cebolla y córtela en dados. Limpie el apio, quítele los hilillos, lávelo y trocéelo. Pele las patatas, lávelas y córtelas en dados. Pele la cebolleta, lávela y córtela en rodajitas finas. Lleve a ebullición el caldo en un recipiente al fuego.

Corte en tiras las lonchas de jamón, y dispóngalas en una fuente con el aceite. Introdúzcalas en el horno sin tapar a la máxima potencia durante 2 minutos, hasta que el jamón esté crujiente. Sáquelo del horno, escúrralo y resérvelo.

Disponga en un recipiente de pyrex la cebolla, el apio y las patatas. Sale, tape y cueza 5 minutos, removiendo dos veces. Añada el caldo hirviendo, la nata y el maíz, y cueza 5 minutos más.

Complete la menestra con el jamón y la cebolleta, y sirva.

SOPA DE PATATAS SABROSAS

PREPARACIÓN: 10 minutos
COCCIÓN: 12 minutos
REPOSO: 3 minutos
DIFICULTAD: baja

Ingredientes

1 l escaso de caldo
500 g de patatas
100 g de cebolla
30 g de aceite de oliva virgen
20 g de queso de oveja
2 anchoas saladas
sal y pimienta negra

Lave las patatas y córtelas en trocitos. Monde, lave y trinche la cebolla.

Vierta en un recipiente de barro el aceite, las patatas, la cebolla y las anchoas desmenuzadas.

Después de rehogar durante 2 minutos, remueva bien y añada el caldo y la sal.

Tape y prosiga la cocción unos 10 minutos más.

Deje en reposo uno 3 minutos con el recipiente tapado y sirva tras espolvorear con el queso rallado y la pimienta.

Sopa de arroz y verduras

PREPARACIÓN: *10 minutos*
COCCIÓN: *19 minutos*
REPOSO: *2 minutos*
DIFICULTAD: *media*

Ingredientes

200 g de arroz
200 g de guisantes
200 g de habas
100 g de judías verdes
40 g de espinacas
1 l de caldo vegetal
3 cucharas de aceite de oliva virgen
2 cebolletas
sal

Ponga el caldo en un recipiente al fuego y llévelo a ebullición.

Lave las judías verdes, y quíteles las puntas y los hilos. Lave las espinacas con cuidado bajo el chorro de agua. Pele las cebolletas; quíteles las raíces, las capas externas y las zonas verdes, lávelas y córtelas en rodajas.

Disponga en un recipiente de pyrex el aceite y las cebolletas, e introdúzcalo sin tapar en el horno a la máxima potencia durante 2 minutos.

Añada los guisantes, las habas y las judías verdes, rectifique la sal y prosiga la cocción 2 minutos.

Agregue el caldo hirviendo, tape y cueza 1 minuto. Incorpore el arroz y las espinacas, y prosiga la cocción 14 minutos, siempre con el recipiente tapado.

Deje que repose la menestra en el horno apagado durante 2 minutos, y sirva.

Sopa de setas

Limpie y corte en trozos las setas. Luego trinche el ajo y la cebolla.

Vierta en una sopera el aceite, el ajo, la cebolla y las setas.

Rehogue durante 1 minuto.

A continuación, añada al menos 1/2 litro de agua y prosiga la cocción 14 minutos.

Si es necesario, rectifique la sal y la pimienta e incorpore el perejil picado.

Deje en reposo durante 3 minutos. Remueva y sirva caliente.

PREPARACIÓN: *10 minutos*
COCCIÓN: *15 minutos*
REPOSO: *3 minutos*
DIFICULTAD: *baja*

Ingredientes

800 g de setas (o champiñones)
50 g de aceite de oliva virgen
un diente de ajo
una cebolla
una cucharada de perejil picado
sal y pimienta negra

SOPA DE CALABAZA Y AGUATURMA

PREPARACIÓN: *20 minutos*
COCCIÓN: *13-14 minutos*
REPOSO: *–*
DIFICULTAD: *media*

Ingredientes

200 g de pulpa de calabaza
40 g de mantequilla
1 l de caldo vegetal
2 puerros
2 aguaturmas
1 patata
1 rama de apio
sal

Ponga el caldo en un recipiente al fuego y llévelo a ebullición.

Quite los hilos al apio, lávelo y trocéelo.

Limpie los puerros: quíteles las raíces, las capas externas y la parte verde, lávelos y córtelos en rodajas.

Pele la patata, las aguaturmas y la calabaza, y corte todo en dados.

Ponga la mitad de la mantequilla en una fuente de pyrex e introdúzcala sin tapar en el horno a la máxima potencia durante 50 segundos.

Añada el apio y prosiga la cocción 3 minutos.

Agregue también los puerros, remueva, tape y cueza 2 minutos.

Incorpore a la fuente de pyrex las demás verduras y, al cabo de 1 minuto, añada el caldo hirviendo.

Prosiga la cocción 8 minutos más, siempre con el recipiente tapado, hasta que todos los ingredientes estén en su punto.

Si es necesario, añada sal. Incorpore a la sopa la mantequilla restante y sirva enseguida.

MINESTRONE DE ARROZ A LAS HIERBAS

PREPARACIÓN: 10 minutos
COCCIÓN: 18 minutos
REPOSO: 3 minutos
DIFICULTAD: baja

Ingredientes

150 g de arroz
800 g de verduras variadas (patata, zanahoria, calabacín, judías verdes, guisantes, maíz, berza, puerros)
perejil, mejorana, tomillo y romero picados
1 l de caldo vegetal
sal
pimienta negra

Limpie todas las verduras y trocéelas.

Ponga el aceite y las verduras en un recipiente de pyrex e introdúzcalo en el horno a la máxima potencia 2 minutos.

Remueva, añada el arroz y el caldo y salpimiente. Tape y prosiga la cocción 16 minutos.

Deje que repose todo 3 minutos con el recipiente tapado.

Añada las hierbas picadas, remueva para que coja sabor, rectifique la sal y la pimienta y sirva.

SOPA DE ALCACHOFAS CON MENTA

PREPARACIÓN: 15 minutos
COCCIÓN: 18 minutos
REPOSO: 3 minutos
DIFICULTAD: baja

Ingredientes

800 g de alcachofas
200 g de puerros
20 g de aceite de oliva virgen
1 diente de ajo
menta picada
sal y pimienta

Pele las alcachofas y córtelas en lonchas.

Corte en trozos la parte central del tallo de las alcachofas y póngalos en agua y limón para que no se ennegrezcan.

Después disponga en una fuente de barro el aceite, el ajo sin la parte central y los puerros cortados.

Tape y deje cocer 3 minutos.

Luego añada las alcachofas y cúbralas con un litro de agua; salpimiente, tape de nuevo y deje cocer 15 minutos.

Bata la mitad de los vegetales. Remueva, añada la menta picada y deje en reposo 3 minutos. Sirva la sopa con picatostes.

MINESTRONE
CON VINO TINTO

PREPARACIÓN: 30 minutos
COCCIÓN: 28-29 minutos
REPOSO: 4 minutos
DIFICULTAD: media

Ingredientes

200 g de arroz
250 g de berza
200 g de judías blancas (previamente dejadas a remojo 8 horas)
150 g de tomates
100 g de zanahorias
80 g de cortezas de cerdo
50 g de apio
40 g de mantequilla
1 l de caldo de carne
100 ml de vino tinto
1 cebolla
2 puerros
sal

Ponga el caldo en un recipiente al fuego y llévelo a ebullición.

Limpie las hojas de berza, quíteles las partes más duras, lávelas y córtelas luego en tiras.

Raspe las zanahorias bajo el chorro de agua, y córtelas en bastoncitos. Lave los tomates, pélelos, quíteles las semillas y trocéelos. Lave el apio, quítele los hilillos y córtelo en trozos pequeños. Pele y corte en rodajas la cebolla. Limpie los puerros, quitándoles las raíces, las capas externas y la parte verde; lávelos y córtelos en rodajas.

Ponga la mantequilla en un recipiente sin tapar e introdúzcalo en el horno a la máxima potencia durante 40 segundos.

Agregue la cebolla y deje que se haga durante 1 minuto.

Añada las otras verduras, las judías blancas y la corteza. Sale, riegue con el vino y prosiga la cocción 3 minutos más.

Vierta el caldo hirviendo y tape; deje que cueza durante 10 minutos.

Añada el arroz y prosiga la cocción durante 14 minutos.

Una vez finalizada la cocción, retire la corteza, córtela en tiras y vuelva a introducirla en el recipiente.

Deje que repose 4 minutos y sirva.

MINESTRONE DE VERDURAS

PREPARACIÓN: *30 minutos*
COCCIÓN: *12-14 minutos*
REPOSO: *3 minutos*
DIFICULTAD: *media*

Ingredientes

1 l escaso de caldo
800 g de verduras mixtas (patatas, zanahorias, cebollas, apio, hierbas aromáticas, puerros, col, etc.)
30 g de aceite de oliva virgen
un poco de perejil
sal y pimienta negra

Lave bien todas las verduras bajo el chorro del grifo y a continuación córtelas en trocitos.

Póngalas con el aceite en una fuente de barro y deje que cuezan unos 2 minutos.

Luego remueva, incorpore el caldo, sale y condimente con pimienta.

A continuación, tape la fuente y continúe la cocción unos 10 minutos aproximadamente.

Por último, deje reposar unos 3 minutos con el recipiente tapado.

Agregue el perejil y sirva.

SOPA DE CEBOLLA AL OPORTO

PREPARACIÓN: 10 minutos
COCCIÓN: 18 minutos
REPOSO: –
DIFICULTAD: media

Ingredientes

600 g de cebolla
1/2 vaso de caldo
100 g de emmental
50 g de mantequilla
20 g de harina
4 rebanadas de pan tostado
4 cucharaditas de queso rallado
1 cucharada de oporto
sal y pimienta

Ponga en una cazuela la mantequilla y la cebolla cortada en aros, tape y rehogue en el horno de microondas durante 7 minutos.

Incorpore la harina, el oporto y remueva de nuevo. Luego añada el caldo hirviendo y triture todo.

Cueza 8 minutos más a la potencia máxima. Después disponga las rebanadas de pan tostado en 4 cuencos, cúbralas con el emmental rallado, vierta sobre ellas la sopa de cebolla y espolvoree con el queso rallado y la pimienta.

Por último, ponga los cuencos en el horno de microondas unos 3 minutos y sirva caliente.

SOPA DE PATATAS Y CALABACINES CON ALBAHACA

PREPARACIÓN: 10 minutos
COCCIÓN: 12 minutos
REPOSO: 3 minutos
DIFICULTAD: baja

Ingredientes

1 l escaso de caldo
500 g de patatas
200 g de calabacines
200 g de cebolla
30 g de aceite de oliva virgen
albahaca
sal y pimienta negra

Lave las patatas y córtelas en lonchas. Pele, lave y trinche la cebolla.

A continuación, vierta en un recipiente de barro el aceite, las patatas y la cebolla. Después hornee durante 2 minutos, remueva bien, añada el caldo y sazone.

Tape con la película para microondas y deje cocer 8 minutos más.

Añada los calabacines trinchados.

A continuación, deje cocer otros 2 minutos. Deje en reposo 3 minutos con el recipiente tapado y sirva después de espolvorear con la albahaca picada y la pimienta.

SOPA DE PESCADO CON RÚCULA

Prepare el caldo de pescado poniendo en una olla de barro todos los vegetales (menos el tomate), las cabezas y las espinas de los pescados limpios y el vino blanco seco.

Luego hierva con la olla destapada a la potencia máxima durante 5 minutos.

En un segundo recipiente de barro, ponga las jibias cortadas en trocitos, el ajo y el aceite; rehogue con el recipiente tapado 2 minutos a la potencia máxima; destape el recipiente e incorpore los demás pescados, el tomate, sal y pimienta.

A continuación, añada el caldo de pescado filtrado, tape de nuevo y prosiga la cocción 10 minutos más, removiendo de vez en cuando el recipiente.

Destape, añada los langostinos y deje en reposo entre 2 y 3 minutos.

Sirva con el pan de molde tostado y recubra con la rúcula cortada en tiras.

PREPARACIÓN: *15 minutos*
COCCIÓN: *17 minutos*
REPOSO: *2-3 minutos*
DIFICULTAD: *media*

Ingredientes

900 g de pescados variados
500 g de pescado de roca
150 g de jibias
6 langostinos
150 g de tomate triturado
un poco de vino blanco seco
1 cebolla
1 zanahoria
1 tallo de apio
1 hoja de laurel
1 diente de ajo
1 manojo de rúcula
8 rebanadas de pan de molde
40 g de aceite de oliva virgen
sal y pimienta

PURÉ DE PATATAS, PUERROS Y CALABAZA

PREPARACIÓN: 15 minutos
COCCIÓN: 12-13 minutos
REPOSO: 1 minuto
DIFICULTAD: media

Ingredientes

3 patatas grandes
4 puerros gruesos
80 g de pulpa de calabaza
60 g de apio
20 g de mantequilla
800 ml de caldo de carne
100 ml de nata
sal

Ponga el caldo en un recipiente al fuego y llévelo a ebullición.

Limpie los puerros; lávelos y córtelos en rodajas. Pele la calabaza y córtela en dados. Pele las patatas, lávelas y trocéelas. Limpie bien y trocee el apio.

Disponga la mantequilla en una fuente de pyrex e introdúzcala en el horno a la máxima potencia durante 40 segundos, sin tapar. Incorpore los puerros y el apio, remueva bien, sazone y continúe la cocción durante 2 minutos, removiendo una vez.

Añada las patatas y la calabaza, y deje que cojan sabor poniendo el horno a la potencia máxima durante 2 minutos. Riegue con el caldo hirviendo, tape y cueza 8 minutos más.

Triture todo con la batidora; ponga de nuevo este puré en la fuente de pyrex, añada la nata y prosiga la cocción 1 minuto. Deje que repose otro minuto y sirva.

CREMA SUAVE DE ZANAHORIAS

PREPARACIÓN: 15 minutos
COCCIÓN: 12 minutos
REPOSO: 4 minutos
DIFICULTAD: baja

Ingredientes

1/2 l de caldo
400 g de zanahorias
200 g de patatas
1/2 vaso de nata
1/2 cebolla
un ramito de romero
sal y pimienta

Tras pelar y lavar las patatas, córtelas en trocitos. Raspe las zanahorias y córtelas como las patatas. Corte la cebolla en aros.

Luego coloque en una cazuela de barro los vegetales preparados con el caldo y la nata líquida.

Tape y deje cocer durante 12 minutos con el ramito de romero.

Retire el ramito de romero, rectifique la sal y la pimienta y deje en reposo durante 4 minutos. Bátalo y sírvalo a continuación.

Sopa de pasta y espinacas

PREPARACIÓN: 15 minutos
COCCIÓN: 17 minutos
REPOSO: 4 minutos
DIFICULTAD: media

Ingredientes

350 g de espinacas
150 g de pasta pequeña
1 l de caldo de carne
4 cucharadas de aceite de oliva virgen
2 cebolletas
4 cucharadas de queso grana rallado
sal

Ponga el caldo en un recipiente al fuego y llévelo a ebullición. Lave con cuidado las espinacas. Pele las cebolletas; quíteles las raíces, las capas más externas y la parte verde; lávelas y córtelas en rodajas.

Ponga en un recipiente 2 cucharadas de aceite y las cebolletas, e introdúzcalo sin tapar en el horno a la máxima potencia durante 2 minutos; remueva una vez.

Añada las espinacas, tape y prosiga la cocción 3 minutos. Vierta el caldo hirviendo y cueza otros 5 minutos. Añada la pasta, mezcle y deje que cueza 7 minutos.

Deje que repose la sopa en el horno apagado durante 4 minutos, agregue el queso y el aceite restante, y sirva.

Sopa rosa

PREPARACIÓN: 10 minutos
COCCIÓN: 12 minutos
REPOSO: 3 minutos
DIFICULTAD: baja

Ingredientes

1 l escaso de caldo
500 g de patatas
500 g de zanahorias
100 g de cebolla
30 g de aceite de oliva virgen
20 de parmesano rallado
perejil picado
sal y pimienta negra

Lave las patatas y pele las zanahorias para después cortarlas en trozos.

Pele, lave y corte la cebolla en aros.

Vierta en un recipiente de barro el aceite, las patatas, la cebolla y las zanahorias.

Deje cocer durante 2 minutos, luego remueva, añada el caldo y sale.

Tape con película para microondas y prosiga la cocción 10 minutos más.

A continuación, bátalo todo y añada el perejil picado.

Por último, deje en reposo 3 minutos, siempre con el recipiente tapado, y luego sirva tras espolvorear con el parmesano rallado y la pimienta.

CREMA DE PIMIENTOS Y TOMATE

PREPARACIÓN: *15 minutos*
COCCIÓN: *12-13 minutos*
REPOSO: –
DIFICULTAD: *media*

Ingredientes

2 pimientos rojos
200 ml de zumo de naranja
200 ml de tomate triturado
1 cebolla
1 zanahoria
1 patata
1 cucharada de aceite de oliva virgen
sal

Limpie los pimientos: quíteles el tallo, las semillas y los filamentos blancos internos y córtelos en tiras. Pele la cebolla y córtela en dados. Lave la zanahoria, pélela y córtela en bastoncitos. Pele la patata, lávela y córtela en rodajas finas.

Disponga el aceite y la cebolla en una cazuela de pyrex e introdúzcala sin tapar en el horno a la máxima potencia durante 1 minuto. Añada la zanahoria, la patata y los pimientos, sale, tape y cueza durante 6 minutos.

Agregue el tomate triturado y la mitad del zumo de naranja, remueva y prosiga la cocción 5 minutos más.

Pase todo por el pasapurés e incorpore el zumo de naranja restante.

Caliente todo con el recipiente destapado y el horno a la máxima potencia durante 1 minuto. Rectifique la sal y sirva la crema caliente o fría, con pan tostado.

SOPA DE ALCACHOFAS Y PATATAS

PREPARACIÓN: 20 minutos
COCCIÓN: 9 minutos
REPOSO: 1 minuto
DIFICULTAD: media

Ingredientes

600 g de patatas
6 alcachofas
20 g de mantequilla
800 ml de caldo
200 ml de nata líquida
100 ml de vinagre
3 cucharadas de queso grana rallado
1 cucharada de perejil picado
sal

Ponga el caldo en un recipiente al fuego y llévelo a ebullición.

Quite a las alcachofas las hojas más duras y los tallos, así como la pelusilla del interior, y trocéelas; sumérjalas en un bol con agua y vinagre. Pele las patatas, lávelas y córtelas en dados.

Ponga en una fuente de pyrex las patatas, las alcachofas escurridas, la mantequilla y 4 cucharadas de caldo. Sazone, tape la fuente e introdúzcala en el horno a la máxima potencia durante 5 minutos, removiendo a mitad de la cocción.

Añada el caldo hirviendo y prosiga la cocción durante 4 minutos. Incorpore la nata, el queso y el perejil.

Deje que repose la sopa en el horno apagado durante 1 minuto, y sirva.

SOPA DE ESPINACAS

PREPARACIÓN: 20 minutos
COCCIÓN: 10 minutos
REPOSO: 4 minutos
DIFICULTAD: media

Ingredientes

600 g de espinacas
600 g de patatas
1 cebolla
800 ml de caldo
3 cucharadas de queso parmesano rallado
sal

Pele y triture la cebolla. Lave las espinacas y córtelas en tiras. A continuación, pele las patatas, lávelas y córtelas en rodajas.

En una sopera disponga la cebolla, las patatas y las espinacas. Cubra con el caldo y cueza a la máxima potencia, con el recipiente tapado, durante 10 minutos.

Por último, rectifique la sal y deje reposar 4 minutos.

Antes de servir, espolvoree con queso.

SOPA DE HABAS

PREPARACIÓN: 20 minutos
COCCIÓN: 16-17 minutos
REPOSO: 2 minutos
DIFICULTAD: media

Ingredientes

800 g de habas sin desgranar
400 g de tomates
80 g de jamón serrano
1 l de caldo vegetal
4 cucharadas de aceite de oliva
2 puerros pequeños
sal
pimienta

Ponga el caldo en un recipiente al fuego y llévelo a ebullición.

Desgrane las habas y elimine las más gruesas y duras. Corte el jamón en tiras.

Lave los tomates e introdúzcalos en el horno a la máxima potencia 30 segundos. Pélelos y trocéelos; resérvelos.

Pele los puerros, lávelos y córtelos en rodajas. Disponga en una fuente de pyrex los puerros y la mitad del aceite, e introdúzcala, sin tapar, en el horno a la máxima potencia durante 2 minutos.

Añada el jamón y las habas, remueva y prosiga la cocción 2 minutos más.

Incorpore el caldo hirviendo, tape y cueza 12 minutos. Deje que repose en el horno apagado 2 minutos.

Condimente los tomates con el aceite restante, salpimiente, añádalos a la sopa de habas y sirva inmediatamente.

SOPA CAMPESINA

PREPARACIÓN: 10 minutos
COCCIÓN: 8 minutos
REPOSO: –
DIFICULTAD: media

Ingredientes

4 vasos de caldo de buey
100 g de zanahorias
100 g de patatas
100 g de guisantes finos al natural
100 g de alubias cocidas
una cebolleta
un diente de ajo
sal y pimienta

Escurra las alubias y los guisantes del líquido de conservación y páselos por agua caliente. Luego limpie y corte en trocitos los demás vegetales.

Disponga en una cazuela de pyrex con los bordes altos los vegetales preparados; añada un cucharón de caldo e introduzca en el horno de microondas durante 3 minutos a media potencia.

Retire del horno, rocíe con el caldo restante, salpimiente y termine la cocción a la potencia máxima 5 minutos aproximadamente. Sirva enseguida.

SOPA CON BUTIFARRA

PREPARACIÓN: *20 minutos*
COCCIÓN: *21-22 minutos*
REPOSO: –
DIFICULTAD: *media-elevada*

Ingredientes

400 g de col (hojas)
20 g de mantequilla
1 butifarra pequeña
1 cebolla
1 zanahoria
1/2 tallo de apio
1 rebanadas de pan casero
4 cucharadas de queso grana rallado
sal

Pinche la butifarra con un palillo de dientes, introdúzcala en una cazuela con agua fría, póngala al fuego y llévela a ebullición. Cuando lleve 2 minutos hirviendo, sáquela, escúrrala y córtela en trozos; reserve el agua de cocción.

Lave las hojas de berza, escúrralas y quíteles las partes más duras. Pele la cebolla y córtela en rodajas. Lave, pele y corte en rodajas la zanahoria. Quite los hilos al apio, lávelo y píquelo finamente.

Disponga la mantequilla en un recipiente de pyrex e introdúzcalo sin tapar en el horno a la máxima potencia 50 segundos.

Agregue la cebolla, la zanahoria, la berza y el apio, y deje que cueza durante 3 minutos, sin dejar de remover.

Incorpore la butifarra con una cucharada de su agua de cocción y deje que cueza otros 2 minutos. Cubra con un litro de agua caliente, sale y deje que cueza durante 16 minutos, removiendo de vez en cuando.

Corte las rebanadas de pan por la mitad en sentido longitudinal y tuéstelas en el horno tradicional a 200 °C durante 2 minutos. Deles la vuelta y tuéstelas por el otro lado, 2 minutos más.

Disponga las rebanadas de pan tostado en cazuelitas individuales, vierta encima la sopa y espolvoree el queso antes de servir.

SOPA DE CALABAZA Y PATATAS

PREPARACIÓN: 20 minutos
COCCIÓN: 13 minutos
REPOSO: 2 minutos
DIFICULTAD: media

Ingredientes

200 g de pasta pequeña
200 g de patatas
1 trozo de calabaza
30 g de tocino
15 g de mantequilla
1,250 l de caldo de carne
1 cebolla pequeña
1 cucharada de queso grana rallado
sal

Pele las patatas y la calabaza, lávelas y córtelas en dados. Lleve a ebullición el caldo poniéndolo al fuego.

Pele la cebolla y píquela; pique el tocino. Disponga la mantequilla y esta picada en un recipiente de pyrex, tápelo y llévelo al horno a la máxima potencia durante 1 minuto.

Agregue la calabaza y las patatas, y deje que cueza 2 minutos. Incorpore el caldo caliente y prosiga la cocción 5 minutos más. Añada la pasta y deje que cueza 5 minutos, removiendo al menos 2 veces.

Deje reposar la sopa en el horno apagado durante 2 minutos, incorpore el queso y mezcle. Rectifique la sal si es necesario y sirva.

CREMA DE CALABAZA CON ALMENDRAS

PREPARACIÓN: 15 minutos
COCCIÓN: 15 minutos
REPOSO: 2 minutos
DIFICULTAD: baja

Ingredientes

800 g de calabaza
1/2 l de caldo
un vaso de nata líquida
40 g de almendras
40 g de parmesano rallado
2 yemas de huevo
una cebolla
sal y pimienta

Retire las semillas y la piel de la calabaza, y luego trínchela en trozos más bien pequeños.

Seguidamente lave la cebolla pelada y ponga los vegetales en una cazuela; vierta el caldo, tape y hornee a la potencia máxima 15 minutos.

A continuación, bata, corrija la sal y la pimienta y añada las yemas batidas aparte con la nata líquida. Deje reposar durante 2 minutos y vuelva a remover.

Pique las almendras muy finamente y mézclalas con el parmesano. Por último, espolvoree la crema y sírvala caliente.

SOPA DE BERZA

PREPARACIÓN: 15 minutos
COCCIÓN: 15 minutos
REPOSO: 6-8 minutos
DIFICULTAD: media

Ingredientes

300 g de berza
4 cucharadas de aceite de oliva virgen
2 cebollas
2 zanahorias
4 rebanadas de pan casero
sal

Pele las cebollas y córtelas en rodajas finas.

Pele las zanahorias, lávelas y córtelas en rodajas.

Limpie la berza, eliminando las partes duras; separe las hojas y córtelas en trozos gruesos.

Ponga una cazuela al fuego con 800 ml de agua y llévela a ebullición.

Disponga la verdura en un recipiente de bordes altos; añada 2 cucharadas de aceite, sal y 3-4 cucharadas de agua.

Tape y cueza en el horno a la máxima potencia durante 6 minutos, removiendo una vez.

Añada el agua hirviendo, sale, remueva y continúe la cocción a la máxima potencia durante 9 minutos más, con el recipiente destapado. Una vez terminada la cocción, añada el aceite restante y mezcle.

Ponga en una sopera o en recipientes individuales el pan y cúbralo con la sopa.

Deje reposar 6-8 minutos, y sirva.

PREPARACIÓN: 20 minutos
COCCIÓN: 12 minutos
REPOSO: 2 minutos
DIFICULTAD: baja

Ingredientes

150 g de ocra
1 pimiento
1 cebolla
1 zanahoria pequeña
1 vaso de caldo vegetal caliente
50 g de guisantes desgranados
80 g de tomates pelados
4 cucharadas de aceite de oliva virgen
sal y pimienta

Para acompañar:
dados de pan tostado

SOPA DE OCRA

Lave, despunte y pique muy finamente la ocra.

Luego ponga la picada en una cazuela de barro junto con el aceite y los vegetales lavados, pelados y cortados en trozos.

Riegue con el caldo, añada la sal, tape e introduzca en el horno de microondas.

Programe el tiempo de cocción en 12 minutos y regule al máximo la potencia del horno.

Transcurrido este tiempo, espolvoree con un poco de pimienta y deje en reposo durante 2 minutos.

Por último, sirva acompañado con dados de pan tostado al gusto.

PREPARACIÓN: 19 minutos
COCCIÓN: 6 minutos
REPOSO: –
DIFICULTAD: media

Ingredientes

2 vasos de caldo de buey caliente
2 rebanadas de pan de molde tostado
20 g de mantequilla
1 cebolla pelada picada y mezclada con
    2 nueces de mantequilla
agua caliente
queso rallado y pimienta
perejil picado

SOPA DE QUESO

Ponga a remojo el pan en agua templada, luego trocéelo y colóquelo en una fuente refractaria con la mantequilla.

Introduzca en el horno el recipiente durante 2 minutos a la potencia máxima y luego retírelo.

Espolvoree el pan con algunas cucharadas del queso rallado, aderece con pimienta y remueva con cuidado.

Reparta este preparado en los tazones y añada una cucharadita de la picada que previamente habrá pochado introduciéndola 4 minutos en el horno a la máxima potencia; espolvoree con el perejil picado.

Vierta el caldo en los tazones y espolvoree con queso rallado antes de servir.

Sopa de Friburgo

Raspe la zanahoria, lávela y córtela en dados.

Pele la patata, lávela y córtela en dados.

Luego monde la cebolla y píquela muy finamente.

Monde también y trinche el puerro; póngalo en una cazuela de pyrex junto con la mantequilla y los vegetales anteriormente preparados.

Introduzca en el horno de microondas durante 3 minutos programando la potencia al máximo; luego deje en reposo todo durante 1 minuto en el horno apagado.

Después saque del horno, salpimiente, riegue con el caldo y enriquezca con las habas, desgranadas y sin la piel que las cubre.

A continuación, hornee de nuevo durante 12 minutos programando la potencia al máximo.

Transcurrido este tiempo retire, vierta en el caldo los macarrones, rocíe con la leche e introduzca de nuevo en el horno 4 minutos a media potencia.

Cuando la cocción haya terminado, aderece la sopa con un poco de nata líquida y el queso mezclado, espolvoree con la cebolleta picada y sirva a continuación.

PREPARACIÓN: *21 minutos*
COCCIÓN: *19 minutos*
REPOSO: *1 minuto*
DIFICULTAD: *media*

Ingredientes

2 vasos de caldo de buey
65 g de macarrones
1/2 vaso de leche
1/2 vaso de nata líquida
30 g de mantequilla
20 g de habas frescas
1 zanahoria
1 patata
1 cebolla nueva
1 puerro tierno
3 cebolletas
gruyère rallado
sal y pimienta

LENTEJAS CON LANGOSTINOS

PREPARACIÓN: 45 minutos

COCCIÓN: 30 minutos

REPOSO: 2 minutos

DIFICULTAD: media

Ingredientes

600 g de colas de langostinos

250 g de lentejas cocidas

100 g de pulpa de tomate

40 g de mantequilla

2 cucharadas de tomate concentrado

2 cebollas

1 zanahoria

1/2 tallo de apio

1 diente de ajo

sal

Pele los langostinos y reserve los caparazones. Quíteles el hilo intestinal y divídalos en dos en sentido longitudinal.

Pele la cebolla y córtela en rodajas. Pele la zanahoria, lávela y trocéela. Quite los hilos al apio, lávelo y córtelo en trocitos. Pele y aplaste el diente de ajo.

Ponga la mitad de la mantequilla en un recipiente de pyrex e introdúzcalo sin tapar en el horno a la máxima potencia durante 50 segundos. Añada ahora los caparazones de los langostinos, y deje que coja sabor 2 minutos.

Incorpore la mitad de la cebolla, la zanahoria, el apio y el ajo; mezcle y continúe la cocción 2 minutos. Agregue la pulpa y el concentrado de tomate, cubra con agua y deje que cueza 15 minutos, removiendo de vez en cuando.

Retire el recipiente del horno y, con un colador, filtre el líquido, presionando sobre los caparazones para que suelten todo el jugo. Vierta el caldo obtenido en una cazuela pequeña y deje que reduzca a fuego vivo, añadiendo sal si es preciso.

Ponga en otro recipiente la mantequilla restante e introdúzcalo sin tapar en el horno a la máxima potencia durante 50 segundos. Añada la otra mitad de la cebolla y cueza durante 2 minutos. Incorpore las lentejas y deje que cojan sabor 2 minutos más.

Incorpore el caldo colado anteriormente y cueza durante 8 minutos.

Agregue las colas de los langostinos y cueza 2 minutos más. Tape, deje que repose todo 2 minutos y sirva.

SOPA DE MERO

PREPARACIÓN: 10 minutos
            + tiempo de maceración
COCCIÓN: 14-15 minutos
REPOSO: 3-4 minutos
DIFICULTAD: media

Ingredientes

400 g de mero en filetes
100 g de espinacas
20 g de mantequilla
20 g de setas secas
800 ml de caldo de pescado
200 ml de vino blanco
2 chalotes
4 cucharadas de salsa de soja
sal

Pele los chalotes, y córtelos en rodajitas finas.

Lave bien las espinacas.

Corte el pescado en dados y póngalo en un bol con la salsa de soja, el vino y la mitad de los chalotes. Deje que marine en el frigorífico durante 2 horas, removiendo de vez en cuando.

Ponga en un recipiente al fuego el caldo, y llévelo a ebullición.

Sumerja las setas en una taza llena de agua e introdúzcalas en el horno a la máxima potencia durante 30 segundos. Escúrralas, séquelas y píquelas.

Ponga el resto de chalotes y la mitad de la mantequilla en un recipiente de pyrex, tápelo e introdúzcalo en el horno a la máxima potencia durante 1 minuto.

Agregue la mantequilla restante, el pescado escurrido de la marinada y las setas, y continúe la cocción en el horno durante 1 minuto, removiendo una vez.

Vierta el caldo hirviendo, tape y cueza todavía 10 minutos más.

Agregue las espinacas y prosiga la cocción 2 minutos más. Rectifique la sal, deje que repose 3-4 minutos y sirva.

SOPA DE PESCADO

PREPARACIÓN: 20 minutos

COCCIÓN: 17 minutos

REPOSO: 2-3 minutos

DIFICULTAD: media

Ingredientes

900 g de pescado mixto

500 g de pescado de roca
(palometa, salmonete, escórpora, etc.)

150 g de jibias

6 langostinos

un poco de vino blanco seco

1 cebolla

1 zanahoria

1 hoja de laurel

1 diente de ajo

1 tallo de apio

150 g de tomate triturado

40 g de aceite
de oliva virgen

sal y pimienta

Corte en trocitos las jibias y póngalas en un recipiente de barro junto con el diente de ajo, sin la parte central, y el aceite.

Con el recipiente tapado, cueza 2 minutos a la potencia máxima, mezclando una vez para que se condimente el pescado.

Añada el resto del pescado, el tomate y un poco de sal.

En una segunda cazuela de barro prepare el caldo de pescado con los vegetales, las cabezas y las espinas de los pescados limpios, un litro de agua y un poco de vino blanco.

Deje cocer durante 5 minutos programando la potencia al máximo con el recipiente destapado.

Añada al pescado y el caldo filtrado, tape y deje cocer 10 minutos, girando una vez el recipiente.

Destape, incorpore los langostinos, salpimiente si lo desea y deje en reposo 2 o 3 minutos.

Sirva el plato decorado con algunas hojas de pan de molde tostado.

Segundos
de carne

CORDERO LECHAL A LAS HIERBAS

PREPARACIÓN: 10 minutos
COCCIÓN: 8 minutos
REPOSO: 1 minuto
DIFICULTAD: baja

Ingredientes

800 g de cordero lechal
romero
tomillo
salvia
40 g de aceite de oliva virgen
sal y pimienta recién molida

Pique muy finamente todas las hierbas aromáticas, agréguelas al aceite y bátalo todo con cuidado.

Disponga en un recipiente de pyrex el cordero lechal en trozos, condiméntelo con la mezcla anterior y tápelo.

Sale un poco y espolvoree generosamente con pimienta negra recién molida.

A continuación introdúzcalo en el horno de microondas 5 minutos a la potencia máxima, luego disminuya la potencia a media-alta durante 3 minutos más.

Cuando la cocción haya terminado, dé la vuelta a los trozos de cordero en su jugo, y corrija la sal y la pimienta.

Deje en reposo durante 1 minuto y sirva enseguida.

CORDERO CON MIRTO

PREPARACIÓN: 5 minutos
COCCIÓN: 20 minutos
REPOSO: 3 minutos
DIFICULTAD: media

Ingredientes

800 g de espalda de cordero
3 cucharadas de aceite de oliva virgen
1 ramito de mirto picado fino
sal
pimienta

En un cuenco bata bien el aceite con el mirto muy picado, sale ligeramente y añada un poco de pimienta.

Disponga la espalda de cordero en una fuente y distribuya por encima la mezcla obtenida.

Tape la fuente y deje cocer en el horno de microondas a la potencia máxima durante 20 minutos.

Una vez terminada la cocción, riegue la espalda con su propio jugo y corrija la sal y la pimienta.

Por último, deje en reposo durante 3 minutos y sirva a continuación.

PATO CON PUERROS

PREPARACIÓN: 10 minutos
COCCIÓN: 15-16 minutos
REPOSO: 3 minutos
DIFICULTAD: media

Ingredientes

1 pechuga de pato
80 g de mantequilla
4 puerros grandes
1 escalonia
2 cucharadas de mostaza de Dijon
sal

Caliente el plato asador 5 minutos y úntelo con mantequilla. Acomode la pechuga y cueza 4 minutos; dele la vuelta y cueza otros 3 minutos. Reserve caliente.

En una bandeja descubierta, funda la mantequilla durante 30 segundos, incorpore la escalonia picada y cueza durante 1 minuto. Agregue los puerros troceados, mójelos con 2 cucharadas de agua y cueza 8 minutos, removiendo una vez. Añada la mostaza y deje reposar 3 minutos. Filetee la pechuga, sálela y decore con los puerros.

SALCHICHAS A LA INGLESA

PREPARACIÓN: 5 minutos + 30 minutos para aromatizar
COCCIÓN: 9 minutos
REPOSO: –
DIFICULTAD: baja

Ingredientes

350 g de salchichas frescas
un diente de ajo machacado
un ramito de romero
10 g de aceite de oliva virgen
sal y pimienta

Prepare las salchichas cortándolas en trozos de unos 20 cm.

Prepare una mezcla con una parte del romero, el ajo machacado, el aceite, la sal y la pimienta y caliéntela en el horno de microondas durante 1 minuto.

Luego unte las salchichas con la mezcla y déjelas aromatizar durante 30 minutos.

Mientras tanto, precaliente el grill durante 5 minutos.

Disponga las salchichas en el grill y espolvoree con el resto del romero.

A continuación, cueza a la potencia máxima en el horno de microondas durante 8 minutos.

Sirva enseguida.

PREPARACIÓN: *10 minutos*
+ 1 hora para la marinada
COCCIÓN: *5 minutos*
REPOSO: *3 minutos*
DIFICULTAD: *media*

Ingredientes

350 g de pechuga de pato
2 cucharadas de harina
1 chalote
el zumo de una naranja
un poco de perejil picado
40 g de aceite de oliva virgen
sal y pimienta

PREPARACIÓN: *10 minutos*
COCCIÓN: *3 minutos*
REPOSO: *–*
DIFICULTAD: *media*

Ingredientes

1 pechuga de pollo
40 g de jamón cocido
40 g de queso en lonchas
2 hojas de salvia
sal y pimienta

PATO A LA NARANJA

Mezcle en un bol el aceite con el zumo de naranja y el chalote cortado en aros.

Sazone ligeramente con sal y pimienta.

Ponga a marinar en la mezcla durante al menos una hora la pechuga de pato cortada en lonchas más bien finas.

Escurra la carne y póngala en un plato.

Deje cocer en el horno de microondas a la potencia máxima durante 5 minutos.

Añada la harina ligeramente salada, a la que le habrá añadido el perejil picado.

Por último, deje en reposo durante 3 minutos y luego sírvalo.

ESCALOPINES DE POLLO A LA MANERA DE AOSTA

Corte el pollo de modo que obtenga cuatro escalopines.

En cada escalope de pollo ponga una hoja de salvia.

Luego disponga los escalopines en un grill y tápelos con película para microondas.

Cueza en el horno de microondas a la potencia máxima durante 2 minutos.

Seguidamente retire la película, salpimiente y, sobre cada escalope, ponga primero el jamón y luego el queso.

Cubra de nuevo con la película y acabe la cocción durante 1 minuto más.

Retire la película, disponga los escalopines de pollo en una fuente de servicio y sirva a continuación.

BUEY ESTOFADO

PREPARACIÓN: 10 minutos
+ una noche de maceración
COCCIÓN: 35 minutos
REPOSO: 3-4 minutos
DIFICULTAD: media

Ingredientes

600 g de carne de buey
400 ml de vino tinto
2 cucharadas de aceite de oliva virgen
1 cucharada de tomate concentrado
3 zanahorias
2 tallos de apio
1 cebolla
3 clavos de especia
1 hoja de laurel
1 pizca de maicena
sal
pimienta

Limpie las verduras, lávelas y trocéelas. Disponga en una fuente de barro todos los ingredientes, y deje que marine la carne durante toda una noche.

Al día siguiente, cueza en el horno a una potencia media-alta durante 35 minutos, removiendo de vez en cuando.

Saque la carne del recipiente de barro y deje que repose 3-4 minutos.

Pase el jugo y las verduras por un pasapurés, para obtener una salsa homogénea. Si la salsa resultante fuese demasiado líquida, espésela con un poquito de maicena.

Rectifique la sal y la pimienta, y disponga la carne recubierta con la salsa en una fuente. Sirva el plato acompañado de patatas hervidas o polenta.

TERNERA AROMÁTICA

PREPARACIÓN: 5 minutos
COCCIÓN: 4 minutos
REPOSO: 2 minutos
DIFICULTAD: baja

Ingredientes

350 g de carne de ternera cortada en rodajas
perejil picado
un poco de orégano
un poco de mejorana
1 ramito de romero
2 hojas de salvia
1/2 diente de ajo
30 g de aceite de oliva virgen
sal y pimienta

Bata todas las hierbas con el aceite; salpimiente si lo desea y añada el ajo.

Luego disponga en un recipiente de pyrex las rodajas de ternera, vierta por encima la salsa de hierbas y tape.

Introduzca el recipiente en el horno de microondas durante 4 minutos a la potencia máxima.

Deje en reposo durante 2 minutos, destape, riegue la carne con su propio jugo y sírvala.

PATO AL AROMA DE ROMERO

PREPARACIÓN: *10 minutos*
+ 30 minutos de maceración
COCCIÓN: *3 minutos*
REPOSO: *1 minuto*
DIFICULTAD: *media*

Ingredientes

600 g de pechuga de pato
4 dientes de ajo
1 ramita de romero
4 cucharadas de zumo de naranja
6 cucharadas de aceite de oliva virgen
2 cucharaditas de pimienta negra en grano
sal

En primer lugar, elabore un aliño con el aceite, el zumo de naranja, la pimienta y el ajo machados y el romero.

Corte la pechuga de pato en láminas muy finas y póngalas a marinar con la emulsión obtenida durante 30 minutos. Retire el romero, el ajo y parte de la pimienta.

Con la fuente descubierta, cueza el pato durante 3 minutos a máxima potencia, espolvoree con el resto del romero picado y deje reposar durante 1 minuto.

MUSLOS DE PINTADA CON CERVEZA

PREPARACIÓN: *3 horas y 20 minutos*
COCCIÓN: *12 minutos*
REPOSO: *2 minutos*
DIFICULTAD: *media*

Ingredientes

2 muslos de pintada de 380 g
1 vaso de cerveza
1 chalote
1 tallo de apio
1 pizca de pimentón
4 bayas de enebro
2 nueces de mantequilla
aceite de girasol
sal y pimienta

Tres horas antes de empezar a preparar la receta, haga una marinada con la cerveza, el apio lavado y picado, el chalote pelado y troceado y las bayas de enebro machacadas.

Aderece los muslos de pintada con la pimienta y sumérjalos en la marinada.

Transcurridas las 3 horas, y con la ayuda de una espumadera, ponga los muslos en un recipiente de cristal untado con aceite.

Sale, unte con la mantequilla y póngalos en el horno de microondas 2 minutos a media potencia.

Saque del horno, riegue con la marinada filtrada, mezcle e introduzca de nuevo en el horno 10 minutos a alta potencia.

Deje en reposo durante 2 minutos con el horno apagado antes de servir.

CONEJO CON PANCETA

Salpimiente el conejo, espolvoréelo con la panceta y las hierbas y distribuya la cebolla finamente laminada. Riegue con aceite y cueza 5 minutos a la máxima potencia.

Dé la vuelta al conejo, añada los espárragos y cueza 3 minutos más. Cubra con plástico de cocina, y cueza otros 4 minutos. Deje reposar 2 minutos y sirva.

PREPARACIÓN: *10 minutos*
COCCIÓN: *12 minutos*
REPOSO: *2 minutos*
DIFICULTAD: *baja*

Ingredientes

1 kg de conejo troceado
80 g de panceta picada
250 g de puntas de espárragos
1 cucharada de aceite de oliva virgen
2 cebollas
2 hojas de salvia picadas
2 hojas de laurel picadas
1 cucharadita de romero picado
1 diente de ajo picado
sal y pimienta

CONEJO AL ESTRAGÓN

Pique el estragón muy finamente.

En un bol mezcle con cuidado el aceite con el estragón, sale ligeramente y añada un poco de pimienta.

Corte el conejo en trozos.

A continuación, distribuya la mezcla por encima del conejo, que habrá dispuesto en un recipiente de pyrex.

Introdúzcalo en el horno durante 15 minutos a la potencia máxima con el recipiente tapado.

Cuando la cocción haya terminado, riegue los trozos de carne con su propio jugo y corrija de sal y de pimienta.

Seguidamente, deje en reposo durante 4 minutos y sirva.

PREPARACIÓN: *10 minutos*
COCCIÓN: *15 minutos*
REPOSO: *4 minutos*
DIFICULTAD: *baja*

Ingredientes

800 g de conejo
estragón
40 g de aceite de oliva virgen
sal y pimienta negra recién molida

MUSLOS DE CONEJO SABROSOS

PREPARACIÓN: 20 minutos
COCCIÓN: 18 minutos
REPOSO: 2 minutos
DIFICULTAD: baja

Ingredientes

800 g de muslos de conejo troceados
100 g de tomates pelados
1 zanahoria
1 diente de ajo
1 ramito de romero
1 cebolla
30 g de aceite de oliva virgen
sal y pimienta

Lave los vegetales y píquelos.

Póngalos con el aceite en un recipiente adecuado para la cocción en microondas con los bordes más bien altos.

Luego rehogue a la potencia máxima durante 3 minutos.

Después añada los muslos cortados en dos o tres trozos y el romero picado.

A continuación, tape y cueza a la potencia máxima durante 15 minutos.

Transcurrido este tiempo, corrija la sal y, si lo desea, la pimienta.

Por último, remueva el jugo, deje en reposo durante un par de minutos y sirva.

CONEJO CON PATATAS

PREPARACIÓN: 10 minutos
COCCIÓN: 5 minutos
REPOSO: 1 minuto
DIFICULTAD: baja

Ingredientes

300 g de conejo hervido
200 g de patatas
1 diente de ajo
30 g de aceitunas negras sin hueso
albahaca
30 g de aceite de oliva virgen
sal y pimienta

Monde las patatas y lávelas.

Después córtelas en dados pequeños y póngalas con el diente de ajo y el aceite en un recipiente adecuado para la cocción en microondas.

Tape y rehogue a la potencia máxima durante 4 minutos.

Retire el ajo y remueva las patatas.

A continuación, corte el conejo hervido en dados, incorpórelo a las patatas y a las aceitunas troceadas y salpimiente.

Deje cocer un minuto más, remueva de nuevo con delicadeza y deje reposar durante 1 minuto. Cubra con la albahaca lavada y cortada en trocitos y sirva.

FAISÁN A LA MOSTAZA

PREPARACIÓN: 10 minutos
COCCIÓN: 25 minutos
REPOSO: 2-4 minutos
DIFICULTAD: media

Ingredientes

800 g de faisán
1/2 vaso de nata líquida
1 cucharada de mostaza
20 g de aceite de oliva virgen
sal y pimienta

Corte el faisán en trozos tras haberlo lavado y secado. Disponga los trozos en un recipiente de barro cuyas paredes no sean muy altas.

Sazone con sal y pimienta, tape y cueza tras añadir el aceite programando la potencia al máximo durante 10 minutos.

Diluya la mostaza en 1/2 vaso de agua y añádala al faisán.

Termine la cocción durante 15 minutos más con el recipiente tapado. Una vez transcurrido ese tiempo, incorpore la nata líquida.

Deje en reposo durante 2 minutos y corrija la sal y la pimienta.

Después compruebe la densidad del jugo y, si es demasiado líquido, déjelo en el horno un par de minutos para que se vuelva más denso y después sírvalo caliente.

FAISÁN CON NATA

PREPARACIÓN: 15 minutos
COCCIÓN: 20 minutos
REPOSO: 2 minutos
DIFICULTAD: media

Ingredientes

800 g de faisán
1/2 vaso de nata
1 cebolla
1 diente de ajo
perejil picado
20 g de aceite de oliva virgen
sal y pimienta

Prepare el faisán limpiándolo con cuidado y luego córtelo en trozos pequeños.

Dispóngalos en un recipiente de barro, añada la cebolla cortada en aros y el ajo, tápelo y cueza durante 15 minutos a la potencia máxima. Luego incorpore la nata líquida y deje en reposo durante 1 minuto.

Después bata el jugo de la cocción y añada el perejil.

Prosiga la cocción durante 5 minutos a la potencia media-alta.

Deje en reposo durante 1 minuto y sirva.

Codornices
AL ESTRAGÓN

Disponga las codornices en un recipiente de pyrex que tenga los bordes bastante bajos.

Mientras tanto, bata en un cuenco el aceite con el estragón muy picado y salpimiente.

Distribuya la mezcla de modo uniforme por encima de las codornices.

Después introdúzcalas en el horno de microondas a la potencia máxima con el recipiente tapado durante 20 minutos.

Dé la vuelta a las codornices en su jugo, y corrija la sal y la pimienta.

Por último, deje en reposo durante 3 minutos y sirva a continuación.

PREPARACIÓN: *10 minutos*
COCCIÓN: *20 minutos*
REPOSO: *3 minutos*
DIFICULTAD: *baja*

Ingredientes

800 g de codornices
estragón
10 g de aceite de oliva virgen
sal y pimienta

Codornices
AL ROMERO

Pique muy finamente el romero, y luego trabájelo con una parte de la mantequilla.

Ponga un poco de mantequilla con romero en el interior de cada codorniz ya preparada para la cocción.

Unte las codornices con el resto de la mantequilla y dispóngalas en una fuente.

Después hágalas en el horno de microondas con el recipiente destapado durante 5 minutos a la potencia máxima.

Sale ligeramente y, si lo desea, condimente con pimienta; termine la cocción 5 minutos más. Por último deje en reposo 2 minutos y sirva.

PREPARACIÓN: *10 minutos*
COCCIÓN: *10 minutos*
REPOSO: *2 minutos*
DIFICULTAD: *media*

Ingredientes

8 codornices
50 g de romero
30 g de mantequilla
sal y pimienta

239

PREPARACIÓN: 10 minutos
COCCIÓN: 10 minutos
REPOSO: 2 minutos
DIFICULTAD: baja

Ingredientes

2 pechugas de pintada
40 g de mantequilla
100 ml de caldo de pollo
6 cucharadas de vino blanco
sal
pimienta

SUPREMAS DE PINTADA

Corte las pechugas por la mitad, de manera que obtenga cuatro porciones iguales.

Ponga en una fuente de pyrex 10 g de mantequilla e introdúzcala, tapada, en el horno a la máxima potencia 20 segundos.

Coloque las pechugas en la fuente, sin superponerlas; riéguelas con el vino y cueza con el recipiente destapado y a la máxima potencia durante 2 minutos, dando la vuelta a la carne a la mitad de la cocción.

Riegue con el caldo, tape y prosiga la cocción a la máxima potencia 8 minutos más, vigilando que las pechugas estén en su punto. Salpimiente, deje que repose todo 2 minutos y vuelva a calentarlo. Mezcle la mantequilla restante cortada en trocitos con el fondo de cocción.

Corte las pechugas en filetes y dispóngalas en platos individuales. Riegue con la salsa de vino blanco y sirva.

PINTADA AL LIMÓN

PREPARACIÓN: 10 minutos
                + 1 hora de maceración
COCCIÓN: 10 minutos
REPOSO: 3 minutos
DIFICULTAD: media

Ingredientes

600 g de pintada cortada en trozos
una yema
un diente de ajo
el zumo de 1/2 limón
perejil picado
10 g de aceite de oliva virgen
sal y pimienta

Mezcle el aceite en un bol con el zumo de limón y el diente de ajo picado. Después, sale ligeramente.

Ponga a marinar los trozos de pintada durante al menos una hora. Transcurrido este tiempo, escurra la carne y dispóngala en un plato.

Después cuézala en el horno de microondas durante 10 minutos a la potencia máxima con el recipiente tapado.

Incorpore la yema y dilúyala con muy poca agua; sale y añada el perejil picado.

Por último, deje reposar la pintada durante 3 minutos y luego sírvala.

ENVOLTORIOS DE TERNERA A LA HAWAIANA

PREPARACIÓN: 10 minutos
COCCIÓN: 12 minutos
REPOSO: 2 minutos
DIFICULTAD: media

Ingredientes

300 g de carne de ternera en lonchas
2 rodajas de piña cortadas por la mitad
30 g de mantequilla
un poco de vino blanco seco
sal y pimienta

Prepare las lonchas de ternera ablandando ligeramente la carne por ambos lados.

Disponga sobre cada loncha media rodaja de piña, enróllela de modo que la piña quede escondida dentro de la carne y ate con hilo de cocina.

Unte un recipiente de pyrex con mantequilla y disponga los envoltorios en este.

Después, cueza en el horno de microondas durante 10 minutos a la potencia máxima.

Rocíe con el vino blanco seco y termine la cocción horneando 2 minutos más con el recipiente destapado.

Sale, aderece con pimienta y deje en reposo durante 2 minutos antes de servir.

ROLLITOS DE JAMÓN COCIDO

PREPARACIÓN: 10 minutos
COCCIÓN: 1 minuto
REPOSO: 1 minuto
DIFICULTAD: baja

Ingredientes

8 lonchas de jamón cocido
80 g de queso
perejil picado
1 cucharada de mostaza aromatizada
1 nuez de mantequilla

Corte el queso en dados.

Extienda una fina capa de mostaza sobre cada loncha de jamón y después algunos dados de queso y un poco de perejil picado.

Enrolle las lonchas de jamón sobre sí mismas para formar los rollos.

Unte con mantequilla la fuente de servicio y ponga en ella los envoltorios en fila.

Introduzca la fuente en el microondas 1 minuto a la potencia máxima.

Deje reposar los rollos durante 1 minuto y luego sírvalos.

BOCADITOS DE CERDO CON BERENJENAS

PREPARACIÓN: *25 minutos + 40 minutos para que suelten el agua las berenjenas*

COCCIÓN: *18 minutos*

REPOSO: *3 minutos*

DIFICULTAD: *media*

Ingredientes

500 g de lomo de cerdo
400 g de tomates
3 cucharadas de aceite de oliva virgen
2 berenjenas pequeñas
1 cebolla pequeña
1 diente de ajo picado
1 ramito de perejil picado
1 pizca de orégano
sal

Lave la berenjena y córtela primero en rodajas de un centímetro de grosor y luego en dados; disponga estos en un tamiz, espolvoree sal gruesa y déjelos reposar 40 minutos para que suelten el agua.

Lave los tomates, córtelos gruesos y páselos por el pasapurés; recoja el puré en una cazuela.

Pele y corte en rodajas finas la cebolla.

Corte la carne en trozos gruesos, del tamaño de una nuez.

Disponga en un recipiente de pyrex bajo la cebolla, el aceite y la carne, distribuyendo los trozos de forma uniforme por toda la fuente.

Introduzca el recipiente tapado en el horno a la máxima potencia durante 5 minutos, dando la vuelta a la carne dos o tres veces.

Añada el puré de tomate, sale, remueva y continúe la cocción 5 minutos más.

Seque los dados de berenjena e incorpórelos al guiso; espolvoree un poco de orégano, remueva y prosiga la cocción 18 minutos.

Añada la picada de ajo y perejil, y deje que repose todo en el horno apagado 3 minutos antes de servir.

PREPARACIÓN: 10 minutos
COCCIÓN: 13 minutos
REPOSO: 4-5 minutos
DIFICULTAD: media

Ingredientes

500 g de lomo de cerdo
80 g de tocino cortado en lonchas
100 ml de leche
100 ml de vino blanco
3 cucharadas de aceite de oliva virgen
2 cucharadas de jerez
1 cebolla
3-4 hojas de salvia
2 hojas de laurel
1 cucharada de harina
sal
pimienta

PREPARACIÓN: 10 minutos
        + 1 noche de maceración
COCCIÓN: 35 minutos
REPOSO: 3-4 minutos
DIFICULTAD: media

Ingredientes

600 g de carne de buey
3 zanahorias
2 tallos de apio
1 cebolla
3 clavos
laurel
2 vasos de vino tinto
1/2 pastilla de caldo concentrado
1 cucharada de tomate concentrado
20 g de aceite de oliva virgen
sal y pimienta

FILETES DE CERDO DELICADOS

Corte en rodajas la cebolla. Envuelva la carne en el tocino e introdúzcala en un recipiente con el aceite, la cebolla, la sal, la pimienta, la salvia y el laurel.

Precaliente el grill del horno a la máxima potencia 4 minutos. Introduzca la carne, y moje con el vino blanco y el jerez.

Ase la carne en el horno a la máxima potencia durante 10 minutos. Deje reposar 4-5 minutos.

Bata la harina y la leche con el fondo de cocción de la carne.

Corte en filetes el lomo y dispóngalo en una fuente; cubra con la salsa y caliente 3 minutos en el horno a potencia media.

Sirva el asado bien caliente, con su salsa.

ESTOFADO

Disponga las verduras picadas y el resto de los ingredientes en un bol de barro y déjelos macerar una noche.

Al día siguiente cuézalo todo en el horno a la potencia media-alta durante 35 minutos, removiendo de vez en cuando.

Retire la carne del bol y déjela en reposo durante 3 o 4 minutos; mientras tanto, mezcle el jugo y los vegetales hasta obtener una salsa homogénea.

Si el jugo es demasiado líquido, añada un poco de harina de maíz.

Luego rectifique la sal y la pimienta y disponga la carne cortada en rodajas y regada con la salsa. Sírvala acompañada con patatas hervidas o polenta.

LOMO DE CERDO CON MANZANAS

PREPARACIÓN: 8 minutos
COCCIÓN: 23 minutos
REPOSO: –
DIFICULTAD: baja

Ingredientes

600 g de lomo de cerdo
20 g de mantequilla
4 cucharadas de vino blanco
2 manzanas
sal
pimienta

Disponga el lomo en una fuente de pyrex untada con mantequilla. Riegue con el vino y salpimiente.

Introdúzcala en el horno a la máxima potencia durante 18 minutos, dando la vuelta de vez en cuando a la carne. Transcurrido este tiempo, compruebe que la carne está bien hecha y tierna.

Pele las manzanas, despepítelas y córtelas en lonchas finas.

Una vez finalizada la cocción de la carne, sáquela de la fuente, envuélvala en una hoja de aluminio y déjela reposar.

Disponga las manzanas en el recipiente de cocción, tápelo e introdúzcalo en el horno durante 5 minutos a la máxima potencia, removiendo dos veces. Corte la carne en filetes, cúbrala con las manzanas y sirva.

CERDO A LAS HIERBAS

PREPARACIÓN: 10 minutos
COCCIÓN: 14 minutos
REPOSO: 2-3 minutos
DIFICULTAD: media

Ingredientes

500 g de carne de cerdo
2 cucharadas de salvia picada
2 cucharada de romero picado
30 g de aceite de oliva virgen
sal y pimienta

Reboce primero la carne en las hierbas picadas junto con la sal y la pimienta.

Dispóngala en una parrilla, previamente calentada a la potencia máxima durante 4 minutos.

Introduzcca la carne en el horno a la potencia máxima 10 minutos.

Deje reposar durante 2 o 3 minutos.

Luego corte el asado en rodajas y añada el aceite al jugo de la cocción.

Por último, remueva para obtener una salsa homogénea y sirva.

LOMO DE CERDO CON COL

PREPARACIÓN: 10 minutos
COCCIÓN: 6 minutos
REPOSO: 1 minuto
DIFICULTAD: baja

Ingredientes

350 g de lomo de cerdo cortado en lonchas
5-6 hojas de col
perejil picado
20 g de aceite de oliva virgen
sal y pimienta

Primero cueza las hojas de col en el horno de microondas a la potencia máxima durante 3 minutos.

Engrase ligeramente un recipiente de pyrex y fórrelo con las hojas de col cortadas en tiras.

Después cubra la col con las lonchas de carne.

Sale ligeramente y añada el perejil picado con el resto del aceite.

Cubra y cueza a media potencia durante 3 minutos.

Deje en reposo durante 1 minuto, rectifique de sal y de pimienta si lo desea, y sirva.

CERDO EMBORRACHADO

PREPARACIÓN: 10 minutos
COCCIÓN: 13 minutos
REPOSO: 2-3 minutos
DIFICULTAD: baja

Ingredientes

600 g de filete de cerdo
1 chalote
1 cucharada de oporto
1 cucharada de ron
1 cucharada de brandy
tomillo, laurel, romero
sal y pimienta de Cayena

Sale la carne y espolvoréela con la pimienta de Cayena.

Escalde el chalote en agua y sal sin que llegue a tomar color; déjelo enfriar y luego píquelo.

Disponga la carne en una parrilla previamente calentada durante 4 minutos; rocíela con el oporto, añada el chalote y cueza en el horno de microondas durante 4 minutos.

Añada después las hierbas, el ron y el brandy y cueza durante 2 minutos más.

Deje en reposo durante 2 o 3 minutos.

Por último, recoja el jugo de cocción con delicadeza, corte la carne en rodajas y sírvala con su jugo.

LOMO DE CERDO AL VINO BLANCO

PREPARACIÓN: 5 minutos
COCCIÓN: 8 minutos
REPOSO: 1-2 minutos
DIFICULTAD: baja

Ingredientes

300 g de lomo de cerdo en dados
1 zanahoria
1 cebolla
1 trozo de tallo de apio
2 tomates pelados
1 cucharadita de vino blanco seco
10 g de aceite de oliva virgen
sal

En un recipiente de barro adecuado para la cocción en horno de microondas ponga la cebolla, la zanahoria y el tallo de apio, todo bien picado.

Añada el aceite y rehogue a la potencia máxima durante 2 minutos con el recipiente tapado.

Luego incorpore la carne, el vino blanco seco y los tomates pelados al recipiente.

Acabe la cocción en 6 minutos con el recipiente tapado.

Por último, agite el fondo de cocción, sale y deje en reposo regado con su propio jugo durante 1 o 2 minutos antes de servir.

ASADO DE CERDO CON CIRUELAS

PREPARACIÓN: 10 minutos
COCCIÓN: 33 minutos
REPOSO: 3 minutos
DIFICULTAD: media

Ingredientes

700 g de lomo de cerdo
200 g de ciruelas pasas
1 cucharada de kümmel
10 cebolletas nuevas
300 g de zanahorias
1 ramito de romero
1/2 vaso de vino blanco seco
2 dientes de ajo
1 nuez de mantequilla
40 g de aceite de oliva virgen
sal y pimienta

Primero prepare en una cacerola el aceite, la mantequilla, el ajo y el kümmel.

Introdúzcalo en el horno de microondas a la potencia máxima durante 3 minutos.

Prepare el asado con el romero sujetándolo con hilo de cocina e insertando una parte de las ciruelas sin el hueso en los agujeros realizados con un cuchillo.

Luego incorpore el asado y el vino blanco seco en la cacerola y haga cocer en el horno de microondas durante 15 minutos a la potencia máxima.

Dé la vuelta al asado, añada el resto de las ciruelas, las cebolletas y las zanahorias en trozos, y salpimiente. Cueza 15 minutos más y deje en reposo 3 minutos.

Por último, sírvalo acompañado con salsa de almendras y ensalada mixta verde.

PINCHOS DE PAVO Y QUESO AHUMADO

Segundos de carne

Corte el pavo en lonchas y el queso en grandes trozos y ensártelos en pinchos de madera, alternándolos con hojas de salvia.

No apriete demasiado la carne en los pinchos.

Luego disponga los pinchos en una fuente de servicio y tape con película de plástico adecuada para la cocción en microondas.

Cueza en el horno de microondas 4 minutos a la potencia máxima.

Cuando la cocción haya terminado, sale y aderece con pimienta.

Vierta el aceite y deje reposar durante 2 minutos antes de servir.

PREPARACIÓN: *10 minutos*
COCCIÓN: *4 minutos*
REPOSO: *2 minutos*
DIFICULTAD: *media*

Ingredientes

500 g de pavo
algunas hojas de salvia
160 g de queso ahumado
50 g de aceite de oliva virgen
sal y pimienta

PINCHOS DE PAVO SABROSOS

Corte el pavo y la panceta en grandes pedazos y ensártelos en pinchos de madera, alternándolos con hojas de laurel y salvia.

No apriete demasiado la carne en los pinchos.

Luego disponga los pinchos en una fuente de servicio y tape con película de plástico para microondas.

Cueza en el horno de microondas 4 minutos a la potencia máxima.

Cuando la cocción haya terminado, sale, aderece con pimienta y espolvoree con el laurel picado, el tomillo y el perejil.

Vierta el aceite y deje en reposo durante 2 minutos antes de servir.

PREPARACIÓN: *10 minutos*
COCCIÓN: *4 minutos*
REPOSO: *2 minutos*
DIFICULTAD: *media*

Ingredientes

500 g de pavo
hojas de salvia
hojas de laurel
perejil picado
tomillo
100 g de panceta
50 g de aceite de oliva virgen
sal y pimienta

LOMO DE CERDO AL CURRY

PREPARACIÓN: 10 minutos
COCCIÓN: 18 minutos
REPOSO: 5 minutos
DIFICULTAD: baja

Ingredientes

600 g de lomo de cerdo
3 cucharadas de aceite de oliva virgen
1 cucharada de curry
8 patatas pequeñas
8 cebolletas peladas
3 tallos de apio
sal

Pele y lave las patatas. Lave y trocee el apio. Disponga las verduras en un recipiente hondo de pyrex, condimente con el aceite y el curry y remueva. Tape y cueza a la máxima potencia durante 3 minutos.

Incorpore al recipiente también la carne, sazone y tape. Cueza a la máxima potencia durante 10 minutos. Mezcle las verduras y gire media vuelta el recipiente.

Tape de nuevo y termine la cocción a la máxima potencia 5 minutos más; compruebe que tanto la carne como las patatas estén en su punto.

Deje que repose todo 5 minutos. Corte la carne en filetes y sírvala acompañada de la verdura.

PAVO MIMOSA

PREPARACIÓN: 5 minutos + 1 hora marinada
COCCIÓN: 4 minutos
REPOSO: 3 minutos
DIFICULTAD: media

Ingredientes

400 g de pechuga de pavo cortada en rodajas
1 huevo
1 diente de ajo
el zumo de un limón
perejil picado
30 g de aceite de oliva virgen
sal y pimienta

Mezcle en un cuenco el aceite con el zumo de limón y el diente de ajo muy picado.

Marine el pavo en la mezcla durante 1 hora.

Escurra, sale ligeramente y dispóngalo en una fuente.

Luego cueza 4 minutos a la potencia máxima en el horno de microondas.

A continuación, añada el huevo batido con un poco de sal y pimienta y el perejil picado.

Deje en reposo durante 3 minutos y luego sírvalo.

LOMO DE CERDO CON ALCAPARRAS

PREPARACIÓN: 15 minutos
COCCIÓN: 11 minutos
REPOSO: –
DIFICULTAD: media

Ingredientes

4 filetes de lomo de cerdo (de 150 g cada uno)
40 g de mantequilla
100 ml de caldo
4 cucharadas de vino blanco
1 diente de ajo
1 cucharada de alcaparras
sal
pimienta

Pele el ajo y aplástelo. Lave las alcaparras en agua corriente.

Disponga la mitad de la mantequilla en una fuente de pyrex, e introdúzcala sin tapar en el horno a la máxima potencia 50 segundos. Agregue el ajo, déjelo 1 minuto y retírelo.

Ponga en la fuente el lomo, y hágalo durante 1 minuto por cada lado, regándolo con el vino. Tape y prosiga la cocción 6 minutos más. Retire los filetes, salpimiéntelos y resérvelos al calor.

Vierta el caldo en el recipiente de pyrex y deje que reduzca a la mitad introduciéndolo sin tapar en el horno a la máxima potencia durante 3 minutos.

Saque el recipiente del horno, incorpore al caldo la mantequilla restante y añada también las alcaparras. Disponga los filetes en una fuente, vierta por encima la salsa con las alcaparras y sirva.

PAVO A LA MANERA DE VERONA

PREPARACIÓN: 5 minutos
COCCIÓN: 3 minutos
REPOSO: 1 minuto
DIFICULTAD: baja

Ingredientes

300 g de pavo cocido
2 lechugas no demasiado grandes
30 g de aceite de oliva virgen
sal y pimienta

Corte el pavo en tiras muy finas.

Luego lave la lechuga, córtela en tiras y séquela perfectamente.

En una fuente de servicio, mezcle la lechuga con el pavo cortado en tiras.

Luego tápela y deje cocer a la potencia máxima 3 minutos.

Deje que repose durante 1 minuto, remueva y condimente.

Sirva tras espolvorear con abundante pimienta.

SALCHICHAS CON SALSA DE CEBOLLA

PREPARACIÓN: *10 minutos*
COCCIÓN: *18 minutos*
REPOSO: *–*
DIFICULTAD: *baja*

Ingredientes

400 g de salchichas
500 g de cebollas
55 ml de vino blanco
55 ml de caldo de carne
2 cucharadas de aceite de oliva virgen
1 pizca de semillas de hinojo
sal
pimienta

Pele las cebollas y córtelas en rodajas muy finas. Agujeree las salchichas con un palillo y córtelas en trocitos de 5 centímetros.

Disponga en una fuente los trozos de salchichas con el aceite y las semillas de hinojo, tápela y llévela al horno a la máxima potencia durante 3 minutos, de forma que las salchichas queden crujientes pero no se sequen. Escúrralas y sáquelas del recipiente.

Lleve a la fuente las cebollas, sazónelas y cuézalas 2 minutos, removiendo dos veces. Añada el vino y cueza 4 minutos. Riegue con el caldo, tape y cueza 8 minutos.

Vuelva a poner las salchichas en el recipiente, mezcle, rectifique la sal y la pimienta y termine la cocción, sin tapar, durante 1 minuto. Sirva.

PAVO CON ESPÁRRAGOS

PREPARACIÓN: *20 minutos*
COCCIÓN: *10 minutos*
REPOSO: *2 minutos*
DIFICULTAD: *media*

Ingredientes

500 g de pavo en un solo trozo
100 g de jamón cocido
150 g de espárragos ya cocidos
1 cucharada de brandy
1 cucharada de vino blanco seco
1 cucharada de aceite de oliva virgen
sal y pimienta

Abra y estire la carne, y cúbrala con el jamón y los espárragos.

Enrolle y cierre bien la carne; átela con hilo de cocina.

Después ponga en un plato el brandy, el vino blanco seco y el aceite. Remueva bien con un tenedor y coloque la carne en esta mezcla.

Corrija la sal y la pimienta.

Ponga la carne en la parrilla para cocción en microondas y tápela con película transparente. Cueza programando la potencia al máximo 10 minutos. Deje reposar 2 minutos y sirva el pavo en lonchas y regado con su jugo.

FILETE AL ROMERO

PREPARACIÓN: *10 minutos*
COCCIÓN: *5 minutos*
REPOSO: *2 minutos*
DIFICULTAD: *media*

Ingredientes

600 g de filetes de ternera
romero
100 ml de aceite de oliva virgen
sal y pimienta

Primero cueza la carne sin pincharla durante 2 minutos a la potencia máxima.

Deje en reposo durante 2 minutos.

Mientas tanto, mezcle el aceite y el romero con una cucharada de agua; sale ligeramente y sazone con pimienta en grano si lo desea.

Vierta la salsa sobre la carne y termine la cocción horneando 3 minutos más.

Cuando la cocción haya terminado, corrija la sal y sirva.

FILETES A LA MENTA

PREPARACIÓN: *10 minutos*
COCCIÓN: *8 minutos*
REPOSO: *2 minutos*
DIFICULTAD: *baja*

Ingredientes

600 g de filetes de buey
un manojo de menta
30 g de aceite de oliva virgen
sal y pimienta

Mezcle el aceite con una cucharada de agua y las hojas de menta bien lavadas.

Precaliente mientras tanto la parrilla durante 5 o 6 minutos; luego cueza la carne durante 2 minutos por cada lado dándole la vuelta sin pincharla.

Retire la carne del horno y riéguela con la salsa de menta.

Sazone con sal y pimienta si lo desea, y deje en reposo 2 minutos.

Sirva a continuación.

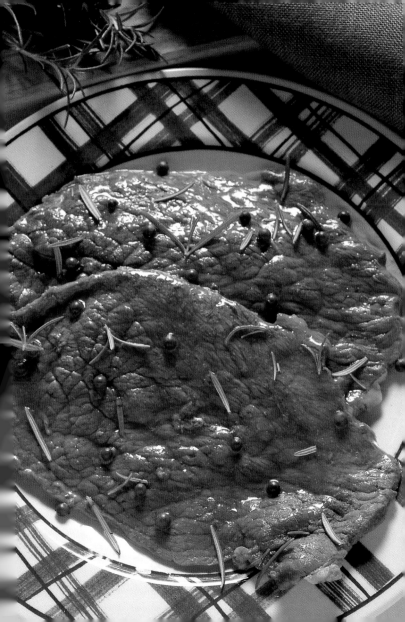

PREPARACIÓN: *20 minutos*
+ 4 horas de maceración
COCCIÓN: *17 minutos*
REPOSO: *5 minutos*
DIFICULTAD: *media*

Ingredientes

800 g de carne picada de buey
400 g de tomates
60 g de tocino
80 ml de aceite de cacahuete
1 pimiento pequeño
2 guindillas frescas
1 guindilla seca
1 cucharadita de pimentón dulce
2 dientes de ajo
1 cebolla
sal

CHILE A LA MEXICANA

Lave y seque las guindillas, y córtelas en trocitos; pele el ajo y píquelo grueso.

Ponga en el vaso de la batidora el ajo, las guindillas y el pimentón, y bata mientras va añadiendo el aceite poco a poco, hasta obtener una crema. Mezcle esto con la carne y deje que marine 4 horas.

Limpie bien el pimiento, y córtelo en trozos gruesos. Lave los tomates, e introdúzcalos en el horno en una fuente sin tapar a la máxima potencia 30 segundos; sáquelos, pélelos y trocéelos, quitando las semillas. Pele y corte en rodajitas finas la cebolla.

Corte el tocino en dados de un centímetro aproximadamente, póngalos en un recipiente sin tapar y llévelos al horno a una potencia alta (el ochenta por ciento de la potencia máxima) durante 4 minutos, hasta que se derritan un poco pero sin llegar a quemarse.

Retire el tocino y resérvelo.

Ponga ahora en el recipiente la cebolla con el pimiento, e introdúzcalo en el horno a la máxima potencia durante 2 minutos.

Añada la carne, mezcle y deje que coja sabor 2 minutos; incorpore los tomates y el tocino; sazone, mezcle, tape y deje que cueza 10 minutos. Si observa que tiene demasiado líquido, destape al final de la cocción.

Una vez finalizada la cocción, deje que repose en el horno 5 minutos antes de servir.

HAMBURGUESA A LA SUIZA

PREPARACIÓN: 8 minutos
COCCIÓN: 5 minutos
REPOSO: 1 minuto
DIFICULTAD: baja

Ingredientes

4 hamburguesas de buey
4 lonchas de queso fundido
20 g de aceite de oliva virgen
sal y pimienta

Disponga las hamburguesas en una fuente plana y aderece con el aceite, la sal y la pimienta.

Después cueza las hamburguesas en el horno de microondas durante 4 minutos a la potencia máxima y gírelas a media cocción.

Cuando la cocción haya terminado, coloque una loncha de queso sobre cada hamburguesa.

Deje cocer a la potencia media durante 1 minuto.

Deje en reposo durante 1 minuto y sirva.

HAMBURGUESA CON TOMATE, AJO Y ORÉGANO

PREPARACIÓN: 10 minutos
COCCIÓN: 5 minutos
REPOSO: 1 minuto
DIFICULTAD: media

Ingredientes

4 hamburguesas de buey magro
1 bola de mozzarella
1 tomate muy maduro
1 diente de ajo
1 anchoa en aceite
orégano
20 g de aceite de oliva virgen
sal y pimienta

Lave y corte el tomate en trozos.

Machaque el diente de ajo y añada el orégano picado.

Quite las espinas de la anchoa y trocéela.

Disponga la hamburguesa ligeramente untada con aceite, salada y condimentada con pimienta, en una fuente llana y cuézala 5 minutos a la potencia máxima.

Transcurrido este tiempo, gire la hamburguesa y agregue el tomate, el ajo, los trocitos de anchoa, la mozzarella y el orégano.

Retire el ajo y deje en reposo 1 minuto. Sazone con el aceite y sirva.

BUEY CON PIÑONES

PREPARACIÓN: 10 minutos
COCCIÓN: 1 minuto
REPOSO: 1 minuto
DIFICULTAD: baja

Ingredientes

200 g de buey cortado en carpaccio
1 cucharada de piñones
1 poco de romero
aceitunas negras
15 g de aceite de oliva virgen
sal y pimienta

Unte ligeramente con aceite las rodajas de buey, espolvoréelas con romero y dispóngalas en una fuente de servicio.

Luego cueza en el horno de microondas programando la potencia al máximo durante 1 minuto.

Deje reposar durante 1 minuto.

Sazone con sal y pimienta y decore con los piñones y las aceitunas negras cortadas en trocitos.

BUEY SALTEADO CON ALCACHOFAS

PREPARACIÓN: 10 minutos
COCCIÓN: 4 minutos
REPOSO: 1 minuto
DIFICULTAD: baja

Ingredientes

200 g de buey cortado en carpaccio
2 alcachofas
1 diente de ajo
perejil picado
20 g de aceite de oliva virgen
sal y pimienta

Limpie y lave las alcachofas bajo el grifo, luego córtelas en rodajas y póngalas con el aceite y el ajo en un recipiente adecuado.

Rehogue a la potencia máxima durante 3 minutos.

Añada el perejil picado.

Unte ligeramente con aceite las rodajas de carne, dispóngalas en una fuente de servicio y agregue las alcachofas.

Después cueza en el horno de microondas programando la potencia al máximo durante 1 minuto.

Deje en reposo durante 1 minuto, salpimiente y sirva a continuación.

Buey con patatas

Rehogue en el horno de microondas durante 2 minutos el tomate triturado y el aceite, que habrá colocado en un recipiente de pyrex.

Mientras, corte la carne de buey en dados y añádala al recipiente con el tomate triturado y el aceite.

Siga rehogando a la potencia máxima durante 2 minutos.

Mientras tanto, lave las patatas y córtelas en rodajas no demasiado gruesas.

Agregue al recipiente también las patatas, sale, condimente con pimienta y termine la cocción durante 13 minutos más con el recipiente tapado.

Cuando la cocción haya terminado, rocíe con el vino blanco y deje en reposo 3 minutos con el recipiente destapado. Corrija la sal y la pimienta y sirva.

PREPARACIÓN: *10 minutos*
COCCIÓN: *17 minutos*
REPOSO: *3 minutos*
DIFICULTAD: *media*

Ingredientes

600 g de filetes de buey
100 g de tomate triturado
2 patatas
un poco de vino blanco seco
30 g de aceite de oliva virgen
sal y pimienta

Filetes sabrosos

Precaliente la parrilla durante 5 minutos.

Mientras tanto, prepare la salsa a las hierbas: mezcle el aceite con una cucharada de agua y las hierbas aromáticas lavadas y secadas.

Después cueza la carne, sin pincharla, en la parrilla para microondas durante 2 minutos y medio por cada lado, dándole la vuelta con una espátula.

Corte la carne en lonchas muy finas y riéguelas con la salsa de hierbas.

Salpimiente al gusto y sirva.

PREPARACIÓN: *10 minutos*
COCCIÓN: *5 minutos*
REPOSO: *–*
DIFICULTAD: *baja*

Ingredientes

600 g de filetes de buey
hierbas aromáticas picadas (romero, salvia, estragón, tomillo)
25 g de aceite de oliva virgen
sal y pimienta

PICADA CON PIMIENTOS

PREPARACIÓN: 15 minutos
COCCIÓN: 17 minutos
REPOSO: 4 minutos
DIFICULTAD: media

Ingredientes

600 g de carne de cerdo picada
50 g de salchichas
100 ml de vino tinto
2 cucharadas de aceite de oliva virgen
3 pimientos rojos y amarillos
1 cebolla
1 pizca de semillas de hinojo
sal

Lave los pimientos; quíteles el tallo, las semillas y los filamentos blancos internos, y córtelos en tiras. Pele la cebolla y córtela en dados. Quite la piel a las salchichas.

Ponga el aceite y la cebolla en un recipiente de pyrex e introdúzcalo, sin tapar, en el horno a la máxima potencia durante 2 minutos. Añada los pimientos, y deje que se hagan durante 2 minutos más.

Por último, lleve al recipiente la carne, las salchichas y las semillas de hinojo, y deje que se hagan 3 minutos, removiendo cuatro veces.

Riegue con el vino, tape y continúe la cocción 10 minutos, removiendo 3 veces. Sale, deje que repose 4 minutos y sirva.

BUEY ESTOFADO AL VINO BLANCO

PREPARACIÓN: 10 minutos
              + 1 noche macerando
COCCIÓN: 35 minutos
REPOSO: 3 minutos
DIFICULTAD: media

Ingredientes

600 g de carne de buey
1 zanahoria
100 g de panceta ahumada en lonchas
1 cebolla
laurel
2 vasos de vino blanco seco
20 g de aceite de oliva virgen
sal y pimienta

En primer lugar, disponga todos los ingredientes (excepto la carne y la panceta) picados en un bol de barro y deje la carne en esta marinada toda la noche.

Escurra la carne y séquela para luego envolverla con la panceta. Déjela cocer con el recipiente tapado en el horno de microondas a media potencia durante 35 minutos.

Después deje reposar durante 3 minutos, retire la carne del bol y bata su jugo con los vegetales y la panceta de modo que obtenga una salsa homogénea.

Si el jugo es demasiado líquido, hágalo más denso añadiendo un poco de fécula.

Rectifique, si es preciso, la sal y la pimienta y disponga la carne cortada en rodajas y regada con la salsa. Sirva acompañada de puré de patata.

BUEY CON TOMATE

PREPARACIÓN: *10 minutos*
COCCIÓN: *4 minutos*
REPOSO: *3 minutos*
DIFICULTAD: *media*

Ingredientes

600 g de buey
100 g de puré de tomate
vino blanco seco
2 o 3 cucharadas de aceite de oliva virgen
sal y pimienta

En primer lugar, corte la carne en dados y póngala en una bandeja con el aceite. A continuación, cueza a máxima potencia durante 2 minutos.

Salpique con un poco de vino y deje reposar durante 3 minutos con la bandeja descubierta. Incorpore el puré de tomate y cueza otros 2 minutos.

Rectifique la sal y la pimienta. Sirva.

BUEY CON PUERROS

PREPARACIÓN: *10 minutos*
COCCIÓN: *3 minutos*
REPOSO: *1 minuto*
DIFICULTAD: *baja*

Ingredientes

250 g de carne de buey
2 puerros tiernos
1 manojo de perejil
5 nueces de mantequilla
1 cucharadita de vino tinto
sal

Ponga en un recipiente adecuado para la cocción en microondas la carne cortada en dados y la mantequilla.

Lave y pele los puerros y píquelos finamente.

Luego incorpore los puerros a la carne, y perfume con el vino y el perejil lavado y picado.

Sale e introduzca en el horno de microondas programando la potencia al máximo durante 3 minutos.

Extraiga del horno, deje reposar 1 minuto y sirva.

ROSBIF
A LA PIMIENTA NEGRA

PREPARACIÓN: 10 minutos
COCCIÓN: 6 minutos
REPOSO: 2 minutos
DIFICULTAD: media

Ingredientes

600 g de rosbif
4 cucharaditas de pimienta negra en grano
30 g de aceite de oliva virgen
sal y pimienta

Muela la pimienta no muy finamente.

Sale y reboce el rosbif en la pimienta de modo que quede bien cubierto.

Introduzca el rosbif en el horno de microondas y cuézalo durante 3 minutos por cada lado a la potencia máxima.

Transcurrido este tiempo, déjelo reposar durante 2 minutos y luego córtelo en rodajas muy finas.

Aparte, mezcle el aceite con una cucharada de agua y el fondo de cocción.

Disponga las rodajas de carne en la fuente de servicio y cúbralas con la salsa obtenida. Sirva.

ROSBIF AL ROMERO

PREPARACIÓN: 5 minutos
                  + 1 hora de maceración
COCCIÓN: 5 minutos
REPOSO: 15 minutos
DIFICULTAD: media

Ingredientes

600 g de lomo de buey
1 diente de ajo machacado
1 ramito de romero
2 cucharadas de aceite de oliva virgen
sal y pimienta negra recién molida

Aromatice durante 1 minuto en el horno de microondas el ajo y el romero con el aceite.

Luego rocíe la carne con el aceite aromatizado y salpimiente.

Deje macerando la carne durante 1 hora.

Precaliente el grill, disponga la carne y cueza programando la potencia al máximo durante 4 minutos.

Dé la vuelta a la carne varias veces sin pincharla hasta que obtenga un color uniforme por ambos lados.

Cuando la cocción haya terminado, deje en reposo durante 15 minutos.

Por último, corte la carne en rodajas muy finas antes de servirla.

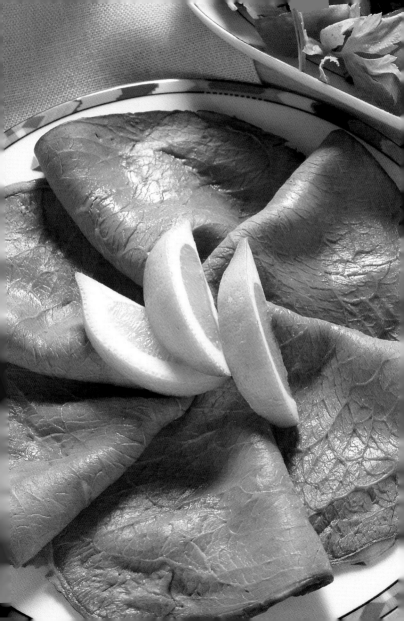

Pavo con pimientos

PREPARACIÓN: 10 minutos
COCCIÓN: 9 minutos
REPOSO: 1 minuto
DIFICULTAD: media

Ingredientes

400 g de filetes de pavo (cortados finos)
200 g de pimientos rojos
500 g de tomate triturado
20 g de mantequilla
10 g de harina
100 ml de leche
1 diente de ajo
sal
pimienta

Disponga en un recipiente de barro los filetes de pavo con el diente de ajo y la mantequilla, y hágalos durante un minuto a la máxima potencia.

Lave los pimientos y córtelos en trocitos. Mézclelos con la carne, sazone e introdúzcalos en el microondas a la máxima potencia 4 minutos más.

Añada el tomate y, después de rectificar la sal y la pimienta, cueza 4 minutos.

Deje que repose 1 minuto, remueva bien y sirva.

Pollo con almendras

PREPARACIÓN: 10 minutos
COCCIÓN: 6 minutos
REPOSO: 1 minuto
DIFICULTAD: baja

Ingredientes

350 g de pechuga de pollo en dados
1 puerro
40 g de almendras
1 cucharada de salsa de soja
1 cucharada de fécula
20 g de aceite de oliva virgen
sal y pimienta

Mezcle primero en un vaso la fécula con la soja y 3 cucharadas de agua.

Trinche el puerro y póngalo con el aceite en un recipiente de pyrex.

A continuación, tape y cueza a la potencia máxima durante 2 minutos.

Incorpore el pollo y las almendras, sale y aderece con pimienta.

Remueva con cuidado y vierta por encima el líquido preparado.

Continúe la cocción durante 4 minutos. Remueva de nuevo y deje reposar 1 minuto antes de servir. Acompañe el pollo con arroz hervido.

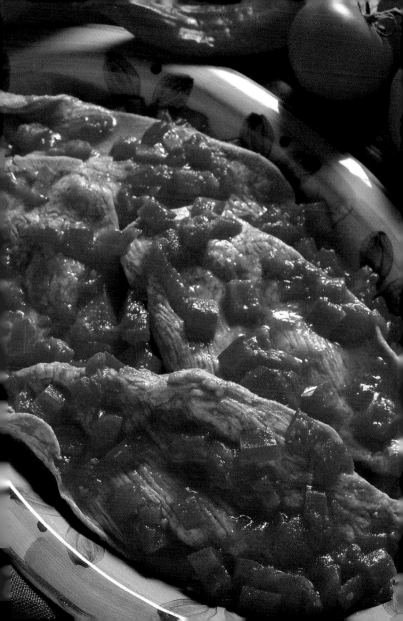

POLLO CON CREMA DE PIMIENTOS

PREPARACIÓN: 10 minutos
COCCIÓN: 9 minutos
REPOSO: 1 minuto
DIFICULTAD: baja

Ingredientes

400 g de pechuga de pollo
200 g de pimientos amarillos
1/2 vaso de leche
20 g de mantequilla
10 g de harina
1 diente de ajo
sal y pimienta

Disponga en una fuente de barro el pollo troceado con el diente de ajo y la mantequilla y rehogue durante 1 minuto.

Lave los pimientos y córtelos en trozos no demasiado grandes.

Añada los pimientos a la carne, sálela ligeramente e introdúzcala en el horno de microondas a la potencia máxima durante 4 minutos más.

Retire el pollo de la fuente.

Después incorpore la leche, en la que previamente habrá diluido la harina.

Prosiga la cocción durante 2 minutos más.

Mezcle el jugo que se forme y retire las pieles de los pimientos filtrando la salsa a través de un colador.

Ponga de nuevo el pollo en el recipiente de cocción y, tras corregir la sal y la pimienta, cuézalo 2 minutos. Deje reposar 1 minuto, remueva y sirva.

POLLO DE LA POLINESIA

PREPARACIÓN: 10 minutos
COCCIÓN: 5 minutos
REPOSO: 1 minuto
DIFICULTAD: media

Ingredientes

200 g de pollo
100 g de piña
50 g de coco
el zumo de 1/2 limón
30 g de aceite de oliva virgen
sal y pimienta

Primero corte el pollo en dados.

Después mezcle en un bol el aceite y el limón con la sal y la pimienta.

Agregue el coco y la piña en dados.

A continuación, condimente el pollo con la mezcla preparada.

Tape el recipiente y deje cocer el pollo a la potencia máxima durante 5 minutos.

Deje reposar durante 1 minuto más, remueva y sírvalo.

PECHUGA DE POLLO CON PIMIENTOS

PREPARACIÓN: *10 minutos*
COCCIÓN: *4 minutos*
REPOSO: *2 minutos*
DIFICULTAD: *baja*

Ingredientes

400 g de pechuga de pollo
1 cucharada de aceite de oliva virgen
2 dientes de ajo
1 pimiento
sal
pimienta

Quite las semillas y los filamentos blancos internos al pimiento, lávelo y córtelo en tiras. Pele y corte en láminas los dientes de ajo.

Engrase una fuente de pyrex y disponga en ella las tiras de pimiento y los ajos.

Incorpore también la pechuga de pollo cortada en tiras; agregue el aceite restante y salpimiente.

Tape y cueza durante 4 minutos, a la máxima potencia.

Deje que repose 2 minutos, rectifique la sal y la pimienta y sirva.

POLLO CON TOMATE Y ALBAHACA

PREPARACIÓN: *5 minutos*
COCCIÓN: *4 minutos*
REPOSO: *2 minutos*
DIFICULTAD: *baja*

Ingredientes

1 kg de pollo
1 cebolla
1 nuez de mantequilla
harina blanca
8 tomates
albahaca
10 g de aceite de oliva virgen
sal y pimienta

Retire la piel del pollo y córtelo en trozos. Después enharínelo.

A continuación, rehogue la cebolla con el aceite y la mantequilla en el horno de microondas durante 2 minutos.

Incorpore el pollo y los tomates cortados en trocitos y salpimiente.

Prosiga la cocción en el horno de microondas 10 minutos a la potencia máxima con el recipiente tapado.

Luego deje en reposo durante 3 minutos con el recipiente destapado.

A continuación, bata el jugo de cocción. Añada la albahaca.

Por último, sirva el pollo con patatas asadas.

POLLO A LA ORIENTAL

PREPARACIÓN: 10 minutos
COCCIÓN: 11 minutos
REPOSO: 3 minutos
DIFICULTAD: baja

Ingredientes

400 g de pollo troceado
200 ml de nata
3 cucharadas de aceite de oliva virgen
2 cucharadas de mostaza dulce
2 dientes de ajo
1 ramita de mejorana
sal
pimienta

Introduzca el pollo en un recipiente junto con el aceite y el ajo, y cueza en el horno a la máxima potencia 10 minutos, removiendo dos veces.

Agregue la nata y la mejorana picada, salpimiente y cueza durante 1 minuto.

Deje que repose 3 minutos. Incorpore la mostaza, remueva y sirva.

POLLO A LOS AROMAS

PREPARACIÓN: 10 minutos
COCCIÓN: 12 minutos
REPOSO: 2 minutos
DIFICULTAD: baja

Ingredientes

1 kg de pollo
30 g de salvia, laurel y romero
10 g de aceite de oliva virgen
sal y pimienta

Trinche las hierbas tras limpiarlas y lavarlas bien.

Corte el pollo en trozos más bien pequeños y dispóngalos en una fuente de servicio.

Espolvoree con las hierbas, salpimiente y riéguelo con un hilo de aceite.

Cueza en el horno de microondas 5 minutos a la máxima potencia.

Dé la vuelta a los trozos de pollo y cuézalos durante 3 minutos más.

Tape con plástico adecuado para el horno de microondas y termine la cocción durante 4 minutos más. Deje en reposo 2 minutos y sírvalo.

POLLO AL ROMERO

Deshoje el romero y píquelo junto con el ajo.

Ponga esta picada en un bol y añada el aceite; deje que coja sabor durante 2 horas.

Unte el pollo por dentro y por fuera con parte de este aceite aromatizado. Engrase con una cucharada de aceite una fuente de pyrex, coloque en ella el pollo, tape y deje que se haga en el microondas a la máxima potencia durante 12 minutos.

Destape, sale y prosiga la cocción 5 minutos más.

Al final de la cocción deje que repose 5 minutos antes de servir.

PREPARACIÓN: 15 minutos
        + 2 horas de maceración
COCCIÓN: 17 minutos
REPOSO: 5 minutos
DIFICULTAD: baja

Ingredientes

1 kg de pollo limpio
4 cucharadas de aceite de oliva virgen
1 diente de ajo
3 ramitas de romero
sal

POLLO A LA MODA DE PRAGA

Primero abra la carne y rellénela con el jamón y la col bien troceada.

Enrolle la pechuga y átela con hilo de cocina. Dispóngala en un recipiente poco hondo.

Vierta en un plato la cerveza e incorpore la sal, la pimienta y el aceite. Mezcle bien con un tenedor y luego pase el pollo por esta mezcla.

Introduzca en el horno el recipiente tapado con plástico para microondas.

Luego ponga el horno a la máxima potencia durante 10 minutos.

Deje en reposo durante 2 minutos, y luego sirva el asado cortado en lonchas regado con su propio jugo.

PREPARACIÓN: 15 minutos
COCCIÓN: 10 minutos
REPOSO: 2 minutos
DIFICULTAD: media

Ingredientes

500 g de pechuga de pollo
100 g de jamón cocido ahumado en lonchas
150 g de col cocida
1 cucharada de cerveza
1 cucharada de aceite de oliva virgen
sal y pimienta

PREPARACIÓN: *5 minutos*
COCCIÓN: *20 minutos*
REPOSO: *3 minutos*
DIFICULTAD: *media*

Ingredientes

800 g de muslos de pavo
5 cucharadas de vino blanco
2 cucharadas de aceite de oliva virgen
1 diente de ajo
1 ramita de romero
sal
pimienta

MUSLO DE PAVO ASADO

Pele el ajo y córtelo en 4 trozos en sentido longitudinal. Pique el romero. Dé unos cortes a los muslos de pavo con la punta de un cuchillo, y úntelos con el ajo y el romero.

Dispóngalos en una fuente de pyrex, salpimiente y riegue con el vino.

Tape la fuente e introdúzcala en el horno a la máxima potencia durante 10 minutos, dando la vuelta a la carne cada 5 minutos.

Destape y prosiga la cocción 10 minutos más, dando la vuelta a la carne una vez.

Antes de retirar el asado del horno, déjelo que repose con el microondas ya apagado durante 3 minutos.

PREPARACIÓN: *5 minutos*
              + 1 hora de marinado
COCCIÓN: *5 minutos*
REPOSO: *3 minutos*
DIFICULTAD: *media*

Ingredientes

350 g de pechuga de pavo
1 huevo
1 diente de ajo
el zumo de un limón
perejil picado
40 g de aceite de oliva virgen
sal

PECHUGAS DE PAVO A LA CREMA DE LIMÓN

Mezcle en un bol el aceite con el zumo de limón y el ajo picado.

Sale ligeramente.

Luego marine la pechuga de pavo cortada en trozos durante al menos una hora y mezcle.

Después escurra el pollo y póngalo en un plato.

Hágalo cocer en el horno de microondas a la potencia máxima durante 5 minutos.

Agregue el huevo batido y ligeramente salado, al que habrá añadido el perejil picado.

Deje en reposo durante 3 minutos y luego sírvalo.

PREPARACIÓN: *15 minutos*
COCCIÓN: *18 minutos*
REPOSO: *5 minutos*
DIFICULTAD: *media*

Ingredientes

4 ossobucos de pavo
300 g de acelgas
40 g de mantequilla
4 cucharadas de caldo de pollo
4 cucharadas de nata
1 cebolla
4 hojas de salvia
sal

OSSOBUCO DE PAVO A LAS HIERBAS

Lave bien las acelgas, quitando las partes más duras de las pencas, y córtelas en trozos gruesos.

Pele la cebolla y córtela en dados.

Introduzca en el horno a la máxima potencia durante un minuto la mitad de la mantequilla en una fuente de pyrex sin tapar.

Añada las hojas de salvia y, al cabo de un minuto, los ossobucos. Deje que estos últimos se hagan un minuto por cada lado, y retírelos de la fuente; resérvelos aparte, y tire las hojas de salvia.

Ponga en la misma fuente la mantequilla restante con la cebolla, y deje que se haga durante 2 minutos. Añada las acelgas, sale e incorpore el caldo.

Cueza 2 minutos con el recipiente tapado.

Introduzca de nuevo los ossobucos en la fuente, riegue con la nata, tape y cueza 8 minutos.

Destape y prosiga la cocción 2 minutos más (de todas maneras, compruebe que la carne está bien hecha).

Rectifique la sal y deje que repose durante 5 minutos.

Ponga las acelgas en una fuente, distribuya encima los ossobucos y riegue con el jugo de cocción. Sirva.

ALBÓNDIGAS DE CORDERO CON BERENJENA

PREPARACIÓN: 25 minutos
COCCIÓN: 14 minutos
REPOSO: 3 minutos
DIFICULTAD: media

Ingredientes

500 g de carne de cordero picada
6 cucharadas de aceite de oliva virgen
1 berenjena pequeña
1 yema de huevo
1 chalote grande
1 diente de ajo
1 cucharada de alcaparras
sal

Lave la berenjena y córtela en dados. Pele el diente de ajo y aplástelo. Pele y pique el chalote. Escurra las alcaparras y píquelas.

Ponga la carne en un bol, sale e incorpore la yema de huevo, el chalote y las alcaparras. Mezcle todo bien y forme albóndigas del tamaño de una nuez; aplánelas un poco.

Ponga dos cucharadas de aceite y el ajo en una fuente de pyrex e introdúzcala en el horno a la máxima potencia durante 1 minuto.

Añada la berenjena, sale y vuelva a introducir la fuente tapada en el horno durante 6 minutos, removiendo 2 veces. Deje que repose todo 3 minutos.

Retire la berenjena de la fuente y resérvela aparte.

En el mismo recipiente, ponga ahora 2 cucharadas de aceite; agregue la mitad de las albóndigas e introdúzcalo sin tapar en el horno a la máxima potencia durante 2 minutos, utilizando simultáneamente el grill si lo tuviera. Dé la vuelta a la carne y prosiga la cocción 2 minutos más.

Retire las albóndigas ya hechas y resérvelas al calor. Limpie con papel de cocina la grasa de cocción que ha quedado en la fuente, añada el aceite restante y cocine la otra tanda de albóndigas de la misma manera.

Retire esta última tanda de albóndigas, y únala a la anterior. Ponga de nuevo la berenjena en la fuente de pyrex sin tapar y deje que se haga 3 minutos. Agregue las albóndigas, mezcle y disponga todo en una fuente de servir.

ALBÓNDIGAS CON VERDURAS

PREPARACIÓN: 25 minutos
COCCIÓN: 11 minutos
REPOSO: 4 minutos
DIFICULTAD: media

Ingredientes

500 g de carne de cordero picada
200 ml de tomate triturado
4 cucharadas de aceite de oliva
1 pimiento verde
1 huevo
2 cebolletas
1 diente de ajo picado
1 cucharadita de perejil picado
sal

Quite al pimiento el tallo, los filamentos blancos internos y las pepitas; lávelo y córtelo en tiras. Quite a las cebolletas las raíces, las capas externas y la parte verde; lávelas y córtelas en rodajas.

Ponga en un bol la carne, el ajo, el perejil y el huevo; sazone y mezcle bien todo. Forme con esta mezcla albóndigas redondas y ligeramente aplastadas.

En una fuente de pyrex disponga el pimiento, las cebolletas y el aceite; tape e introduzca en el horno a la máxima potencia durante 4 minutos.

Añada ahora el tomate triturado, sale y prosiga la cocción 4 minutos más. Incorpore las albóndigas y cueza 3 minutos.

Deje que repose 4 minutos y sirva.

ALBÓNDIGAS CON TOMATE Y ALCAPARRAS

PREPARACIÓN: 15 minutos
COCCIÓN: 4 minutos
REPOSO: 1 minuto
DIFICULTAD: media

Ingredientes

400 g de ternera picada
1 cebolla pequeña
1 tomate grande
2 cucharadas de alcaparras picadas
20 g de aceite de oliva virgen
sal y pimienta

Corte la cebolla en aros. Luego forme las albóndigas con la carne.

Dispóngalas en una fuente y reparta por encima los aros de cebolla y las alcaparras.

Corte también el tomate en trozos y ponga un trocito sobre cada albóndiga.

Introduzca las albóndigas en el horno de microondas durante 4 minutos a la potencia máxima; gírelas a la mitad de la cocción. Cuando la cocción haya terminado déjelas en reposo durante 1 minuto.

Por último, condiméntelas con el aceite la sal y la pimienta, y sírvalas.

ALBÓNDIGAS PICANTES

PREPARACIÓN: 30 minutos
COCCIÓN: 13-14 minutos
REPOSO: –
DIFICULTAD: media

Ingredientes

500 g de carne de cordero picada
5 cucharadas de aceite de oliva virgen
1 cucharada de vinagre
4 tomates
4 guindillas (picadas)
2 dientes de ajo (picados)
1 cebolla pequeña picada
1 cucharadita de semillas de comino
1 cucharadita de azúcar
sal
pimienta

Coloque la carne de cordero en un bol, salpimiéntela y forme albóndigas.

Lave los tomates, dispóngalos en una fuente e introdúzcalos en el horno a la máxima potencia durante 30 segundos. Sáquelos, pélelos y córtelos en trocitos.

Vierta en una fuente de pyrex 2 cucharadas de aceite, e introdúzcala sin tapar en el horno a la máxima potencia durante 1 minuto. Añada las albóndigas, remueva y tape. Hágalas durante 8 minutos, dándoles de vez en cuando la vuelta. Sáquelas del horno y resérvelas al calor.

Disponga la pulpa de tomate, las guindillas, el ajo, la cebolla, el comino, el azúcar y el vinagre. Salpimiente e introduzca en el horno 4 minutos. Terminada la cocción, añada el aceite restante, disponga las albóndigas en una fuente, vierta la salsa y sirva.

ALBÓNDIGAS A LA ORIENTAL

PREPARACIÓN: 5 minutos
COCCIÓN: 5 minutos
REPOSO: 1 minuto
DIFICULTAD: media

Ingredientes

400 g de carne picada de buey
1 diente de ajo
1 cebolla
perejil picado
un poco de vino blanco seco
1/2 cucharada de anís estrellado
20 g de aceite de oliva virgen
sal y pimienta

Corte la cebolla en aros y luego píquela. Trinche el anís, machaque el diente de ajo y mézclelo con la cebolla. Sazone con sal y pimienta y amase la carne con estos ingredientes. Riegue las manos con vino y forme bolitas del tamaño de una avellana.

Disponga las albóndigas en forma de corona en una fuente de servicio. Introdúzcala en el horno de microondas a la potencia media-alta 3 minutos.

Condiméntelas con el aceite, aumente la potencia y cueza 2 minutos más.

Deje en reposo durante 1 minuto, añada el aceite y sírvalas.

ALBÓNDIGAS AL YOGUR

PREPARACIÓN: 15 minutos
COCCIÓN: 10 minutos
REPOSO: 3 minutos
DIFICULTAD: media

Ingredientes

350 g de carne picada
125 g de yogur
50 g de pan rallado
40 g de mantequilla
1 huevo
1 pizca de nuez moscada
1 cucharada de harina
1 ramita de perejil picado
1 cucharadita de semillas de comino picadas
1 cucharadita de curry
sal
pimienta

Prepare las albóndigas mezclando todos los ingredientes excepto la mantequilla; páselas por pan rallado.

Disponga las albóndigas en una fuente de pyrex ligeramente engrasada, y añada por encima la mantequilla en trocitos; cueza a la máxima potencia 10 minutos. Deje que repose 3 minutos.

Sirva las albóndigas acompañadas de una guarnición de verduras.

ALBÓNDIGAS A LAS HIERBAS

PREPARACIÓN: 20 minutos
COCCIÓN: 5 minutos
REPOSO: 1 minuto
DIFICULTAD: media

Ingredientes

400 g de ternera picada
1 cebolla
50 g de mortadela
hierbas aromáticas picadas
   (romero, salvia, mejorana)
1 huevo
30 g de aceite de oliva virgen
sal y pimienta

Monde la cebolla y píquela muy finamente. Luego mézclela con las hierbas también muy picadas. Después pique la mortadela y amásela con la carne. Mezcle ambos preparados. Pruebe y salpimiente. Amase con una cuchara y añada el huevo. Después forme bolitas del tamaño de una aceituna.

A continuación, dispóngalas en una fuente de cocción e introdúzcala en el horno de microondas a una potencia media-alta durante 3 minutos.

Añada el aceite y prosiga la cocción durante 2 minutos a la potencia máxima.

Deje en reposo 1 minuto y sírvalas.

Salteado de ternera a la romana

PREPARACIÓN: 10 minutos
COCCIÓN: 18 minutos
REPOSO: 4 minutos
DIFICULTAD: media

Ingredientes

600 g de carne de ternera
100 ml de caldo de carne
1 limón (el zumo)
2 cucharadas de aceite de oliva virgen
2 alcachofas
1 diente de ajo
sal

Lave las alcachofas, quitando los tallos y las hojas más duras. Trocéelas e introdúzcalas en un recipiente con agua y el zumo de limón. Escúrralas bien.

Pele y pique el ajo. Ponga el aceite y el ajo en una fuente de pyrex e introdúzcala tapada en el horno a la máxima potencia durante 1 minuto.

Agregue la carne, remueva y deje que coja sabor con la fuente destapada durante 1 minuto y 20 segundos a la máxima potencia. Riegue con el caldo y deje que cueza durante 12 minutos a la máxima potencia.

Añada las alcachofas, tape y prosiga la cocción 4 minutos, siempre a la máxima potencia. Sale, mezcle y deje que repose 4 minutos antes de servir.

Estofado de buey a la normanda

PREPARACIÓN: 10 minutos
              + 1 noche de maceración
COCCIÓN: 39-40 minutos
REPOSO: 5 minutos
DIFICULTAD: media

Ingredientes

600 g de carne de buey
1 zanahoria
1 tallo de apio
3 cebollas
2 vasos de vino tinto
1 cucharadita de brandy
1 cucharada de concentrado de tomate
20 g de aceite de oliva virgen
sal y pimienta

Disponga en un cuenco todos los ingredientes (las verduras picadas) y déjelos una noche en reposo.

Al día siguiente, cueza todo en el horno de microondas 35 minutos a media potencia, removiendo de vez en cuando.

Transcurrido este tiempo, deje en reposo durante 4 o 5 minutos y luego retire la carne para proseguir la cocción del jugo y los vegetales durante 4 o 5 minutos. Bata hasta obtener una salsa homogénea.

A continuación, rectifique la sal y la pimienta, si es preciso, y disponga la carne cortada en lonchas y regada con la salsa. Sírvala.

SALTEADO DE TERNERA CON CARDOS

PREPARACIÓN: 20 minutos
+ 20 minutos de cocción en el fuego
COCCIÓN: 24 minutos
REPOSO: 5 minutos
DIFICULTAD: media

Ingredientes

600 g de carne de ternera
500 g de cardos
40 g de mantequilla
55 ml de caldo de carne
55 ml de vinagre
55 ml de vino blanco
55 ml de nata
2 puerros
sal

Prepare los cardos: separe las hojas y quíteles la parte verde y los hilos; corte las pencas en trozos de 10 cm, póngalas en un recipiente con agua a la que habrá añadido sal y vinagre, y llévelas al fuego; una vez alcanzado el punto de ebullición, deje que cuezan durante 20 minutos. Prepare, lave y corte en rodajas los puerros. Corte la carne en dados de 2-3 cm.

En un recipiente de pyrex disponga la mantequilla y llévela sin tapar al horno a la máxima potencia durante 50 segundos. Añada luego los puerros y prosiga la cocción 2 minutos más.

Cuele los cardos, córtelos en trozos de 1 cm y agréguelos a los puerros y la carne. Al cabo de un minuto riegue con el vino e incorpore el caldo y la nata.

Tape y cueza 10 minutos. Cueza 10 minutos más a media potencia. Remueva, sale y deje el recipiente tapado en el horno apagado durante 5 minutos. Sirva.

PAVO A LA MANERA DE TREVISO

PREPARACIÓN: 10 minutos
COCCIÓN: 5 minutos
REPOSO: 1 minuto
DIFICULTAD: media

Ingredientes

400 g de falda de pavo
5-6 hojas de lechuga
perejil picado
30 g de aceite de oliva virgen
1 diente de ajo
40 g de parmesano rallado
sal y pimienta

Engrase ligeramente un recipiente de pyrex, fórrelo con las hojas de lechuga y coloque encima el pavo cortado en rodajas.

Sale ligeramente y añada el perejil picado y el aceite; si le gusta, sazone también con pimienta. Cueza en el horno de microondas 5 minutos a media potencia con el recipiente destapado.

Por último, deje en reposo durante 1 minuto, espolvoree con el ajo picado y el parmesano y sírvalo.

TERNERA CON CHALOTE

PREPARACIÓN: 10 minutos

COCCIÓN: 23 minutos

REPOSO: 2 minutos

DIFICULTAD: baja

Ingredientes

700 g de espaldilla de ternera

5 cucharadas de caldo de carne

2 cucharadas de aceite de oliva virgen

4-5 cucharadas de jerez

3 chalotes finamente picadas

2 hojas de salvia

1 cucharada de harina

sal

pimienta

Enharine la carne.

En una fuente de pyrex, disponga el aceite, los chalotes y el jerez, e introduzca todo en el horno a la máxima potencia 3 minutos.

Agregue la carne, el caldo y la salvia; tape y cueza a la máxima potencia 10 minutos.

Baje la potencia a la mitad y deje que cueza 10 minutos más.

Remueva el fondo de cocción para mezclarlo bien, y salpimiente.

Deje que repose 2 minutos, corte la carne en rodajas y sirva.

TERNERA CON PATATAS E HINOJO

PREPARACIÓN: 15 minutos

COCCIÓN: 20 minutos

REPOSO: 1 minuto

DIFICULTAD: media

Ingredientes

700 g de carne de ternera

1 diente de ajo

3 patatas

un poco de hinojo

50 ml de nata líquida

1/2 vaso de caldo de carne

30 g de aceite de oliva virgen

sal y pimienta

En un recipiente adecuado para la cocción en microondas, disponga la carne junto con las patatas, mondadas y cortadas en trozos.

Luego añada el diente de ajo y el hinojo.

Incorpore el caldo, la sal, la pimienta y el aceite.

Después cubra y deje cocer a intensidad media-alta durante 20 minutos.

Retire el diente de ajo y filtre el jugo de la cocción.

Por último, añada la nata líquida, deje en reposo durante 1 minuto y sirva la carne cortada en rodajas con su jugo.

TERNERA CON CHAMPIÑONES

PREPARACIÓN: 10 minutos
COCCIÓN: 15 minutos
REPOSO: 2 minutos
DIFICULTAD: media

Ingredientes

600 g de babilla de ternera en filetes
300 g de champiñones
2 chalotes
200 ml de nata
3-4 cucharadas de aceite de oliva virgen
1 chorrito de coñac
sal
pimienta

Limpie los champiñones y córtelos en láminas; dispóngalos en un bol junto con un chalote cortado en rodajas, y cueza durante 5 minutos en el horno a la máxima potencia, removiendo 2 veces.

Coloque la carne en una fuente de pyrex junto con el otro chalote picado y cueza 8 minutos a la máxima potencia, removiendo una vez.

Riegue con el coñac, salpimente y deje que repose 2 minutos.

Añada la nata y los champiñones, caliente durante 2 minutos y sirva.

TERNERA CON RÚCULA

PREPARACIÓN: 5 minutos
COCCIÓN: 3 minutos
REPOSO: 1 minuto
DIFICULTAD: baja

Ingredientes

350 g de carne de ternera
6 hojas de rúcula
30 g de aceite de oliva virgen
sal y pimienta

Lave y seque las hojas de rúcula.

Unte ligeramente con aceite un recipiente de pyrex y fórrelo con las hojas de rúcula.

Disponga sobre las hojas las lonchas de ternera, sale ligeramente, sazone con pimienta y rocíe con el resto del aceite.

Después, cueza con el recipiente destapado en el horno de microondas durante 3 minutos a media potencia.

Cuando la cocción haya terminado, deje reposar la ternera durante 1 minuto con el recipiente tapado y sirva.

TERNERA
CON GUARNICIÓN

PREPARACIÓN: 10 minutos
COCCIÓN: 14 minutos
REPOSO: –
DIFICULTAD: media

Ingredientes

8 medallones de ternera (de 70 g cada uno)
800 g de judías verdes
200 g de jamón serrano (cortado grueso)
50 g de mantequilla
100 ml de caldo vegetal
1 diente de ajo picado
sal

Quite los hilos y las puntas a las judías verdes, y lávelas.

Ponga 20 g de mantequilla en una fuente de pyrex e introdúzcala sin tapar en el horno a la máxima potencia 50 segundos. Agregue el ajo y deje que se haga durante 1 minuto. Incorpore el jamón y, al cabo de un minuto, las judías verdes.

Sazone, mezcle y añada el caldo. Tape y deje que cueza todo 8 minutos. Saque la fuente del horno.

Ponga a calentar el grill a la máxima potencia durante 5 minutos. Unte con mantequilla una fuente y coloque en ella los medallones. Deje que se hagan a la máxima potencia durante 2 minutos, deles la vuelta y continúe la cocción 2 minutos más. Retire la fuente del horno. Acompáñelos con el jamón y las judías verdes, y sirva.

TERNERA
Y CALABACINES
CON MEJORANA

PREPARACIÓN: 10 minutos
COCCIÓN: 1 minuto
REPOSO: 1 minuto
DIFICULTAD: baja

Ingredientes

200 g de ternera cortada en carpaccio
100 g de jamón cocido
400 g de calabacines
1 diente de ajo
un poco de mejorana
30 g de aceite de oliva virgen
sal y pimienta

Corte la ternera y el jamón cocido en tiras finísimas. Lave los calabacines y córtelos también en tiras. Luego mezcle la carne con los vegetales.

Pele el ajo y píquelo. Póngalo en un vaso con el aceite. Cueza a la potencia máxima durante 1 minuto.

Retírelo y condimente la carne con la mejorana y el aceite. Deje en reposo durante 1 minuto; salpimiente y sirva.

TERNERA AL CURRY

PREPARACIÓN: *15 minutos*

COCCIÓN: *15 minutos*

REPOSO: *4 minutos*

DIFICULTAD: *media*

Ingredientes

4 filetes de babilla de ternera
  (de 150 g cada uno)

40 g de mantequilla

100 ml de nata

1 cucharada de curry

1 cebolla

1/2 cucharadita de comino en polvo

1/2 cucharadita de pimentón dulce

1 pizca de jengibre

1 pizca de mostaza en polvo

1 pizca de nuez moscada

1 pizca de pimienta blanca

sal

Pele y corte en rodajas la cebolla. Ponga la mantequilla en el recipiente de cocción e introdúzcalo sin tapar en el horno a la máxima potencia durante 1 minuto; añada la cebolla, y deje que se ablande 2 minutos.

Agregue la nata y las especias, remueva y cueza 1 minuto hasta que comience a hervir. Continúe la cocción otro minuto con el horno a media potencia.

Añada la carne, tape y deje que se haga 4 minutos a la máxima potencia. Destape, dé la vuelta a la carne y continúe la cocción 4 minutos más.

Sale y deje que repose 4 minutos.

Disponga los filetes en una fuente de servir, y riegue con la salsa. Si esta no tuviese la consistencia deseada, deje que reduzca un poco al fuego o en el horno.

FILETES DE PAVO A LA NARANJA

PREPARACIÓN: *10 minutos + el tiempo de marinada*

COCCIÓN: *5 minutos*

REPOSO: *1 minuto*

DIFICULTAD: *media*

Ingredientes

350 g de filetes de pavo

1 diente de ajo

el zumo de 1/2 naranja

40 g de aceite de oliva virgen

sal y pimienta

Mezcle en un bol el aceite con el zumo de naranja y el diente de ajo cortado.

Marine los filetes de pavo en esta mezcla durante al menos una hora.

Transcurrido este tiempo, escurra la carne y dispóngala en una fuente.

Deje cocer la carne durante 5 minutos a la potencia máxima.

Deje en reposo 1 minuto. Sirva los filetes espolvoreados con el perejil picado.

ASADO DE TERNERA CON PANCETA

PREPARACIÓN: 10 minutos
COCCIÓN: 18 minutos
REPOSO: 4-5 minutos
DIFICULTAD: media

Ingredientes

700 g de lomo alto de ternera
100 g de panceta ahumada en lonchas
un ramito de romero
sal y pimienta

Envuelva la carne con las lonchas de panceta y átelas con hilo de cocina.

Ponga el asado en una parrilla, añada el romero y tape con plástico transparente para microondas.

Cueza programando la potencia al máximo 15 minutos y deje en reposo durante 4 o 5 minutos.

Vierta el jugo que se haya formado con la panceta en un cuenco adecuado para la cocción en microondas, ponga 1/2 vaso de agua y cueza tapado 3 minutos.

Por último, filtre el jugo y sírvalo caliente sobre el asado cortado y salpimentado.

TERNERA SABROSA A LA EOLIANA

PREPARACIÓN: 15 minutos + tiempo de marinada
COCCIÓN: 25 minutos
REPOSO: 2 minutos
DIFICULTAD: media

Ingredientes

700 g de carne de ternera
1 cebolla
1/2 vaso de malvasía
el zumo de 1/2 limón
40 g de alcaparras
1 diente de ajo
1/2 cucharada de harina
30 g de pasas sultanas ya ablandadas
30 g de aceite de oliva virgen
sal y pimienta

Ponga a marinar con el aceite el zumo de limón, la malvasía, la cebolla picada, el ajo, la sal y la pimienta. Después introduzca la carne en el mismo recipiente y déjela marinar durante algunas horas.

Precaliente el grill unos minutos. Luego escurra la carne, dispóngala en el grill y deje que cueza a la potencia máxima durante 25 minutos.

Cuando la cocción haya terminado, deje reposar, retire el ajo y bata con la harina el fondo de cocción del asado; añada las alcaparras y las pasas.

Corte la carne y disponga las lonchas en un repicipiente de pyrex. Tape y caliente en el horno de microondas durante 4 minutos a la potencia mínima.

Deje reposar 2 minutos y sirva.

Segundos de pescado

BACALAO A LA ITALIANA

PREPARACIÓN: *30 minutos*
COCCIÓN: *16 minutos*
REPOSO: *–*
DIFICULTAD: *media*

Ingredientes

700 g de bacalao desalado
90 g de queso grana rallado
50 ml de leche
5 cucharadas de aceite de oliva virgen
3 anchoas en aceite
1 cebolla picada
1 diente de ajo picado
2 cucharadas de perejil picado
1 cucharada de harina
1 cucharada rasa de canela
sal
pimienta

Un consejo

Antes de apagar el horno, destape la fuente y si la salsa estuviese muy líquida deje que repose todo 5 minutos.

Pique las anchoas.

Quite las espinas al bacalao y córtelo en trozos. Lávelo, séquelo y enharínelo por los dos lados.

Ponga en un recipiente de pyrex el aceite, las anchoas y la picada de ajo, cebolla y perejil; mezcle todo bien, tápelo e introdúzcalo en el horno a la máxima potencia durante 3 minutos, removiendo 2 o 3 veces.

Disponga la mitad del pescado en una fuente de pyrex, y salpimiente. Espolvoree la mitad de la canela, del queso y del preparado aromático.

Disponga una segunda capa de pescado sobre la primera y repita las indicaciones del paso anterior con los ingredientes restantes.

Agregue la leche hasta que cubra todo y lleve la fuente tapada al horno a la máxima potencia durante 8 minutos.

Prosiga la cocción a una potencia media durante 5 minutos, hasta que el pescado esté en su punto.

LUBINA
AL OPORTO

PREPARACIÓN: 15 minutos

COCCIÓN: 13-14 minutos

REPOSO: –

DIFICULTAD: media

Ingredientes

4 filetes de lubina de 120 g cada uno

60 g de mantequilla

100 ml de caldo de pescado

100 ml de vino tinto

3 cucharadas de oporto

1 chalote

sal

Lave los filetes de lubina y séquelos cuidadosamente con un trapo.

Pele, lave y pique el chalote.

Ponga el caldo en una cazuela al fuego, y llévelo a ebullición.

Disponga en una fuente de pyrex 20 g de mantequilla, y llévela sin tapar al horno a la máxima potencia 50 segundos.

Corte en dados las mantequilla restante y resérvela en el frigorífico.

Disponga los filetes de lubina en la fuente de pyrex y hágalos durante 4 minutos. Cúbralos con el chalote, y deles la vuelta con la ayuda de una espátula.

Sale y prosiga la cocción 3 minutos, hasta que estén en su punto.

Retire el pescado de la fuente y resérvelo al calor.

Incorpore el vino a la fuente de pyrex y llévelo 2 minutos al horno a la máxima potencia.

Añada el oporto, y cueza otro minuto. Incorpore ahora el caldo, mezcle con cuidado y prosiga la cocción 3 minutos, hasta que el líquido espese un poco.

Incorpore la mantequilla que tenía reservada en el frigorífico y bata.

Distribuya la salsa en platos individuales y añada los filetes de pescado. Sirva este plato bien caliente.

LUBINA
CON BERZA

PREPARACIÓN: *15 minutos*
COCCIÓN: *19-20 minutos*
REPOSO: *2 minutos*
DIFICULTAD: *media*

Ingredientes

700 g de lubina en filetes
300 g de berza
60 g de mantequilla
100 ml de caldo vegetal
100 ml de vino tinto
sal

Lave los filetes de lubina y séquelos cuidadosamente con un paño.

Limpie la berza, separe las hojas y quite las partes más duras; lávela y córtela en tiras.

Pele la cebolla y córtela en rodajas.

Ponga en una fuente de pyrex 20 g de mantequilla e introdúzcala sin tapar en el horno a la máxima potencia durante 2 minutos, removiendo una vez. Añada la berza y cueza 1 minuto.

Sale, agregue el vino y, a los 3 minutos, incorpore el caldo. Tape y prosiga la cocción 7 minutos. Retire la fuente del horno y resérvela al calor.

En otro recipiente poco profundo funda la mantequilla restante e introdúzcalo sin tapar en el horno a la máxima potencia durante 50 segundos. Disponga los filetes de pescado y cueza, siempre a la máxima potencia, 3 minutos sin tapar.

Dé la vuelta a los filetes con la ayuda de una espátula, y prosiga la cocción 3 minutos. Deje que reposen 2 minutos, y sáquelos del horno.

Disponga en platos individuales la berza, coloque encima los filetes, rectifique la sal y sirva el plato bien caliente.

LUBINA
A LA PIMIENTA VERDE

PREPARACIÓN: *20 minutos*
COCCIÓN: *9-10 minutos*
REPOSO: *–*
DIFICULTAD: *media*

Ingredientes

4 filetes de lubina
60 g de mantequilla
80 ml de vino blanco
2 yemas de huevo
2 cucharaditas de pimienta verde
sal

Lave los filetes de lubina y séquelos cuidadosamente con un paño. Bata las yemas de huevo en un bol con un tenedor.

Disponga en una fuente de pyrex 10 g de mantequilla troceada, añada los filetes de pescado y riegue con el vino. Tape la fuente e introdúzcala en el horno a la máxima potencia 4 minutos.

Dé la vuelta al pescado y prosiga la cocción 4 minutos más. Saque los filetes del horno, sálelos y dispóngalos en una fuente de servir.

Ponga en la fuente del pyrex la mantequilla restante, e introdúzcala sin tapar en el horno a la máxima potencia durante 1 minuto. Incorpore las yemas batidas, reduzca la potencia del horno al 75 por ciento y cueza durante 45 segundos, removiendo 3 veces. Complete la salsa con la pimienta verde y viértala sobre el pescado. Sirva bien caliente.

LUBINA AL LIMÓN
EN PAPILLOTE

PREPARACIÓN: *10 minutos*
COCCIÓN: *8 minutos*
REPOSO: *1 minuto*
DIFICULTAD: *media*

Ingredientes

1 kg de lubina
2 cucharadas de zumo de limón
1 diente de ajo
1 cucharada de perejil picado
30 g de aceite de oliva virgen
sal y pimienta

Tras limpiar bien la lubina, dispóngala sobre papel de estraza.

Añada el zumo de limón, el aceite, el ajo sin la parte central, el perejil picado, la sal y, si lo desea, la pimienta.

Cierre el papillote sin apretarlo demasiado y hornee durante 8 minutos a la potencia máxima; gire un par de veces hasta lograr una cocción más uniforme.

Transcurrido este tiempo, deje en reposo durante 1 minuto y sirva.

PREPARACIÓN: *20 minutos*

COCCIÓN: *19-20 minutos*

REPOSO: –

DIFICULTAD: *media*

Ingredientes

4 rodajas de mero (de 150 g cada uno)

4 cucharadas de aceite de oliva virgen

2 cebolletas

2 tomates

2 calabacines

1 pimiento

1/2 berenjena

sal

MERO CON VERDURAS

Quite la piel y las espinas a las rodajas de mero y córtelas en trozos grandes.

Lave el pimiento, y quítele el tallo. Elimine las semillas y los filamentos blancos internos y córtelo en dados de 2-3 cm.

Lave la berenjena y córtela en dados.

Lave los tomates, colóquelos en una fuente e introdúzcalos en el horno a la máxima potencia 30 segundos. Sáquelos del horno, pélelos, quite las semillas y trocéelos.

Lave el calabacín y córtelo en dados.

Quite las raíces, las capas externas y la parte verde a las cebolletas, lávelas y córtelas en rodajas.

Ponga en una fuente de pyrex las cebolletas y 2 cucharadas de aceite, e introdúzcala sin tapar en el horno a la máxima potencia 2 minutos.

Añada la berenjena y el pimiento, sale ligeramente y prosiga la cocción durante 4 minutos.

Incorpore el calabacín, tape y cueza 2 minutos más. Finalmente, lleve a la fuente de pyrex también los tomates y prosiga la cocción 4 minutos.

Coloque todas las verduras en una fuente y deje que se enfríen un poco.

Ponga el aceite restante y el mero en otro recipiente, tápelo e introdúzcalo en el horno a la máxima potencia 7 minutos.

Compruebe que el pescado está bien cocido, sálelo y dispóngalo en una fuente de servir. Acompáñelo con las verduras tibias.

MERO CON ACEITUNAS

PREPARACIÓN: 10 minutos
COCCIÓN: 10 minutos
REPOSO: 1 minuto
DIFICULTAD: baja

Ingredientes

340 g de mero en rodajas
200 g de patatas cocidas
100 g de tomate triturado
2-3 cucharadas de aceite de oliva virgen
16 aceitunas negras
1 diente de ajo
1 ramita de albahaca
sal
pimienta

Pele las patatas y córtelas en dados.

Colóquelas en una fuente con el diente de ajo, el aceite y el tomate triturado.

Tape y cueza en el horno a la máxima potencia 4 minutos.

Retire el ajo y remueva las patatas.

Corte en dados el mero y mézclelo con las patatas. Salpimiente.

Añada las aceitunas y cueza en el horno a la máxima potencia 6 minutos. Remueva con cuidado y deje que repose 1 minuto.

Lave la albahaca, píquela y espolvoréela por encima. Sirva.

MERO A LA PIMIENTA VERDE

PREPARACIÓN: 5 minutos
COCCIÓN: 2 minutos
REPOSO: 1 minuto
DIFICULTAD: baja

Ingredientes

500 g de filete de mero
lechuga
2 cucharadas de aceite de oliva virgen
sal y pimienta verde en grano

Ponga en una fuente de servicio los filetes de mero sin superponerlos.

Luego úntelos ligeramente con el aceite y espolvoree con la pimienta verde en grano.

Deje que cuezan 1 minuto a la potencia máxima y sálelos.

Cubra los filetes de mero con la lechuga bien lavada y cortada en tiras.

Prosiga la cocción 1 minuto.

Deje en reposo durante 1 minuto y sirva.

CONGRIO A LA NARANJA

PREPARACIÓN: 15 minutos

COCCIÓN: 19 minutos

REPOSO: –

DIFICULTAD: media

Ingredientes

1 kg de congrio limpio

200 g de pulpa de tomate

4 cucharadas de aceite de oliva virgen

1 naranja (el zumo)

1/2 naranja (los gajos pelados)

1 diente de ajo picado

1 cucharada de piñones

Lave el pescado y córtelo en trozos gruesos.

Separe los gajos de la media naranja.

Ponga en una fuente de pyrex el ajo con 2 cucharadas de aceite, tápela e introdúzcala en el horno a la máxima potencia 1 minuto.

Añada el pescado y los piñones, remueva y al cabo de un par de minutos incorpore el zumo de naranja.

Introduzca la fuente en el horno a la máxima potencia 2 minutos.

Agregue la pulpa de tomate, sale, cubra con papel para horno microondas y pínchelo para que salga el vapor; prosiga la cocción 12 minutos, hasta que el pescado esté cocido.

Escurra el pescado y resérvelo aparte.

Prosiga la cocción de la salsa en el horno, con la fuente destapada, 2 minutos o el tiempo necesario para que reduzca. Incorpore poco a poco el aceite restante, mientras bate la mezcla.

Distribuya la salsa en platos individuales, disponga encima el pescado y, antes de servir, adorne con los gajos de naranja y los piñones.

PESCADILLA EN ESCABECHE

PREPARACIÓN: 10 minutos
          + tiempo de refrigeración
COCCIÓN: 18 minutos
REPOSO: –
DIFICULTAD: baja

Ingredientes

4 pescadillas pequeñas
300 ml de vino blanco
100 ml de vinagre blanco
5 cucharadas de aceite de oliva virgen
2 cebollas
2 zanahorias
2 hojas de laurel
1 cucharada de perejil picado
5 granos de pimienta blanca
sal

Escame el pescado, quítele las vísceras y la espina, lávelo y séquelo con papel de cocina. Pele las cebollas y córtelas finas. Pele las zanahorias y córtelas en bastoncitos.

Ponga en un recipiente de pyrex las zanahorias, el laurel, el perejil, 100 ml de agua, el vino y el vinagre. Salpimiente e introdúzcalo sin tapar en el horno a la máxima potencia durante 5 minutos, hasta que comience a hervir. Desde ese momento, prosiga la cocción 5 minutos más para que el escabeche coja sabor.

Incorpore el pescado y cuézalo 8 minutos. Deje que se enfríe con el horno apagado. Añada el aceite, tape y lleve todo al frigorífico.

Saque del frigorífico 30 minutos antes de servir. Disponga el pescado en una fuente y vierta encima la marinada.

PESCADILLA AL VINO

PREPARACIÓN: 10 minutos
COCCIÓN: 8 minutos
REPOSO: 2 minutos
DIFICULTAD: media

Ingredientes

800 g de rodajas de pescadilla
1/2 vaso de nata líquida
30 g de mantequilla
15 g de harina
15 g de perejil picado
1/2 cebolla
1/2 vaso de vino blanco seco
1 cucharada de tomillo
sal y pimienta

Limpie y seque las rodajas de pescadilla.

Dispóngalas, sin superponerlas, en un recipiente de pyrex con la cebolla picada finamente y el perejil picado; espolvoree con el tomillo, incorpore el vino blanco seco y disponga algunos trocitos de mantequilla sobre las rodajas.

Después tape y deje cocer a la potencia máxima 6 minutos.

Diluya la harina en la nata líquida, incorpórela al pescado y deje que cueza 2 minutos más; añada el resto de la mantequilla al final de la cocción.

Deje en reposo 2 minutos, salpimiente si lo desea y sirva.

PESCADILLA
A LA PIMIENTA ROJA

PREPARACIÓN: 15 minutos
COCCIÓN: 10-11 minutos
REPOSO: –
DIFICULTAD: media

Ingredientes

8 pescadillas pequeñas
4 cucharadas de aceite de oliva
4 cucharadas de vino blanco
400 ml de caldo de pescado
2 cebolletas
1 cucharadita de pimienta roja
1 cucharadita de semillas de hinojo
sal

Ponga el caldo al fuego.

Limpie las pescadillas, lávelas y séquelas. Limpie las cebolletas: quíteles las raíces, las capas externas y la parte verde; lávelas y córtelas en rodajas. Disponga las cebolletas, el aceite y la pimienta roja en una fuente de pyrex e introdúzcala sin tapar en el horno a la máxima potencia durante 2 minutos.

Añada el pescado, riegue con el vino blanco y prosiga la cocción otro minuto. Incorpore el caldo hirviendo, tape y cueza 5 minutos, hasta que las pescadillas estén hechas, dándoles las vuelta una vez.

Retire el pescado, córtelo en filetes, sazónelo y colóquelo en una fuente de servir. Deje que reduzca el fondo de cocción 2-3 minutos, viértalo sobre los filetes y sirva.

PESCADILLA
A LA NAPOLITANA

PREPARACIÓN: 10 minutos
COCCIÓN: 6 minutos
REPOSO: –
DIFICULTAD: media

Ingredientes

500 g de filetes de pescadilla
100 g de tomates pelados
1 cucharada de albahaca picada
50 g de mozzarella en trozos
30 g de cebolla
sal y pimienta

Ensarte los trozos de pescado en pinchos de madera alternándolos con trozos de tomate; hágalo sin apretar para que los trozos de pescado no se toquen.

Disponga los pinchos en una fuente de servicio y, después de taparlos, deje que cuezan 4 minutos a la potencia máxima.

Transcurrido este tiempo, salpimiente y espolvoree con albahaca picada. Incorpore el aceite y la mozzarella en tiras.

Hornee 2 minutos disminuyendo ligeramente la potencia. Cuando la mozzarella empiece a fundirse, sirva enseguida.

PESCADILLA
CON TOMATITOS

Limpie el pescado, ábralo en forma de libro y quítele la espina y la cabeza. Lave los tomates y córtelos en cuatro trozos. Escurra las anchoas y píquelas.

Disponga el pescado en una fuente de pyrex ligeramente engrasada con un poco de aceite. Distribuya encima los tomatitos, riegue con el vino y sale ligeramente. Tape e introduzca la fuente en el horno a la máxima potencia durante 7 minutos; dé la vuelta a los pescados a la mitad de la cocción. Deje que reposen en el horno apagado durante 4 minutos.

Ponga media cucharada de aceite y las anchoas picadas en una cazuela y caliéntela a fuego bajo durante 1 minuto, removiendo con una cuchara de madera para que se deshagan bien.

Retire la fuente de pyrex con las pescadillas del horno, vierta encima la salsa de anchoas y sirva inmediatamente.

PESCADILLA AL HINOJO

En un recipiente de pyrex adecuado para la cocción en microondas disponga las pescadillas tras limpiarlas, secarlas y untarlas ligeramente con aceite.

Para hacer la salsa, lave el hinojo, límpielo con cuidado y córtelo en dados; póngalo en un cuenco y añada el perejil picado, el aceite, un poco de sal y pimienta si lo desea, y bátalo todo con la ayuda de un robot de cocina.

Luego vierta la salsa sobre el pescado, tape el recipiente con película para microondas y cueza 7 minutos a la potencia máxima.

Deje en reposo durante 1 minuto y sirva.

PREPARACIÓN: 10 minutos
+ tiempo de cocción al fuego
COCCIÓN: 7 minutos
REPOSO: 4 minutos
DIFICULTAD: media

Ingredientes

2 pescadillas (de 500 g cada una)
3 cucharadas de aceite de oliva
4 cucharadas de vino blanco
6 tomates cherry
2 anchoas en aceite
1 diente de ajo picado

PREPARACIÓN: 10 minutos
COCCIÓN: 7 minutos
REPOSO: 1 minuto
DIFICULTAD: media

Ingredientes

700 g de pescadilla
40 g de aceite de oliva virgen
2 tallos de hinojo
perejil picado
sal y pimienta

PESCADILLA CON SALSA DE ACEITUNAS

Limpie la pescadilla y lávela bajo el grifo.

Diluya el tomate concentrado en 100 ml de agua.

Disponga el aceite y el ajo en una fuente de pyrex e introdúzcala sin tapar en el horno a la máxima potencia durante 1 minuto.

Incorpore la pescadilla, las aceitunas y el tomate; tape y cueza en el horno a la máxima potencia 4 minutos. Dé la vuelta a pescado y prosiga la cocción 4 minutos más.

Deje que repose 4 minutos, saque la pescadilla del horno, hágala filetes, sale, recubra con e fondo de cocción y sirva.

PREPARACIÓN: 10 minutos
COCCIÓN: 9 minutos
REPOSO: 4 minutos
DIFICULTAD: media

Ingredientes

1 pescadilla de 1,2 kg
120 g de aceitunas negras deshuesadas
4 cucharadas de aceite de oliva virgen
2 cucharadas de tomate concentrado
1 diente de ajo picado
2 cucharaditas de orégano
sal

PESCADILLA AL CURRY

Disponga el pescado con la cabeza hacia el borde en una fuente untada con mantequilla y añada el chalote muy picado.

A continuación, introduzca el recipiente tapado con película para microondas en el horno durante 1 minuto.

Diluya el curry en la nata líquida.

Agregue la nata, salpimiente, ponga de nuevo el recipiente tapado en el horno de microondas y ultime la cocción en 2 minutos.

Retire la película, deje en reposo durante 1 minuto y sirva enseguida.

PREPARACIÓN: 10 minutos
COCCIÓN: 3 minutos
REPOSO: 1 minuto
DIFICULTAD: media

Ingredientes

600 g de pescadilla
1/2 vaso de nata líquida
1 nuez de mantequilla
1 trozo de chalote
1 cucharadita de curry
sal y pimienta

DORADA
CON CHAMPIÑONES

PREPARACIÓN: *5 minutos*
COCCIÓN: *7 minutos*
REPOSO: *–*
DIFICULTAD: *baja*

Ingredientes

600 g de dorada en filetes
300 g de champiñones
1 cucharada de aceite de oliva virgen
1 ramita de salvia picada
1 ramita de romero picada
2 ramitas de tomillo picadas
sal
pimienta

Lave los filetes de dorada y séquelos cuidadosamente con papel de cocina.

Limpie los champiñones con un trapo húmedo y córtelos en láminas.

Disponga en una fuente de pyrex ligeramente engrasada los filetes de dorada en una sola capa, sale y añada los champiñones.

Tape con plástico apto para microondas e introdúzcalo en el horno a la máxima potencia 7 minutos.

Destape, cubra los filetes con las hierbas picadas, rectifique la sal y sirva.

DORADA AL MOSCATEL

PREPARACIÓN: *10 minutos*
COCCIÓN: *8 minutos*
REPOSO: *1 minuto*
DIFICULTAD: *media*

Ingredientes

1 kg de dorada
2 cucharadas de moscatel
1 trocito de cebolla
1 cucharada de perejil picado
30 g de aceite de oliva virgen
sal y pimienta

Lave bien la dorada y luego dispóngala en una fuente de cristal.

Añada el moscatel, el aceite, la cebolla y el perejil picado, la sal y la pimienta.

Hornee a la potencia máxima 8 minutos, dándole la vuelta al pescado un par de veces para lograr una cocción más uniforme.

Deje en reposo durante 1 minuto antes de servir.

PREPARACIÓN: 10 minutos
COCCIÓN: 8 minutos
REPOSO: 1 minuto
DIFICULTAD: media

Ingredientes

1 dorada de 1 kg
1 cucharada de vino blanco seco
3-4 cucharadas de aceite de oliva
1 cucharada de licor de anís
1 diente de ajo
2 tomates
1 cucharada de eneldo picado
sal
pimienta

PREPARACIÓN: 10 minutos
COCCIÓN: 8 minutos
REPOSO: 3 minutos
DIFICULTAD: media

Ingredientes

800 g de dorada
50 g de alcaparras
30 g de aceite de oliva virgen
1 diente de ajo
perejil picado
sal y pimienta

DORADA EN PAPILLOTE

Lave los tomates, quíteles las semillas y trocéelos.

Lave la dorada, séquela y dispóngala en una hoja de papel para horno microondas.

Añada el anís, el aceite, el ajo, el eneldo y los tomates. Salpimiente.

Cierre el papel formando un paquetito, sin apretar demasiado, e introdúzcalo en el horno a la máxima potencia 8 minutos.

Dé la vuelta al paquetito una vez para que la cocción sea uniforme.

Deje que repose 1 minuto y quite el diente de ajo.

Sirva abriendo el paquete en el momento de llevar a la mesa.

DORADA A LA SORRENTINA

Para preparar la salsa, bata las alcaparras con el perejil picado y diluya con un poco de agua.

Ponga la mezcla obtenida en un recipiente adecuado para la cocción en microondas y hornee durante 2 minutos.

Deje reposar 1 minuto y luego sale.

Tras limpiar, lavar y secar la dorada, dispóngala en un recipiente de pyrex con el aceite y el ajo muy picado.

Cubra el recipiente y deje cocer a la potencia máxima 6 minutos.

Salpimiente, deje en reposo durante 2 minutos y sirva después con la salsa de alcaparras.

DORADA AL PIMENTÓN

PREPARACIÓN: 15 minutos
COCCIÓN: 14 minutos
REPOSO: 2 minutos
DIFICULTAD: media

Ingredientes

4 doradas pequeñas
4 cucharadas de aceite de oliva virgen
1 cucharada de pimentón dulce
2 cebolletas
1 berenjena

Escame las doradas, quíteles las vísceras y lávelas. Séquelas con papel de cocina y haga filetes.

Limpie las cebolletas: quíteles las raíces, las capas externas y la parte verde; lávelas y córtelas en rodajas. Quite a la berenjena el pedúnculo y trocéela.

Disponga en una fuente de pyrex las cebolletas con el aceite e introdúzcala en el horno a la máxima potencia 2 minutos. Añada la berenjena, sale, tape y cueza 4 minutos, removiendo 2 veces.

Disponga los filetes de dorada sobre la berenjena, y prosiga la cocción con la fuente destapada durante 4 minutos. Espolvoree el pimentón, dé la vuelta a los filetes y cueza 4 minutos más, hasta que estén en su punto.

Deje que repose todo en el horno apagado 2 minutos. Sirva bien caliente.

PREPARACIÓN: 10 minutos
COCCIÓN: 8 minutos
REPOSO: 1 minuto
DIFICULTAD: media

Ingredientes

800 g de dorada
1 cucharada de zumo de limón
perejil picado
1 diente de ajo
30 g de aceite de oliva virgen
sal y pimienta

PREPARACIÓN: 1 hora y 15 minutos
COCCIÓN: 11 minutos
REPOSO: –
DIFICULTAD: media

Ingredientes

2 filetes de salmón de unos 150 g cada uno
3 cucharadas de harina
1/2 taza de leche
1/2 vaso de zumo de limón
1 manojo de perejil lavado
1 chalote
1 vaso de vino blanco seco
1 cucharadita de salsa Worcester
3 cucharadas de mantequilla derretida
mantequilla
sal y pimienta

DORADA AL PEREJIL

En un cuenco prepare el zumo de limón, el aceite, el ajo y un poco de perejil picado, y salpimiente.

Tras haber limpiado y lavado la dorada, dispóngala en una hoja de papel de horno; añada la salsa, cierre el papillote sin apretar demasiado y cueza programando la potencia al máximo 8 minutos, girando el papillote un par de veces.

Cuando la cocción haya terminado, deje reposar la dorada durante 1 minuto.

Abra el papillote y coloque el pescado en el plato de servicio decorado con el perejil picado. Después rocíe con el jugo de la cocción.

Espolvoree con perejil picado y sirva.

SALMÓN DEL RENO A LA BASILEA

Lave y seque los filetes de salmón y póngalos a marinar durante una hora en un recipiente con la mantequilla derretida, la leche, la salsa Worcester, la sal, la pimienta y el zumo de limón.

Pique el chalote y rehóguelo en una fuente refractaria con la mantequilla 2 minutos; después retire el recipiente del horno y añada el salmón enharinado.

Introduzca en el horno de microondas durante 1 o 2 minutos.

Extraiga la fuente del horno de microondas, riegue con el vino blanco y vuelva a introducirla en el horno 6 o 7 minutos a la potencia máxima.

Sirva el salmón espolvoreado con pimienta recién molida, sal y perejil picado.

Salmón estilo Château Chillon

Pele, lave y pique finamente el chalote.

Ponga la picada en una fuente refractaria untada con mantequilla e introdúzcala en el horno de microondas durante 2 minutos a la potencia máxima.

Limpie, lave y seque con cuidado el pescado.

Dispóngalo en la fuente, riéguelo con el vino y aromatícelo con pimienta y sal.

Introduzca el pescado en el horno de microondas durante 4 minutos a potencia alta.

Saque el recipiente del horno, luego retire el pescado y dispóngalo en una fuente de servicio.

Ponga en el primer recipiente un poco de mantequilla y un poco de nata líquida.

Después introduzca el recipiente en el horno una última vez y deje cocer 1/2 minuto a alta potencia.

Retire la fuente del horno, añada el zumo de limón y rectifique con una pizca de pimienta y de sal.

Condimente el pescado con la salsa preparada, espolvoréelo con cebolleta picada y sírvalo tras dejar previamente en reposo 3 minutos.

PREPARACIÓN: *25 minutos*
COCCIÓN: *6 minutos*
REPOSO: *3 minutos*
DIFICULTAD: *media*

Ingredientes

2 rodajas de salmón de unos 220 g cada una
1 chalote
3 cebolletas
1/2 vaso de vino blanco seco
2 cucharadas de zumo de limón
nata líquida
mantequilla
sal y pimienta

Salmón en salsa

PREPARACIÓN: *20 minutos*

COCCIÓN: *10 minutos*

REPOSO: *2 minutos*

DIFICULTAD: *media*

Ingredientes

4 rodajas de salmón

250 g de champiñones

1-2 cucharadas de aceite de oliva

1 cebolla pequeña

1 tallo de apio

1 ramito de eneldo

100 ml de vino blanco

sal

pimienta

Limpie bien y corte en láminas los champiñones.

Disponga en un bol el aceite, la cebolla, el apio cortado en trocitos y los champiñones.

Introduzca el recipiente tapado en el horno a la máxima potencia 2 minutos.

Coloque el salmón en una fuente de pyrex con la salsa de champiñones, salpimiente, riegue con el vino y hornee a la máxima potencia 8 minutos.

Deje que repose 2 minutos.

Sirva el salmón cubierto con la salsa y espolvoree el eneldo picado.

Salmón con champiñones

PREPARACIÓN: *5 minutos*

COCCIÓN: *5 minutos*

REPOSO: *2 minutos*

DIFICULTAD: *baja*

Ingredientes

4 rodajas de salmón

250 g de champiñones

un poco de perejil picado

1 diente de ajo

el zumo de 1/2 limón

15 g de aceite de oliva virgen

sal y pimienta

Limpie los champiñones y córtelos en láminas.

Ponga el aceite en un bol con el diente de ajo y los champiñones y deje que estos se aromaticen.

Con el recipiente tapado, cueza 2 minutos a la potencia máxima.

Añada las lonchas de salmón, el perejil picado y el zumo de limón; después, siempre con el recipiente destapado, termine la cocción en 3 minutos a la potencia máxima.

Sale, añada pimienta, si lo desea, y deje en reposo durante 2 minutos. Sirva a continuación.

EMPERADOR AL VINO BLANCO

PREPARACIÓN: 10 minutos
COCCIÓN: 9-10 minutos
REPOSO: 2 minutos
DIFICULTAD: baja

Ingredientes

4 filetes de emperador (de 150 g cada uno)
50 g de mantequilla
80 ml de vino blanco
1 cucharada de alcaparras picadas
1 diente de ajo picado

Quite la piel al pescado. Disponga 20 g de mantequilla en un recipiente de pyrex e introdúzcalo sin tapar en el horno a la máxima potencia 50 segundos.

Agregue 20 g más de mantequilla, y cueza otro minuto. Incorpore los filetes de emperador, riegue con el vino, tape y cueza en el horno a la máxima potencia 8 minutos, hasta que estén en su punto. Deje que reposen 2 minutos en el horno apagado.

Reserve el pescado al calor en una fuente. Ponga en el recipiente de pyrex la mantequilla restante, y bata para mezclarla bien con el jugo de cocción. Añada las alcaparras, rectifique la sal, vierta la salsa sobre los filetes y sirva.

PEZ ESPADA CON CHAMPIÑONES

PREPARACIÓN: 10 minutos
COCCIÓN: 8 minutos
REPOSO: 3 minutos
DIFICULTAD: media

Ingredientes

500 g de pez espada cortado en trozos
    pequeños
300 g de champiñones
20 g de mantequilla
20 g de perejil picado
1 chalote
2 cucharadas de pan rallado
20 g de aceite de oliva virgen
sal y pimienta de Cayena

Limpie bien los champiñones y luego córtelos en finas láminas. Corte el chalote en lonchas.

En un recipiente de pyrex ponga el aceite, el chalote y los champiñones, y, con el recipiente tapado, ponga a cocer 3 minutos a la potencia máxima.

Disponga en el mismo recipiente los trozos de pescado limpios y secos, el perejil picado y la pimienta de Cayena, y remueva los trozos para que se condimenten.

Luego espolvoree con el pan rallado, añada la mantequilla en trocitos y deje cocer 5 minutos con el recipiente tapado.

Cuando la cocción haya terminado, deje en reposo durante 3 minutos, sale y sirva.

PEZ ESPADA CON ACEITUNAS

PREPARACIÓN: *5 minutos*
COCCIÓN: *4 minutos*
REPOSO: *2 minutos*
DIFICULTAD: *baja*

Ingredientes

500 g de pez espada en filetes
1 cucharada de zumo de limón
1 cucharada de aceitunas negras
1 diente de ajo
30 g de aceite de oliva virgen
sal y pimienta

En un recipiente de pyrex ponga el ajo, el zumo de limón y el aceite y deje cocer 1 minuto a la potencia máxima.

Incorpore el pez espada y las aceitunas muy picadas.

Cueza programando la potencia al máximo 3 minutos con el recipiente tapado.

Transcurrido este tiempo, deje reposar el pescado durante 2 minutos, salpimiente y sírvalo.

PEZ ESPADA CON HABAS

PREPARACIÓN: *6 minutos*
COCCIÓN: *10 minutos*
REPOSO: *3 minutos*
DIFICULTAD: *media*

Ingredientes

600 g de pez espada
200 g de habas escurridas
30 g de mantequilla
10 g de perejil picado
1/2 cebolla
1 diente de ajo
4 cucharadas de salsa de tomate
1 cucharada de harina
sal y pimienta

Corte el pez espada en trozos pequeños y enharine ligeramente.

En un recipiente ponga la mantequilla en trocitos, el perejil picado, la cebolla y el ajo picado y mezcle bien.

Disponga los filetes de pescado en el recipiente anterior y deje que cuezan durante 2 minutos a la potencia máxima.

Añada las habas y la salsa de tomate diluida en un vaso de agua; salpimiente, tape y ultime la cocción en 8 minutos.

Deje en reposo durante 3 minutos y sirva.

PEZ ESPADA
AL LIMÓN

PREPARACIÓN: *15 minutos*
+ tiempo de la marinada
COCCIÓN: *4 minutos*
REPOSO: *1 minuto*
DIFICULTAD: *media*

Ingredientes

500 g de pez espada
1 limón
20 g de aceite de oliva virgen
sal y pimienta

Lave el pescado con cuidado y córtelo en trozos finos con un cuchillo bien afilado.

Después rocíe el pescado con el zumo de 1/2 limón y deje en reposo durante unos 30 minutos.

Transcurrido este tiempo, alinee en un recipiente de pyrex, sin superponerlos, los trozos de pez espada escurridos de la marinada.

A continuación, úntelos bien con un poco de aceite.

Introduzca el pescado en el horno de microondas durante 4 minutos a la potencia máxima.

Deje en reposo durante 1 minuto y seguidamente riegue con el zumo de limón restante.

Salpimiente y sirva.

PINCHOS
DE PEZ ESPADA

Pele el pez espada y córtelo en grandes trozos.

Ensarte los trozos en pinchos de madera, sin apretar el pescado.

Alinee los pinchos en una fuente de servicio, sin superponerlos, y tápelos con papel transparente para microondas; cuézalos durante 4 minutos a la potencia máxima.

Cuando la cocción haya terminado destape, sale y, si lo desea, aderece con pimienta y salvia.

Espolvoree el perejil picado, riegue con el aceite y deje en reposo durante 2 minutos antes de servir.

PREPARACIÓN: 10 minutos
COCCIÓN: 4 minutos
REPOSO: 2 minutos
DIFICULTAD: media

Ingredientes

500 g de pez espada
30 de aceite de oliva virgen
1 cucharadita de perejil picado
algunas hojas frescas de salvia
sal y pimienta

PREPARACIÓN: 15 minutos
COCCIÓN: 5 minutos
REPOSO: 1 minuto
DIFICULTAD: media

Ingredientes

900 g de pez de San Pedro
200 g de patatas hervidas
100 g de setas cultivadas
1/2 diente de ajo
perejil picado
sal y pimienta

PEZ DE SAN PEDRO
CON SETAS Y PATATAS

Limpie el pescado y prepárelo de modo que obtenga cuatro filetes.

Friegue con el ajo un recipiente redondo, disponga las patatas peladas y cortadas en trozos; luego añada el perejil picado, las setas limpias y cortadas y, por último, los filetes de pescado.

Tape con papel transparente para microondas y deje cocer a la potencia máxima 4 o 5 minutos.

Finalmente, deje reposar el pescado durante 1 minuto y sírvalo tras haberlo condimentado con el aceite, la sal y la pimienta.

SALMÓN CON MANZANAS REINETAS

PREPARACIÓN: 10 minutos
COCCIÓN: 5 minutos
REPOSO: –
DIFICULTAD: baja

Ingredientes

4 rodajas de salmón
45 g de mantequilla
5-6 cucharadas de vino blanco seco
2 manzanas reinetas
1 cucharada de harina
2 cucharadas de tomate triturado
18-19 granos de pimienta verde
sal

Pele las manzanas, quíteles las semillas y córtelas en rodajas; dispóngalas en una fuente de pyrex.

Enharine ligeramente las rodajas de salmón y colóquelas en el centro de la fuente con la mantequilla. Riegue con el vino, sale y reparta por encima los granos de pimienta. Tape la fuente e introdúzcala en el horno a la máxima potencia 5 minutos, hasta que el salmón esté en su punto, con la carne completamente opaca.

Pase el pescado y las manzanas a una fuente de servir.

Mezcle de nuevo y vierta el jugo de cocción sobre el pescado y las manzanas. Sirva.

SALMÓN EN PAPILLOTE

PREPARACIÓN: 5 minutos
COCCIÓN: 5 minutos
REPOSO: 1 minuto
DIFICULTAD: media

Ingredientes

800 g de rodajas de salmón
1 limón
1 cucharada de romero
1 diente de ajo
30 g de aceite de oliva virgen
sal y pimienta

En un papel de horno disponga las rodajas de salmón tras lavarlas con agua corriente y sin secarlas.

Rocíe los trozos con el zumo de limón, añada el aceite y el diente de ajo, y salpimiente. Después condimente con el romero.

Cierre el papel formando un papillote que no quede demasiado apretado.

Para lograr una cocción uniforme, meta en el microondas durante 5 minutos a la máxima potencia y gire el papillote un par de veces.

Transcurrido este tiempo, deje en reposo durante 1 minuto y sirva con el papillote abierto ante los comensales.

LUBINA AL VINAGRE BALSÁMICO

PREPARACIÓN: *10 minutos*
COCCIÓN: *8 minutos*
REPOSO: *1 minuto*
DIFICULTAD: *media*

Ingredientes

1 kg de lubina
2 cucharadas de vinagre balsámico
1 chalote
30 g de aceite de oliva virgen
sal y pimienta

Limpie bien la lubina; rellénela con el chalote y dispóngala en un recipiente de pyrex.

Añada el vinagre balsámico, el aceite, la sal y, si le gusta, la pimienta.

Luego hornee a la potencia máxima durante 8 minutos, girando el recipiente de pyrex un par de veces para lograr una cocción más uniforme.

Deje en reposo durante 1 minuto y sirva.

LUBINA CON ESPÁRRAGOS

PREPARACIÓN: *10 minutos*
COCCIÓN: *8 minutos*
REPOSO: *1 minuto*
DIFICULTAD: *media*

Ingredientes

1 kg de lubina
200 g de puntas de espárrago
1 chalote picado
30 g de aceite de oliva virgen
sal y pimienta

Disponga la lubina bien limpia sobre papel para microondas.

Luego lave los espárragos y córtelos en trocitos.

Añada el aceite, el chalote picado, los espárragos, la sal y la pimienta.

Cierre el papillote sin apretarlo demasiado y deje cocer 8 minutos a la potencia máxima.

Deje en reposo durante 1 minuto y luego sirva con el papillote abierto.

Lubina al cava

Tras lavar y limpiar la lubina, dispóngala en un recipiente de pyrex.

Añada el cava, el aceite, el ajo sin la parte central, el perejil picado, la sal y, si lo desea, una pizca de pimienta.

Luego hornee 8 minutos a la potencia máxima, girando el pescado un par de veces para lograr una cocción más uniforme.

Transcurrido este tiempo, deje en reposo durante 1 minuto y sirva.

PREPARACIÓN: *10 minutos*
COCCIÓN: *8 minutos*
REPOSO: *1 minuto*
DIFICULTAD: *media*

Ingredientes

1 kg de lubina
2 cucharadas de cava
1 cucharada de perejil picado
1 diente de ajo
30 g de aceite de oliva virgen
sal y pimienta

Lubina al hinojo

Tras limpiar bien la lubina, dispóngala sobre papel de horno.

Añada el vino blanco, el aceite, el ajo sin la parte central, el hinojo picado, la sal y, si le gusta, condimente con pimienta.

Cierre el papillote sin apretarlo demasiado y hornéelo a la potencia máxima durante 8 minutos; gire el papillote un par de veces para lograr una cocción más uniforme.

Deje en reposo durante 1 minuto y sirva.

PREPARACIÓN: *5 minutos*
COCCIÓN: *8 minutos*
REPOSO: *1 minuto*
DIFICULTAD: *baja*

Ingredientes

1 kg de lubina
1 cucharada de vino blanco
1 diente de ajo
1 cucharada de hinojo picado
30 g de aceite de oliva virgen
sal y pimienta

SALMÓN
AL VINO BLANCO

PREPARACIÓN: 15 minutos
COCCIÓN: 4-5 minutos
REPOSO: –
DIFICULTAD: media

Ingredientes

4 filetes de salmón (de 150 g cada uno)
50 g de mantequilla
4 cucharadas de vino blanco
1 ramita de albahaca
medio diente de ajo
sal

Practique dos incisiones en cada filete de salmón.

Coloque en cada uno de los cortes realizados una hoja de albahaca.

Pique la albahaca restante junto con el ajo, y trabaje esta picada con 40 g de mantequilla hasta obtener una crema homogénea.

Ponga la mantequilla que queda en un recipiente de pyrex e introdúzcalo sin tapar en el horno a la máxima potencia durante 30 segundos.

Incorpore el pescado, riegue con el vino, tape y prosiga la cocción 3-4 minutos por cada lado.

Retire el salmón, rectifique la sal y dispóngalo en una fuente.

Incorpore dos cucharadas del fondo de cocción a la crema de ajo y albahaca.

Disponga la mezcla obtenida sobre los filetes, esparciéndola bien con una espátula. Sirva.

SARDINAS AGRIDULCES

PREPARACIÓN: 15 minutos
COCCIÓN: 11 minutos
REPOSO: –
DIFICULTAD: media

Ingredientes

12 sardinas
4 cucharadas de aceite de oliva virgen
4 cucharadas de vinagre blanco
4 cucharadas de kétchup
2 alcachofas pequeñas
¼ de pimiento
1 cebolleta
1 filete de anchoa en aceite
1/2 cucharada de alcaparras
sal

Escame las sardinas, límpielas y ábralas en forma de libro (sin separar los filetes). Enjuáguelas y séquelas.

Limpie la cebolleta; quítele las raíces, las capas externas y la parte verde. Lávela y córtela en rodajas.

Quite a las alcachofas las hojas más duras, la punta, la pelusilla interna y el tallo; córtelas en cuartos y sumérjalas en agua acidulada con el vinagre.

Lave el pimiento y córtelo en tiras.

Disponga las sardinas en una fuente de pyrex con dos cucharadas de aceite, tape y cueza en el horno a la máxima potencia durante 4 minutos, hasta que el pescado esté hecho.

Saque las sardinas del horno y páselas a una fuente de servir.

Disponga en otro recipiente el aceite restante, la cebolleta, el filete de anchoa, el pimiento, las alcachofas y las alcaparras.

Sale, tape e introdúzcalo en el horno a la máxima potencia 6 minutos, removiendo dos veces. Incorpore el kétchup y prosiga la cocción otro minuto.

Distribuya este preparado sobre las sardinas y sirva (este plato se puede servir también frío).

LENGUADO CON SALSA

PREPARACIÓN: *10 minutos*
COCCIÓN: *7 minutos*
REPOSO: *1 minuto*
DIFICULTAD: *media*

Ingredientes

700 g de lenguados frescos
50 ml de nata líquida
20 g de mantequilla
20 g de aceite de oliva virgen
el zumo de 1/2 limón
1 cucharada de perejil picado
sal y pimienta

Limpie bien los lenguados con agua corriente.

Unte ligeramente con el aceite el pescado por ambos lados y dispóngalo en un recipiente de pyrex.

Aparte, prepare una mezcla batiendo el perejil picado, la nata, el zumo de limón, un poco de sal y pimienta.

Luego vierta sobre los lenguados la mezcla obtenida del modo más uniforme posible, incorpore trocitos aquí y allá de mantequilla y deje cocer durante 7 minutos a la potencia máxima con el recipiente tapado con papel transparente para microondas.

Deje en reposo 1 minuto y sirva tras retirar el papel transparente.

LENGUADO CON TRUFA

PREPARACIÓN: *5 minutos*
+ tiempo de maceración
COCCIÓN: *5 minutos*
REPOSO: *1 minuto*
DIFICULTAD: *media*

Ingredientes

1 kg de lenguado
30 g de aceite de oliva virgen
50 g de trufa negra picada
cucharadita de zumo de limón
1 diente de ajo
sal y pimienta

Tras limpiar y lavar los lenguados, dispóngalos sobre papel para microondas.

Retire la parte central del diente de ajo y añádalo al pescado junto con el aceite, el zumo de limón, la trufa picada, la sal y la pimienta.

Luego ponga a cocer los lenguados a la potencia máxima 5 minutos, sin apretar demasiado el papillote; dé la vuelta un par de veces al pescado durante el tiempo de cocción.

A continuación, saque del horno de microondas y deje en reposo un 1 minuto.

Sirva con el papillote abierto.

LENGUADOS
CON BROTES DE SOJA

PREPARACIÓN: 12 minutos
COCCIÓN: 13 minutos
REPOSO: 5 minutos
DIFICULTAD: media

Ingredientes

700 g de lenguados en filetes
180 g de brotes de soja
1 cebolla pequeña
3 ramitas de perejil
1 rodaja de limón
sal

Para la salsa

250 ml de aceite de oliva virgen
2 yemas de huevo
1 pimiento
1 cucharada de zumo de limón
sal

Ponga en el fuego una cazuela con abundante agu y llévela a ebullición.

Disponga en una fuente de pyrex el perejil, la rodaja de limón, la cebolla y 30 ml de agua fría. Sale ligeramente, tape y cueza en el microondas a la máxima potencia 4 minutos, hasta que el líquido comience a hervir.

Incorpore los filetes y continúe la cocción con el recipiente tapado durante 7 minutos.

Deje que repose en el horno 5 minutos. Saque los filetes, escurriéndolos con una espumadera, y resérvelos.

Eche en el agua hirviendo la soja germinada y cuézala 2 minutos. Escúrrala.

Para preparar la salsa, lave el pimiento y quítele las semillas. Páselo por la batidora, y separe con un paño la pulpa del jugo; recoja este último en un bol.

Ponga las yemas en un bol, sale y vierta el aceite poco a poco, mientras va removiendo. Añada el limón y el jugo de pimiento.

Disponga los brotes de soja en una fuente, coloque encima los filetes de pescado, cubra con la salsa y sirva.

ATÚN AL PIMENTÓN

PREPARACIÓN: 10 minutos

COCCIÓN: 13 minutos

REPOSO: 2 minutos

DIFICULTAD: baja

Ingredientes

600 g de atún fresco
4 cucharadas de aceite de oliva virgen
1 berenjena
1 diente de ajo picado
1 cucharada de pimentón dulce
1 cucharadita de orégano

Lave bien la berenjena y córtela en dados.

Trocee el atún.

Disponga el aceite, el ajo y la berenjena en una fuente alargada y no muy honda. Sale e introdúzcala sin tapar en el horno a la máxima potencia 5 minutos.

Añada el atún, mezcle, tape y prosiga la cocción 8 minutos, removiendo dos veces.

Deje que repose 2 minutos. Pase todo a una fuente de servir; complemente con el pimentón, el orégano y el fondo de cocción, y sirva.

ENSALADA AROMÁTICA DE ATÚN Y RÚCULA

PREPARACIÓN: 10 minutos

COCCIÓN: 3 minutos

REPOSO: 1 minuto

DIFICULTAD: media

Ingredientes

400 g de atún
50 ml de agua
1 cucharadita de vinagre balsámico
1 cucharadita de zumo de limón
30 g de aceite de oliva virgen
perejil picado
algunas hojas de rúcula para decorar
sal y pimienta negra

Mezcle la sal con el zumo de limón y el agua y, sin dejar de remover, añada el aceite, el vinagre balsámico y el perejil picado.

Corte el atún en rodajas muy finas; dispóngalas en una fuente de servicio adecuada para la cocción en microondas y rocíe con la salsa preparada.

Después hornee el atún tapado con papel para horno y cueza durante 3 minutos a la potencia máxima.

Cuando la cocción termine, deje reposar el pescado durante 1 minuto tras retirarle el papel. Sazone con pimienta.

Decore el plato con hojitas de rúcula y sirva.

SALMONETES EN PAPILLOTE

PREPARACIÓN: 20 minutos
COCCIÓN: 6 minutos
REPOSO: 2 minutos
DIFICULTAD: media

Ingredientes

500 g de salmonetes en filetes
150 g de champiñones
25 g de setas secas
1 cucharada de aceite de oliva virgen
1/2 diente de ajo
1 ramita de perejil picado
el zumo de 1/2 limón
sal y pimienta

Limpie los champiñones y córtelos en láminas. Remoje las setas y escúrralas.

Ponga en un recipiente el aceite, el ajo, los champiñones, las setas y el limón. Cueza con el recipiente tapado a la máxima potencia 2 minutos. Retire el ajo.

Disponga los filetes de salmonete en un papel adecuado para horno microondas y cúbralos con las setas y el perejil. Cierre el paquetito e introdúzcalo en el horno a la máxima potencia 4 minutos.

Deje reposar 2 minutos y salpimiente.

SALMONETES A LA CREMA VERDE

PREPARACIÓN: 15 minutos
COCCIÓN: 7 minutos
REPOSO: 1 minuto
DIFICULTAD: baja

Ingredientes

600 g de filetes de salmonete
10 g de aceite de oliva virgen
1/2 vaso de nata líquida
1 chalote
50 g de acelgas
sal y pimienta

Unte ligeramente con aceite una fuente y disponga en ella los filetes de pescado en una sola capa; añada el chalote y sale ligeramente. Introduzca en el microondas 5 minutos a la máxima potencia.

Añada los ingredientes restantes y las acelgas cortadas en tiras; rectifique de sal y, si lo desea, condimente con pimienta. Cubra y complete la cocción durante 2 minutos más.

Destape y deje reposar durante 1 minuto.

Retire los filetes de salmonete y póngalos en una fuente.

Bata el fondo de cocción hasta obtener una crema verde; si es necesario, añada unas cucharadas de agua caliente.

Rectifique la sal, disponga los filetes de salmonete sobre la crema verde y sirva.

Salmonetes con tomate

PREPARACIÓN: *5 minutos*
COCCIÓN: *8 minutos*
REPOSO: *1 minuto*
DIFICULTAD: *baja*

Ingredientes

800 g de salmonetes
100 g de tomates
3 cucharadas de aceite de oliva virgen
1 cucharada de perejil picado
sal
pimienta

Limpie los salmonetes, escámelos, lávelos y séquelos.

Lave los tomates, pélelos, quíteles las semillas y trocéelos.

Engrase ligeramente una fuente de pyrex no demasiado grande y coloque en ella los salmonetes. Agregue el perejil, los tomates y el aceite restante. Salpimiente.

Cueza en el horno a la máxima potencia durante 8 minutos.

Deje que repose 1 minuto y sirva.

Pinchos de atún y pescadilla

PREPARACIÓN: *10 minutos*
+ tiempo de maceración
COCCIÓN: *4 minutos*
REPOSO: *2 minutos*
DIFICULTAD: *media*

Ingredientes

300 g de pescadilla
300 g de atún
30 g de aceite de oliva virgen
cebolla picada
sal y pimienta

Trocee la pescadilla y el atún en grandes dados y ensártelos en pinchos de madera, alternándolos entre sí.

Disponga los pinchos en una fuente adecuada para la cocción en microondas y espolvoréelos con la cebolla picada.

A continuación, tape con papel transparente para microondas y deje cocer 4 minutos a la potencia máxima.

Cuando la cocción haya terminado, retire el papel transparente, salpimiente, añada el aceite y deje reposar 2 minutos antes de servir.

SALMONETES AL AROMA DE TOMILLO

PREPARACIÓN: 20 minutos
COCCIÓN: 8 minutos
REPOSO: 3 minutos
DIFICULTAD: media

Ingredientes

8 salmonetes
100 ml de aceite de oliva virgen
100 ml de vino blanco
8 ramitas de tomillo (las hojas picadas)
2 dientes de ajo picados
sal

Limpie los salmonetes, escámelos y hágalos filetes. Páselos por la picada de tomillo y déjelos que cojan sabor 10 minutos.

Ponga el aceite y el ajo en un recipiente de pyrex y métalo en el horno sin tapar a la máxima potencia 1 minuto.

Incorpore los filetes, riegue con el vino y prosiga la cocción 7 minutos, dándoles la vuelta una vez.

Sale y deje que repose todo con el horno apagado 3 minutos. Lleve el pescado a una fuente, y sirva.

FILETES DE SALMONETE A LA INGLESA

PREPARACIÓN: 10 minutos
COCCIÓN: 6 minutos
REPOSO: 2 minutos
DIFICULTAD: media

Ingredientes

600 g de filetes de salmonete
40 g de mantequilla
1 limón
pimentón
sal y pimienta

Lave muy bien el limón; ralle la corteza y exprima el resto. Mézclelo bien.

Limpie con cuidado los filetes de pescado, páselos por el zumo de limón y deje que se condimenten durante algunos minutos.

A continuación, disponga los filetes en un recipiente de pyrex ligeramente untado con mantequilla, añada el resto de la mantequilla en trocitos y espolvoree con el pimentón.

Deje cocer después 6 minutos a la potencia máxima con el recipiente tapado con papel para microondas.

Transcurrido este tiempo, deje en reposo durante 2 minutos, salpimiente y sirva.

TRUCHA ASALMONADA AL VINO BLANCO

PREPARACIÓN: 10 minutos

COCCIÓN: 11 minutos

REPOSO: 3 minutos

DIFICULTAD: media

Ingredientes

1 trucha asalmonada de 1 kg (limpia)

30 g de mantequilla

150 ml de vino blanco

1 cebolla pequeña

1 limón

1 hoja de laurel

1 ramita de perejil

1 tallo pequeño de apio

4 granos de pimienta blanca

sal

Un consejo

Este plato combina muy bien con una menestra de verduras y con una salsa mayonesa aromatizada con jengibre.

Lave y seque bien la trucha. Lave el perejil, sin separar las hojas, el apio, quitándole los hilillos, y el laurel con un paño húmedo.

Pele y corte en rodajas la cebolla. Lave el limón y córtelo en rodajitas muy finas. Prepare un ramito juntando el perejil, el apio y el laurel.

Ponga en una fuente de pyrex alargada el ramito de hierbas, la mantequilla (reservando una cucharadita) y las verduras restantes. Mezcle y llévelo al horno a la máxima potencia unos 2 minutos, removiendo de nuevo cuando haya transcurrido 1 minuto.

Incorpore a la fuente el pescado, con el vientre en contacto con el fondo del recipiente, y distribuya alrededor la mitad de las rodajitas de limón. Salpimiente, incorpore el vino y 250 ml de agua, tape e introduzca de nuevo en el horno a la máxima potencia 5 minutos.

Baje la potencia del horno a la mitad y prosiga la cocción 4 minutos más.

Deje que repose en el horno apagado durante 3 minutos.

Coloque con mucho cuidado el pescado en una fuente de servir y úntelo mientras está todavía caliente con la mantequilla reservada. Disponga junto al pescado las rodajas de limón restantes y sirva.

PREPARACIÓN: 10 minutos
COCCIÓN: 12-13 minutos
REPOSO: 4 minutos
DIFICULTAD: media

Ingredientes

4 truchas de 250 g cada una
50 g de champiñones
30 g de mantequilla
1 chalote
1 limón (el zumo)
1 cucharada de perejil picado
sal

Un consejo

Si lo prefiere puede sustituir los champiñones por puntas de espárragos cortadas en sentido longitudinal.

PREPARACIÓN: 5 minutos
COCCIÓN: 7 minutos
REPOSO: 2 minutos
DIFICULTAD: baja

Ingredientes

1 kg de trucha asalmonada
1 cucharada de zumo de limón
1 cucharada de vinagre balsámico
1 ramito de romero
1 pizca de tomillo
20 g de aceite de oliva virgen
perejil picado
sal y pimienta

TRUCHAS RELLENAS

Ponga 20 g de mantequilla en una fuente de pyrex y llévela, sin tapar, al horno a la máxima potencia 50 segundos.

Agregue el chalote, los champiñones y el limón. Sale y tape. Cueza a la máxima potencia 2 minutos, destape y prosiga la cocción durante 2 minutos más.

Limpie, lave y seque las truchas. Rellene la abertura del vientre con la mezcla de champiñones y chalote, después de haber añadido el perejil.

Unte una fuente de pyrex con la mantequilla restante y disponga en ella las truchas. Introdúzcala sin tapar en el horno a la máxima potencia 8 minutos. Deje reposar 4 minutos y sirva.

TRUCHA ASALMONADA CON HIERBAS

Limpie la trucha y en el corte del vientre introduzca el ramito de romero.

Prepare una salsa con el zumo de limón, el aceite y el vinagre balsámico.

Después disponga la trucha sobre la fuente de microondas y úntela con la mezcla. Espolvoree con el perejil picado y el tomillo, sale y, si le gusta, añada un poco de pimienta.

Cueza a la potencia máxima 7 minutos, tras tapar el recipiente.

Deje reposar durante 2 minutos y sirva a continuación.

LANGOSTINOS A LA AMERICANA

PREPARACIÓN: 20 minutos
COCCIÓN: 3 minutos
REPOSO: 1 minuto
DIFICULTAD: media

Ingredientes

600 g de langostinos pelados
100 g de tomate triturado
1/2 vaso de nata líquida
1 trozo de chalote
1 cucharada de whisky
1 nuez de mantequilla
1 pizca de harina blanca
sal y pimienta

Enharine ligeramente los langostinos pelados y luego sacúdalos para quitarles el exceso de harina.

Unte con mantequilla la fuente para microondas y disponga en ella los langostinos y el chalote.

Después cueza 1 minuto a la potencia máxima con el recipiente tapado.

Añada el resto de los ingredientes, salpimiente y complete la cocción durante 2 minutos más.

Deje en reposo 1 minuto; después remueva para que la salsa quede un poco más densa y sirva a continuación.

CAMARONES Y HUEVOS

PREPARACIÓN: 10 minutos
COCCIÓN: 3 minutos
REPOSO: 1 minuto
DIFICULTAD: media

Ingredientes

600 g de camarones frescos
1 lechuga
2 huevos duros
30 g de aceite de oliva virgen
el zumo de 1/2 limón
algunas cucharadas de mayonesa
sal y pimienta

Lave bien la lechuga y dispóngala en una fuente de servicio.

En un bol, condimente los camarones, después de limpiarlos bien, con el aceite, la sal, la pimienta y el limón.

Cueza 3 minutos a la potencia máxima en un recipiente tapado con papel para microondas.

Deje en reposo durante 1 minuto.

Mientras tanto, trinche los huevos duros, dispóngalos en los bordes de la fuente de servicio y luego decórelos con mayonesa.

Disponga los camarones en el centro de la fuente y sirva a continuación.

LANGOSTINOS
AL JENGIBRE

PREPARACIÓN: 20 minutos
COCCIÓN: 10-11 minutos
REPOSO: 2 minutos
DIFICULTAD: media

Ingredientes

600 g de langostinos
20 g de mantequilla
20 g de jengibre fresco
4 cucharadas de vino blanco
2 tomates
2 puerros
sal

Lave los langostinos, pélelos, quíteles el hilo intestinal y ábralos por la mitad en sentido longitudinal.

Limpie los puerros: quíteles las raíces, las capas externas y la parte verde; lávelos y córtelos en rodajas.

Corte el jengibre primero en rodajas y luego en tiras finas.

Lave los tomates, colóquelos en una fuente y llévelos al horno a la máxima potencia 30 segundos. Sáquelos, pélelos, quíteles las semillas y trocéelos.

Disponga la mantequilla en un recipiente de pyrex, tápelo e introdúzcalo en el horno a la máxima potencia 50 segundos. Agregue los puerros y el jengibre, y cueza 2 minutos.

Agregue los langostinos, mezcle y prosiga la cocción 3 minutos. Retire los langostinos y resérvelos en una fuente.

Añada el vino al fondo de cocción y cueza 1 minuto. Agregue los tomates y prosiga la cocción 2 minutos.

Ponga de nuevo los langostinos en el recipiente de pyrex, sazone y cueza 1 minuto. Deje que repose todo 2 minutos con el horno apagado y sirva.

LANGOSTINOS CON ALCHACHOFAS

PREPARACIÓN: *10 minutos*
COCCIÓN: *4 minutos*
REPOSO: *1 minuto*
DIFICULTAD: *baja*

Ingredientes

500 g de langostinos pelados
5 alcachofas
50 g de tomate triturado
20 g de mantequilla
1 cucharada de perejil picado
1 trocito de ajo
sal
pimienta

Limpie las alcachofas y córtelas en cuatro cuartos.

Disponga los langostinos, el perejil y el ajo en una fuente untada con la mantequilla.

Tape con papel transparente para microondas y cueza en el horno a la máxima potencia 1 minuto.

Agregue los ingredientes restantes y salpimiente.

Tape de nuevo y prosiga la cocción durante 3 minutos.

Quite el ajo, deje que repose 1 minuto y sirva.

LANGOSTINOS Y CIGALAS CON ENSALADA GENOVESA

PREPARACIÓN: *10 minutos*
COCCIÓN: *2 minutos*
REPOSO: *1 minuto*
DIFICULTAD: *media*

Ingredientes

200 g de langostinos pelados
200 g de cigalas peladas
25 g de piñones
albahaca picada
30 g de aceite de oliva virgen
sal y pimienta

En un cuenco disponga las cigalas y los langostinos.

Mezcle una parte del aceite con la sal y la pimienta, la albahaca picada y los piñones.

Incorpore la salsa a los crustáceos y deje que cuezan en el horno de microondas unos 2 minutos; después deje reposar durante 1 minuto.

Sirva enseguida, poniendo los langostinos y las gambas en una fuente recubierta de lechuga francesa cortada en tiras.

Langostinos
al coñac

PREPARACIÓN: 20 minutos

COCCIÓN: 3 minutos

REPOSO: –

DIFICULTAD: media

Ingredientes

8 langostinos
1/2 vaso de leche
1 cucharada escasa de fécula
1 chalote picado
1 cucharada de coñac
1 cucharada de aceite de oliva virgen
perejil picado
sal y pimienta

Prepare los langostinos limpiándolos con cuidado, pero sin pelarlos.

Dispóngalos en un recipiente de pyrex donde quepan bien y añada el chalote picado, el aceite y el coñac. Tape y deje cocer 1 minuto.

Pele los langostinos. Ponga los caparazones en un recipiente, al que añadirá la fécula disuelta en leche.

Después introduzca el recipiente en el horno de microondas y deje cocer unos 2 minutos más con el recipiente tapado.

Filtre el jugo que se forme. Salpimiente.

Incorpore a los langostinos el jugo y el perejil picado; remueva y sirva.

Calamares al vino

PREPARACIÓN: 20 minutos

COCCIÓN: 9 minutos

REPOSO: 2 minutos

DIFICULTAD: media

Ingredientes

800 g de calamares ya limpios
1 cucharada de vino blanco seco
1 cucharada de perejil picado
1 cucharada de aceite de oliva virgen
1 diente de ajo
sal y pimienta

Lave con cuidado los calamares con agua corriente.

En un recipiente de barro, ponga el vino blanco, el aceite y el diente de ajo sin la parte central.

Añada los calamares, tape el recipiente con papel transparente para microondas y cueza durante 9 minutos a la potencia máxima.

Retire del horno de microondas, añada el perejil picado y salpimiente ligeramente.

Deje en reposo 2 minutos y sirva acompañado con polenta o arroz hervido.

Almejas
a la marinera

Deje las almejas en remojo en agua salada durante, al menos, 30 minutos; luego lávelas con cuidado con agua corriente, escúrralas y séquelas.

En un recipiente de barro, ponga el aceite con el diente de ajo y añada las almejas escurridas.

Con el recipiente tapado, deje que cuezan programando la potencia al máximo durante 3 minutos.

Filtre el líquido de cocción, retire las almejas que no se hayan abierto y añada el perejil picado.

Salpimiente, tape de nuevo y prosiga la cocción 2 minutos más.

Por último, deje reposar las almejas durante 1 minuto antes de servirlas.

PREPARACIÓN: *10 minutos*
+ tiempo de remojo

COCCIÓN: *5 minutos*

REPOSO: *1 minuto*

DIFICULTAD: *media*

Ingredientes

900 g de almejas

1 diente de ajo

30 g de aceite de oliva virgen

perejil picado

sal y pimienta

CALAMARES A LA HORTELANA

PREPARACIÓN: 15 minutos

COCCIÓN: 14 minutos

REPOSO: –

DIFICULTAD: media

Ingredientes

400 g de calamares

300 g de judías verdes

100 g de patatas

80 ml de aceite de oliva virgen

1 cucharada de vinagre de manzana

¼ de diente de ajo picado

1 cucharada de perejil picado

sal

Limpie los calamares; quíteles la concha interna transparente, la boca en forma de pico y los ojos, y lávelos bien.

Lave las judías verdes, y quíteles los hilos y las puntas.

Pele la patata, lávela y córtela en dados.

Disponga las judías verdes en un recipiente con una cucharada de aceite, 3 cucharadas de agua y una pizca de sal; tápelas e introdúzcalas en el horno a la máxima potencia 8 minutos, removiendo una vez. Sáquelas del horno y resérvelas al calor.

En el mismo recipiente, ponga los calamares con una cucharada de aceite e introdúzcalos tapados en el horno a la máxima potencia 3 minutos (hasta que estén cocidos), removiendo una vez. Sáquelos del recipiente y resérvelos al calor.

Vierta en el recipiente los dados de patata con una cucharada de aceite. Sale, tape y cueza, siempre a la máxima potencia, durante 3 minutos, hasta que estén tiernos.

Disponga en un bol el perejil picado junto con el ajo, y añada el vinagre y el aceite restante mientras bate el compuesto hasta obtener una salsa homogénea.

Disponga los ingredientes preparados en el horno en una fuente de servir, vierta por encima la salsa de perejil y rectifique la sal. Sirva este plato templado.

CALAMARES AL VINO BLANCO

PREPARACIÓN: 10 minutos
COCCIÓN: 15 minutos
REPOSO: 2 minutos
DIFICULTAD: media

Ingredientes

800 g de calamares
1 cucharada de vino blanco seco
1 cucharada de aceite de oliva virgen
1 diente de ajo
16 aceitunas negras
3 patatas cocidas
1 cucharada de perejil
sal
pimienta molida

Limpie bien los calamares bajo el grifo y córtelos en trozos.

Póngalos en un recipiente de barro; añada el diente de ajo y el aceite. Tape y cueza en el horno a la máxima potencia 5 minutos.

Agregue el vino y el perejil, salpimiente y prosiga la cocción sin tapar unos 5 minutos más.

Incorpore las aceitunas, tape y cueza durante 5 minutos.

Deje que repose 2 minutos con el recipiente destapado, y sirva con las patatas cocidas y pimienta molida espolvoreada por encima.

CALAMARCITOS CON CHALOTE

PREPARACIÓN: 10 minutos
COCCIÓN: 17 minutos
REPOSO: 2 minutos
DIFICULTAD: baja

Ingredientes

800 g de calamarcitos limpios
1/2 vaso de vino blanco seco
25 g de aceite de oliva virgen
5 chalotes
1 cucharada de orégano
sal y pimienta

Lave con cuidado los calamarcitos con agua corriente y córtelos en trozos.

Vierta el aceite en un recipiente de pyrex, añada los calamarcitos, tape y rehogue a la potencia máxima 2 minutos.

Destape y bañe con el vino blanco seco; luego deje que se evapore unos 3 minutos, removiendo de vez en cuando.

Seguidamente, añada el chalote pelado y cortado por la mitad, el orégano, la sal y la pimienta y siga la cocción 5 minutos más con el recipiente tapado.

Transcurrido este tiempo, deje en reposo durante 2 minutos y sirva acompañado, si lo desea, con polenta blanca.

PREPARACIÓN: *20 minutos*
+ tiempo de purga
COCCIÓN: *11-12 minutos*
REPOSO: *–*
DIFICULTAD: *media*

Ingredientes

800 g de navajas
4 cucharadas de aceite de oliva virgen
2 tomates
1 cucharada de piñones
1 diente de ajo picado
1 cucharada de perejil picado
1 pizca de pimentón dulce
sal

NAVAJAS CON PIÑONES

Disponga las navajas en un recipiente con abundante agua salada y deje que purguen 50 minutos.

Lave los tomates, póngalos en una fuente y llévelos al horno a la máxima potencia 30 segundos. Sáquelos, pélelos, quíteles las semillas y trocéelos.

Disponga el aceite con la mitad de la picada de ajo y perejil en una fuente de pyrex alargada, y llévela sin tapar al horno a la máxima potencia durante 1 minuto. Añada los tomates y prosiga la cocción 5 minutos, removiendo dos veces. Escurra las navajas y tráigalas también a la fuente; mezcle, tape y prosiga la cocción 4 minutos, hasta que las navajas estén listas.

Agregue el pimentón, los piñones y el resto de la picada de ajo y perejil, remueva y prosiga la cocción 1 minuto. Sirva enseguida.

PREPARACIÓN: *10 minutos*
COCCIÓN: *5 minutos*
REPOSO: *2 minutos*
DIFICULTAD: *media*

Ingredientes

600 g de colas de cigalas peladas
100 g de tomate triturado
3 puerros picados
20 g de aceite de oliva virgen
sal y pimienta

COLAS DE CIGALAS CON PUERROS

Engrase una fuente adecuada para la cocción en microondas; disponga en ella las colas de cigala y, por encima, los puerros picados. Tape con papel transparente para microondas y cueza 3 minutos a la potencia máxima.

A continuación, añada el tomate triturado, sale, aderece con pimienta, si le gusta, tape con papel transparente y complete la cocción 2 minutos más.

Remueva y deje en reposo 2 minutos antes de servir.

PREPARACIÓN: 15 minutos
+ tiempo de purga
COCCIÓN: 10-11 minutos
REPOSO: 1 minuto
DIFICULTAD: media

Ingredientes

600 g de navajas
200 g de setas
3 cucharadas de aceite de oliva virgen
1 diente de ajo picado
1 cucharada de perejil picado
sal

NAVAJAS MAR Y MONTAÑA

Lave muy bien las navajas y déjelas que purguen en agua con sal 50 minutos. Lave las setas, límpielas con un paño húmedo y córtelas en láminas.

Coloque las navajas en un recipiente e introdúzcalo en el horno a la máxima potencia 4 minutos, hasta que se abran. Quíteles las valvas.

Disponga el aceite y el ajo en una fuente de pyrex e introdúzcala sin tapar en el horno a la máxima potencia 1 minuto. Añada las setas, sale y cueza 4 minutos, removiendo 2 veces. Espolvoree el perejil. Cueza 1 minuto más e incorpore las navajas; prosiga la cocción 30 segundos. Deje que repose todo en el horno durante 1 minuto y sirva.

PREPARACIÓN: 20 minutos
COCCIÓN: 15 minutos
REPOSO: 1 minuto
DIFICULTAD: media

Ingredientes

800 g de mariscos limpios
1/2 vaso de vino blanco seco
1 cucharada de perejil picado
1 diente de ajo
1 pizca de orégano
25 g de aceite de oliva virgen
sal y pimienta

MARISCOS AL VINO BLANCO

Lave con cuidado los mariscos con agua corriente.

En una fuente de barro ponga el aceite, el diente de ajo sin su parte central y los mariscos; luego sale ligeramente, tape y deje cocer durante 2 minutos a la potencia máxima.

Destape y rocíe con el vino blanco seco; deje reducir 3 minutos removiendo de vez en cuando.

Luego retire el diente de ajo, añada el orégano y el perejil picados, corrija de sal y de pimienta, tape el recipiente y termine la cocción 10 minutos más.

Deje en reposo durante 1 minuto.

Mejillones con rodajas de rodaballo

PREPARACIÓN: *25 minutos*
COCCIÓN: *21-22 minutos*
REPOSO: –
DIFICULTAD: *media*

Ingredientes

2 rodaballos (de 600 g cada uno)
600 g de mejillones
20 g de mantequilla
100 mg de tomate triturado
2 calabacines
2 puerros pequeños
1 cucharada de albahaca picada
sal

Limpie con cuidado los mejillones, lávelos bajo el chorro de agua y quíteles las barbas con un cuchillo.

Lave los rodaballos, quíteles la piel y córtelos en rodajas con un cuchillo de hoja flexible.

Limpie los puerros: quíteles las raíces, las capas externas y la parte verde; lávelos y córtelos en rodajas.

Lave los calabacines y córtelos en bastoncitos.

Ponga los mejillones en un recipiente, tápelo y llévelo al horno a la máxima potencia durante 4 minutos, hasta que los mejillones se abran.

Filtre el líquido de cocción y resérvelo en una taza.

Disponga la mantequilla en una fuente de pyrex e introdúzcala sin tapar en el horno a la máxima potencia durante 50 segundos.

Añada los puerros. Transcurridos unos 2 minutos, agregue los calabacines y, al cabo de otros 2 minutos, el tomate triturado con 100 ml del líquido de cocción de los mejillones. Prosiga la cocción durante 4 minutos.

Añada las rodajas de rodaballo y deje que se hagan durante 8 minutos, dándoles la vuelta a la mitad de la cocción. Agregue los mejillones y prosiga la cocción unos 30 segundos.

Saque todo del horno, espolvoree la albahaca y sirva.

MEJILLONES
AL VINO BLANCO

PREPARACIÓN: 25 minutos
COCCIÓN: 13 minutos
REPOSO: –
DIFICULTAD: media

Ingredientes

2 kg de mejillones
50 g de mantequilla
20 g de harina
100 ml de vino blanco
1 limón (el zumo)
4 puerros
2 yemas de huevo
1 cebolla picada
2 dientes de ajo picados
1 cucharada de perejil picado
sal

Limpie con cuidado los mejillones, lávelos bajo el chorro de agua y quíteles las barbas con un cuchillo.

A continuación, limpie los puerros. Quíteles las raíces, las capas externas y la parte verde; lávelos y córtelos en rodajas finas.

Trabaje con un tenedor 30 g de mantequilla con la harina, hasta obtener una mezcla cremosa.

Ponga la mantequilla restante en una fuente de pyrex e introdúzcala sin tapar en el horno a la máxima potencia durante 1 minuto.

Añada los puerros, la cebolla picada, el ajo y el perejil. Sale y prosiga la cocción 5 minutos.

Riegue con el vino y la misma cantidad de agua, lleve a ebullición e incorpore los mejillones para que cuezan 4 minutos, hasta que se abran.

Retire los mejillones con la espumadera, póngalos en una sopera y tápelos para mantenerlos calientes.

Filtre el líquido de cocción y póngalo en un recipiente junto con la mezcla de mantequilla y harina. Introdúzcalo en el horno a media potencia 3 minutos, hasta que comience a espesar. Añada las yemas y el limón, y mezcle con una batidora de mano.

Disponga los mejillones en una fuente, vierta encima la salsa de vino blanco y sirva.

NIDOS DE ALMEJAS Y AGUACATE

PREPARACIÓN: 15 minutos
+ tiempo de purga
COCCIÓN: 2-3 minutos
REPOSO: –
DIFICULTAD: media

Ingredientes

400 g de almejas
4 tomates
medio aguacate
4 cucharadas de aceite de oliva virgen
1 cucharada de perejil picado
1 diente de ajo picado
sal

Disponga las almejas en abundante agua salada y déjelas que purguen durante una hora. Luego lávelas bajo el chorro de agua del grifo y escúrralas.

Pele el aguacate y córtelo en dados.

Lave los tomates, séquelos y quíteles la parte del pedúnculo y un trocito en la base para que se sostengan de pie. Vacíelos y sale el interior.

Abra las almejas con un cuchillo, retire los moluscos, escúrralos y resérvelos en un plato.

Mezcle la mitad del aceite con el ajo en una fuente de pyrex e introdúzcala sin tapar en el horno a la máxima potencia 50 segundos.

Incorpore las almejas y prosiga la cocción 2 minutos, hasta que estén hechas.

Espolvoree el perejil y retire la fuente del horno.

Añada el aguacate, mézclelo bien con las almejas y condimente con el aceite restante. Rellene los tomates con esta mezcla y sirva.

FRUTOS DEL MAR CON TOMATE

PREPARACIÓN: 15 minutos
+ tiempo de purga

COCCIÓN: 10-11 minutos

REPOSO: –

DIFICULTAD: media

Ingredientes

500 g de mejillones

400 g de almejas

400 g de erizos de mar

200 g de navajas

200 ml de tomate triturado

3 cucharadas de aceite de oliva virgen

2 dientes de ajo

1 guindilla

1 cucharada de perejil picado

Un consejo

Al unir el tomate con el líquido de cocción de los mariscos no hace falta añadir sal.

Deje que purguen las almejas, los erizos y las navajas en abundante agua con sal, durante unas horas.

Limpie los mejillones con cuidado, lávelos bajo el chorro de agua del grifo y quíteles las barbas con un cuchillo.

Pele el ajo y píquelo. Corte la guindilla por la mitad en sentido longitudinal.

Escurra el marisco y póngalo en una fuente de pyrex. Tápela e introdúzcala en el horno a la máxima potencia 4 minutos, hasta que se abran las valvas.

Retírelo de la fuente y reserve en un bol el líquido de cocción filtrado.

Ponga el aceite en un recipiente largo y bajo; añada el ajo y la guindilla e introdúzcalo sin tapar en el horno a la máxima potencia 1 minuto.

Incorpore el tomate triturado y 5 cucharadas del líquido de cocción del marisco, y cueza 4 minutos.

Añada a la salsa el marisco, quitando las valvas aproximadamente de la mitad; mezcle y cubra con el perejil picado. Hornee de nuevo 20 segundos y sirva.

Huevos
y tartas
saladas

HUEVAS DE SALMÓN CON CEBOLLINO

PREPARACIÓN: *5 minutos*

COCCIÓN: *5-6 minutos*

REPOSO: *–*

DIFICULTAD: *baja*

Ingredientes

4 cucharadas de huevas de salmón

6 huevos

30 g de mantequilla

10 tallos de cebollino

1 chalote

sal

Un consejo

Esta receta puede ser preparada, además de con el costoso caviar, con huevas de arenque o de mújol.

Lave el cebollino, séquelo, forme un ramito y córtelo en trocitos. Pele el chalote y córtelo en dados.

Ponga la mantequilla en una fuente de pyrex baja e introdúzcala sin tapar en el horno a la máxima potencia unos 40 segundos. Agregue el chalote y cueza 2 minutos más.

Casque los huevos en un bol, bátalos y agregue el cebollino, reservando una cucharadita. Sale y lleve esta mezcla a la fuente con la mantequilla y el chalote.

Cueza 2 minutos y 30 segundos, removiendo enérgicamente con un tenedor cada 20 segundos para obtener una crema al final del tiempo de cocción.

Reparta este preparado en cuencos individuales, y disponga en el centro de cada uno una cucharada de huevas de salmón y una pizca de cebollino picado. Sirva.

Tortilla de jamón y queso

PREPARACIÓN: *10 minutos*
COCCIÓN: *10-11 minutos*
REPOSO: *–*
DIFICULTAD: *baja*

Ingredientes

150 g de queso tierno
100 g de jamón serrano (en lonchas)
40 g de mantequilla
6 huevos
2 cebolletas
sal
pimienta

Pele las cebolletas y quíteles las raíces, las capas más externas y la parte verde; lávelas y córtelas en rodajas.

Corte las lonchas de jamón en tiras que tengan 1 cm de largo, aproximadamente. Corte el queso en lonchas.

Ponga la mantequilla en una fuente redonda de pyrex e introdúzcala en el horno a la máxima potencia sin tapar durante 50 segundos.

Agregue las cebolletas y deje que se hagan 5 minutos más, removiendo dos veces. Añada el jamón, mezcle y prosiga la cocción 1 minuto.

Casque los huevos en un bol, salpiméntelos y bátalos con un tenedor. Llévelos a la fuente de pyrex, remueva y deje que cuaje la tortilla durante 3 minutos.

Disponga las lonchas de queso por encima y prosiga la cocción 1 minuto, hasta que el queso se funda.

Sirva directamente en la fuente.

TORTILLA DE QUESO

PREPARACIÓN: *15 minutos*
COCCIÓN: *3-4 minutos*
REPOSO: *1 minuto*
DIFICULTAD: *baja*

Ingredientes

4 huevos
30 g de brie
30 g de gorgonzola
20 g de mantequilla
sal

Caliente una fuente siguiendo las instrucciones del fabricante.

Mientras, monte las claras a punto de nieve, sálelas y añádalas a las yemas.

Después vierta la mezcla en el centro de la fuente calentada y untada con mantequilla, y extiéndala uniformemente.

Deje cocer en el horno de microondas durante 3 minutos.

Añada los quesos y cueza durante 30 segundos.

Pliegue la tortilla sobre sí misma y déjela reposar durante 1 minuto antes de servirla.

PASTEL A LA FRANCESA

PREPARACIÓN: *10 minutos*
COCCIÓN: *6 minutos*
REPOSO: *3 minutos*
DIFICULTAD: *media*

Ingredientes

4 rebanadas de pan de molde
80 g de emmental
2 huevos
1/4 l de leche
nuez moscada
50 g de mantequilla
sal y pimienta

Primero deje la mantequilla a temperatura ambiente y luego unte el pan con ella.

Corte el queso en trocitos.

Sitúe las rebanadas ligeramente superpuestas en un recipiente de pyrex.

Cúbralas con el queso.

Luego bata los huevos con la leche, sazone con la sal y la pimienta, y condimente con la nuez moscada.

Deje cocer a media potencia unos 6 minutos.

Después deje en reposo durante 3 minutos y sírvalo.

TORTILLA DE SETAS Y TRUFA

PREPARACIÓN: 25 minutos
COCCIÓN: 6-7 minutos
REPOSO: 2 minutos
DIFICULTAD: media

Ingredientes

200 g de setas
6 huevos
4 cucharadas de aceite de oliva virgen
1 trufa negra
1 diente de ajo
sal

Limpie las setas: elimine con un cuchillo los restos de tierra y lávelas cuidadosamente con un paño húmedo; córtelas en láminas.

Pele y machaque el diente de ajo. Pele la trufa, quitando la superficie rugosa, y córtela en dados.

Disponga en un recipiente de pyrex 2 cucharadas de aceite, el ajo y las setas. Sale e introduzca esto sin tapar en el microondas a la máxima potencia 2 minutos y 30 segundos, removiendo dos veces. Deje que se enfríe un poco y retire el ajo.

Casque los huevos en un bol y bátalos. Agregue la trufa y las setas tibias; sale y mezcle.

Con el aceite restante engrase de nuevo el recipiente de cocción de las setas y vierta en él el contenido del bol. Mezcle y deje que se haga con el recipiente sin tapar durante 4 minutos.

Deje que repose la tortilla 2 minutos, desmóldela con cuidado con una espátula y sírvala.

TORTILLA CON ESPÁRRAGOS TRIGUEROS

PREPARACIÓN: *15 minutos*
COCCIÓN: *10 minutos*
REPOSO: –
DIFICULTAD: *media*

Ingredientes

250 g de espárragos trigueros
6 huevos
2 puerros
2 tomates pequeños
4 cucharadas de aceite de oliva virgen
1 diente de ajo picado
sal

Limpie bien los espárragos y quíteles las partes duras.

A continuación, limpie los puerros: quite las raíces, las capas externas y la parte verde; lávelos y córtelos en rodajas.

Lave los tomates, póngalos en una fuente e introdúzcalos en el horno a la máxima potencia 30 segundos. Sáquelos del horno, pélelos, quíteles las semillas y trocéelos.

Disponga en una fuente de pyrex dos cucharadas de aceite, el ajo y los puerros. Introdúzcala sin tapar en el horno a la máxima potencia durante 1 minuto.

Añada los espárragos, sale, riegue con cuatro cucharadas de agua, tape y cueza 4 minutos, hasta que estén tiernos, removiendo una vez. Saque la fuente del horno, vierta el contenido en un plato y deje que enfríe.

Casque los huevos en un bol, agregue los tomates y los espárragos tibios, mezcle y sale.

Ponga el aceite restante en una fuente de pyrex poco honda e introdúzcala, sin tapar, en el horno a la máxima potencia unos 20 segundos.

Agregue la mezcla de huevos y verduras y deje que se haga, sin tapar, 4 minutos. Sirva la tortilla directamente en la fuente de pyrex.

TORTILLA DE CARDOS

PREPARACIÓN: 15 minutos
+ tiempo de cocción de los cardos
COCCIÓN: 12-13 minutos
REPOSO: –
DIFICULTAD: media

Ingredientes

600 g de cardos
40 g de mantequilla
40 g queso grana rallado
6 huevos
sal

Ponga una cazuela al fuego con abundante agua y llévela a ebullición.

Limpie los cardos, quíteles los hilos, lávelos y córtelos en trozos de 10 cm.

Cuando hierva el agua ponga los cardos en la cazuela con 2 cucharaditas de sal y cuézalos 30 minutos. Escúrralos.

Disponga la mantequilla en una fuente de pyrex e introdúzcala en el horno sin tapar a la máxima potencia durante 1 minuto. Añada los cardos y deje que se hagan 8 minutos, removiendo a menudo.

Casque los huevos en un bol. Cubra los cardos con el queso, vierta por encima los huevos batidos, sale y continúe la cocción 3 minutos, hasta que todo esté bien cuajado.

TORTILLA DE CALABACÍN

PREPARACIÓN: 10 minutos
COCCIÓN: 8 minutos
REPOSO: 1 minuto
DIFICULTAD: media

Ingredientes

400 g de calabacines
6 huevos
1 cucharada de perejil picado
1 diente de ajo
1 cucharada de aceite de oliva virgen
sal y pimienta

Frote una bandeja con ajo y úntela con aceite. Disponga los calabacines limpios y cortados en dados pequeños y cueza a máxima potencia durante 4 minutos.

En un bol bata los huevos con perejil y sal y viértalos en la bandeja, mezclando bien. Cueza otros 4 minutos a máxima potencia removiendo a mitad de cocción.

Deje reposar en el horno apagado durante 1 minuto y sirva caliente o fría.

HUEVOS CON ESPÁRRAGOS

PREPARACIÓN: 15 minutos
+ 3 minutos de cocción en el fuego

COCCIÓN: 12 minutos

REPOSO: –

DIFICULTAD: media

Ingredientes

800 g de espárragos
80 g de queso emmental
40 g de mantequilla
4 huevos
1 cebolla
sal

Ponga al fuego una cazuela con abundante agua con sal y llévela a ebullición.

Pele la cebolla y córtela en rodajas. Corte el emmental en lonchas finas.

Limpie los espárragos, quitándoles las partes más duras. Lávelos con cuidado y trocéelos.

Eche los espárragos en el agua hirviendo y cuézalos 3 minutos. Escúrralos y reserve en una taza un poco del agua de cocción.

Ponga la mantequilla en una fuente de pyrex e introdúzcala, sin tapar, en el horno a la máxima potencia 50 segundos. Incorpore la cebolla y deje que se haga unos 2 minutos.

Añada los espárragos, riéguelos con dos cucharadas del agua de cocción, tape y cueza 5 minutos.

Bata los huevos y viértalos sobre los espárragos. Prosiga la cocción 1 minuto y 30 segundos, interrumpiéndola, cada 30 segundos, durante 20 segundos.

Cubra todo con el queso y deje que se haga 30 segundos más. Sirva.

TORTILLA
DE EMMENTAL

PREPARACIÓN: *15 minutos*
COCCIÓN: *4 minutos*
REPOSO: *–*
DIFICULTAD: *baja*

Ingredientes

2 huevos
90 g de emmental
30 g de mantequilla derretida
sal y pimienta negra en grano

Rompa los huevos en una ensaladera, añada el queso emmental rallado, una pizca de sal y abundante pimienta negra.

Luego bata a la perfección con la ayuda de una espátula y deje en reposo.

Vierta la mantequilla y el huevo batido en una fuente de pyrex.

Remueva e introduzca seguidamente el recipiente en el horno de microondas.

Programe el tiempo de cocción del microondas en 4 minutos y regule la potencia del horno al máximo.

Deje que cuaje bien, primero de un lado y después del otro, dándole la vuelta a media cocción.

Saque la tortilla del horno, dóblela en triángulo y sírvala caliente.

HUEVOS REVUELTOS
CON CANGREJO Y QUESO

PREPARACIÓN: *10 minutos*
COCCIÓN: *4 minutos*
REPOSO: *–*
DIFICULTAD: *baja*

Ingredientes

2 huevos
80 g de pulpa de cangrejo
50 g de queso Appenzel rallado
40 g de mantequilla derretida
sal y pimienta

Vierta en un bol los huevos enteros; con un tenedor bátalos bien y añada la mantequilla derretida, la pulpa del cangrejo y el queso.

Salpimiente y mezcle bien; después vierta la mezcla en un recipiente de pyrex con los bordes bajos. Póngalo en el horno de microondas y programe el tiempo de cocción en 2 minutos con la potencia al máximo.

Transcurrido este tiempo, retire la fuente del horno, remueva la mezcla y cueza de nuevo en el horno durante 2 minutos más a la potencia máxima.

CUENCOS DE HUEVO Y TRUFA

Limpie, cepille y lave (sí, lave) las trufas en un vaso de vino blanco seco y luego córtelas en finas láminas.

Unte dos cuencos de barro con aceite y ponga en ellos las trufas en partes iguales alternadas con un poco de margarina.

Sale, aderece con pimienta e introduzca los cuencos en el horno de microondas durante medio minuto con la potencia al máximo.

Saque los cuencos del horno, rompa un huevo en cada cuenco.

Agujeree con un alfiler cada yema, con el objetivo de poder evitar que la presión lo haga estallar.

Reparta la mantequilla sobre los huevos.

Introduzca de nuevo los cuencos en el horno durante 1 minuto a media potencia.

Deje en reposo durante otro minuto con el horno apagado y sirva enseguida.

Huevos y tartas saladas

PREPARACIÓN: *15 minutos*
COCCIÓN: *1-2 minutos*
REPOSO: *1 minuto*
DIFICULTAD: *baja*

Ingredientes

2 huevos
2 trufas pequeñas
40 g de margarina
4 nueces de mantequilla
sal y pimienta

Para limpiar las trufas:

un vaso de vino blanco seco

Huevos y tartas saladas

PREPARACIÓN: 5 minutos
COCCIÓN: 2 minutos
REPOSO: 2-3 minutos
DIFICULTAD: fácil

Ingredientes

3 huevos
100 ml de yogur
5 cucharadas de nata líquida
4 tallos de cebollino
sal
pimienta

PREPARACIÓN: 10 minutos
COCCIÓN: 23 minutos
REPOSO: 2 minutos
DIFICULTAD: media

Ingredientes

750 g de espinacas
2 huevos
30 g de piñones
50 g queso rallado
50 g pan rallado
15 g de mantequilla
sal y pimienta

FLAN DELICADO

Lave el cebollino y píquelo.

Casque los huevos en un bol y agregue el yogur, la nata y el cebollino. Salpimiente al gusto y mezcle.

Distribuya la mezcla en 4 recipientes individuales, cúbralos con papel para horno microondas, e introdúzcalos en el horno a la máxima potencia 2 minutos.

Deje que reposen 2-3 minutos y sirva.

FLAN DE ESPINACAS CON PIÑONES

Hierva las espinacas durante 3 minutos a la potencia máxima.

Escurra las espinacas, estrújelas y bátalas bien.

Añada el pan y el queso.

Incorpore los huevos, removiendo con cuidado; agregue los piñones, sale y aderece ligeramente con pimienta.

Seguidamente, unte con aceite un molde con una capacidad de 3/4 de litro y vierta la mezcla preparada. Déjelo cocer 20 minutos, girando de vez en cuando el molde.

Deje reposar el flan durante 2 minutos en el horno de microondas apagado para luego desmoldarlo en una fuente y servirlo.

PREPARACIÓN: *10 minutos*
COCCIÓN: *9-10 minutos*
REPOSO: *–*
DIFICULTAD: *baja*

Ingredientes

6 huevos
200 g de tupinambo
4 cucharadas de aceite de oliva virgen
1 diente de ajo picado
1 cucharadita de perejil picado
sal

TORTILLA DE TUPINAMBO

Pele, lave y corte en rodajas el tupinambo.

Disponga en una fuente de pyrex la mitad del aceite y el ajo, e introdúzcala sin tapar en el horno a la máxima potencia durante 1 minuto.

Añada el tupinambo, mezcle, sale, tape el recipiente y cueza 4 minutos (hasta que esté tierno), removiendo una vez.

Casque los huevos en un bol, incorpore el tupinambo tibio y el perejil, rectifique la sal y mezcle.

Vierta el aceite restante en un recipiente poco hondo e introdúzcalo sin tapar en el horno a la máxima potencia 20 segundos.

Añada el compuesto de huevos y tupinambo, y cueza sin tapar 4 minutos. Sirva la tortilla bien caliente en el recipiente de cocción.

TARTALETAS DE TRUFA

PREPARACIÓN: *10 minutos*
COCCIÓN: *10-12 minutos*
REPOSO: *5 minutos*
DIFICULTAD: *baja*

Ingredientes

2 yemas de huevo
200 g de masa de hojaldre
200 ml de nata líquida
1 trufa negra
2 lonchas de panceta
sal

Pele la trufa, quitándole la piel rugosa que la cubre y córtela en rodajas muy finas, excepto una parte que cortará en cuatro trozos finos.

Extienda la masa de hojaldre y córtela en cuatro discos con un diámetro de 11-12 cm.

Corte la panceta en sentido longitudinal, para obtener 4 rectángulos. Póngalos en una fuente sin tapar e introdúzcalos en el horno a la máxima potencia 1 minuto y 30 segundos.

Forre 4 moldes de pyrex de un diámetro de 10 cm con papel para horno microondas, y disponga en cada uno un disco de masa, en el que, a su vez, colocará una loncha de panceta.

Bata los huevos con la nata, agregue la trufa cortada en rodajas muy finas, sale y reparta la mezcla en los moldes.

Introduzca los moldes en el horno sin tapar y cueza a la máxima potencia durante 8-10 minutos, hasta que la masa esté cocida.

Deje reposar 5 minutos, adorne con los trocitos de trufa reservados y sirva este plato caliente o tibio.

Huevos en taza con panceta

PREPARACIÓN: 10 minutos
COCCIÓN: 3 minutos
REPOSO: 1 minuto
DIFICULTAD: baja

Ingredientes

2 huevos
60 g de panceta ahumada cortada en dados
sal

En dos tacitas para huevos refractarias individuales distribuya la panceta cortada en dados.

Luego introduzca las tazas en el horno de microondas, programe el tiempo de cocción en 30 segundos y regule al máximo la potencia del horno.

Transcurrido este tiempo, retire los recipientes, sale, rompa los huevos en el interior de las tazas e introdúzcalas de nuevo en el horno.

Programe el tiempo de cocción en 2 minutos y regule la potencia del horno al máximo.

Cuando la cocción haya terminado, deje en reposo durante 1 minuto con el horno apagado y sirva caliente.

TORTILLA DE PATATAS Y PANCETA

PREPARACIÓN: 15 minutos
COCCIÓN: 12-13 minutos
REPOSO: –
DIFICULTAD: media

Ingredientes

70 g de panceta
40 g de mantequilla
6 huevos
1 cebolla pequeña picada
1 patata
sal
pimienta

Lave la patata y, sin pelarla, pínchela en distintos puntos con un palillo. Póngala en un plato y, sin tapar, introdúzcala en el horno a la máxima potencia 4 minutos, hasta que esté cocida. Déjela reposar 4 minutos.

Corte la panceta en tiras finas. Pele la patata y córtela en dados.

Disponga la mantequilla en una fuente de pyrex e introdúzcala sin tapar en el horno de microondas a la máxima potencia 50 segundos.

Añada la cebolla y deje que cueza 2 minutos. Incorpore la panceta y la patata, y prosiga la cocción otro minuto.

Casque los huevos en un bol, salpimiente y bata con un tenedor. Llévelos a la fuente, mezcle y deje que se haga todo unos 4 minutos.

Una vez finalizada la cocción, sirva en la misma fuente.

TORTILLA DE CEBOLLAS

PREPARACIÓN: 10 minutos
COCCIÓN: 10 minutos
REPOSO: 1 minuto
DIFICULTAD: baja

Ingredientes

400 g de cebollas
6 huevos
20 g de leche
20 g de aceite de oliva extra virgen
orégano
sal
pimienta

Se lavan las cebollas y se cortan muy finas.

A continuación, se rocía con aceite una fuente y se ponen en ella las cebollas y el orégano.

Se introduce la fuente en el horno y se cuece durante 5 minutos.

Mientras tanto, se baten los huevos con la leche. Después, se saca el recipiente del horno, se vierte la mezcla sobre las cebollas y se deja que cueza todo durante 3 minutos.

Se remueven bien las cebollas y se cuece otros 2 minutos.

Se deja que repose durante 1 minuto.

Finalmente, se enciende el grill y se dora la tortilla.

QUICHE AL SALMÓN

PREPARACIÓN: 10 minutos
COCCIÓN: 21 minutos
REPOSO: 5-6 minutos
DIFICULTAD: baja

Ingredientes

150 g de miga de pan
50 g de mantequilla
90 g de camarones pelados
60 g de salmón ahumado en lonchas
2 cucharaditas de hojas de eneldo picadas
1 huevo
1/2 vaso de nata líquida
queso para fundir en lonchas
sal y pimienta

Funda la mantequilla en un bol. Bata la miga de pan con la mantequilla y cubra con esto el interior de un molde redondo de pyrex, de aproximadamente, 22 cm de diámetro.

Casque el huevo en un tazón y, tras batirlo ligeramente con un tenedor, incorpore la nata líquida.

Rectifique la sal y la pimienta y remueva de nuevo.

Después vierta una parte de la mezcla sobre la pasta base, cubra con algunas lonchas de salmón y vierta más mezcla. Añada una loncha de queso para fundir, algunos camarones y eche un poco más de mezcla. Finalmente, ponga una loncha de salmón ahumado.

Espolvoree con el eneldo picado e introduzca el plato en el horno durante 21 minutos a media potencia. Por último, déjelo reposar durante 5 o 6 minutos.

Quiche «Plaine du Rhône»

Funda 50 g de mantequilla en un bol. Mézclela con el pan y cubra con esto el interior de un molde redondo de pyrex de, aproximadamente, 22 cm de diámetro.

Pele y corte las cebolletas en aros y luego póngalos en una cazuela refractaria con la mantequilla restante.

Introduzca el recipiente en el horno de microondas durante 2 minutos y regule la potencia al máximo.

Retire, incorpore el lardo picado a la cebolleta, espolvoree con la pimienta, aderece con sal y un poco de nuez moscada.

Después introduzca en el horno 2 minutos más a media potencia.

A continuación, vierta el preparado sobre la pasta base y después incorpore el queso desmenuzado y los tomates cortados en trocitos.

Añada, finalmente, el huevo mezclado con la nata líquida.

Después hornee una última vez durante 14 minutos con la potencia del horno al máximo.

Cuando la cocción haya terminado, deje en reposo con el horno apagado 7 minutos y sirva a continuación.

PREPARACIÓN: *10 minutos*
COCCIÓN: *18 minutos*
REPOSO: *7 minutos*
DIFICULTAD: *baja*

Ingredientes

150 g de miga de pan
65 g de mantequilla
20 g de lardo ahumado y picado
40 g de queso
1/2 vaso de nata líquida
2 tomates sin piel
3 cebolletas
1 huevo
nuez moscada
sal y pimienta

TORTILLA DE FLORES DE CALABACÍN

PREPARACIÓN: 5 minutos
COCCIÓN: 9 minutos
REPOSO: 3 minutos
DIFICULTAD: media

Ingredientes

8 flores de calabacín
2 cucharadas de aceite de oliva virgen
6 huevos
1 diente de ajo
1 cucharadita de mejorana picada
sal

Limpie las flores de calabacín, quitando el pistilo y los filamentos externos; lávelas con un trapo húmedo y córtelas por la mitad en sentido longitudinal. Pele y aplaste el diente de ajo.

Disponga en un recipiente de pyrex el aceite, el ajo y las flores de calabacín, e introdúzcalo en el horno a la máxima potencia 3 minutos. Retire el ajo y aplaste las flores con una cuchara de madera.

En un bol, bata los huevos con la mejorana; sazone.

Vierta los huevos en el recipiente de pyrex con las flores de calabacín, mezcle y tape; cueza a la máxima potencia 6 minutos.

Deje que repose 3 minutos y sirva.

Huevos y tartas saladas

PREPARACIÓN: *10 minutos*
COCCIÓN: *9 minutos*
REPOSO: *2 minutos*
DIFICULTAD: *media*

Ingredientes

6 huevos
1 berenjena grande
4 cucharadas de aceite de oliva virgen
sal

TORTILLA DE BERENJENA

Lave la berenjena y córtela en dados de medio centímetro.

Ponga 2 cucharadas de aceite en una fuente de pyrex baja, agregue la berenjena y sale. Tape y cueza en el horno a la máxima potencia 3 minutos, removiendo una vez.

Destape y continúe la cocción 2 minutos más, removiendo de nuevo.

Retire la berenjena del horno y dispóngala en un plato para que se enfríe rápidamente.

Casque los huevos en un bol, bátalos, añada la berenjena fría, sale y mezcle.

Unte la fuente de pyrex con el aceite restante, vierta la mezcla y remueva. Introdúzcala sin tapar en el horno a la máxima potencia durante 4 minutos.

Deje que repose 2 minutos y luego, ayudándose con una espátula, saque la tortilla y colóquela sin darle la vuelta en una fuente. Sírvala fría o caliente.

TORTILLA
DE PIMIENTOS

PREPARACIÓN: 10 minutos
COCCIÓN: 11-12 minutos
REPOSO: 2 minutos
DIFICULTAD: media

Ingredientes

1 pimiento rojo
6 huevos
4 cucharadas de aceite de oliva virgen
1 cucharada de nata
1 cebolla
sal

Un consejo

Esta tortilla resulta muy apetitosa también fría.

Pele y corte en rodajas la cebolla. Limpie el pimiento: quítele el tallo, las semillas y los filamentos blancos internos; lávelo, séquelo y córtelo en tiras.

Disponga en un recipiente de pyrex 2 cucharadas de aceite, la cebolla, el pimiento, 2 cucharadas de agua y una pizca de sal, e introdúzcalo sin tapar en el horno a la máxima potencia durante 8 minutos.

Saque el recipiente del horno y deje que enfríe.

Ponga los huevos y la nata en un bol, sale y bata con un tenedor. Agregue los pimientos y la cebolla, y mezcle bien.

Unte un recipiente bajo para microondas con el aceite restante, vierta la mezcla y, sin tapar, cueza en el horno a la máxima potencia 3 minutos y 30 segundos.

Deje que repose la tortilla 2 minutos y sirva.

Quiche Valdostana

PREPARACIÓN: 15 minutos

COCCIÓN: 17 minutos

REPOSO: 5-6 minutos

DIFICULTAD: media

Ingredientes

150 g de miga de pan

50 g de mantequilla

120 g de champiñones

30 g de queso de cabra en lonchas

25 g de queso para fundir

2 huevos

1/2 vaso de nata líquida

1/2 vaso de leche

sal y pimienta

Funda la mantequilla en un bol, mézclela con el pan y cubra con este preparado el interior de un molde redondo de pyrex de, aproximadamente, 22 cm de diámetro.

En el molde que contiene la pasta ya lista, disponga las lonchas de queso en capas, alternándolas con champiñones pelados, lavados, escurridos, cortados en láminas y espolvoreados con pimienta.

Luego introduzca el recipiente en el horno de microondas, programe el tiempo de cocción en 3 minutos y regule la potencia del horno al máximo.

Mientras tanto, bata en un cuenco los huevos; incorpore la nata líquida y el queso para fundir desmenuzado y riegue con la leche.

A continuación, aderece con sal y mezcle con cuidado.

Cuando los champiñones estén cocidos, retírelos del horno y rocíelos con la mezcla preparada.

Después introduzca una vez más en el horno: prográmelo durante 14 minutos y regule la potencia máxima.

Gire el molde un cuarto de vuelta en cada cuarto del tiempo de cocción.

Cuando la quiche esté cocida (cuando pinche con un tenedor el centro de la quiche, este debe salir limpio), retírela del horno y déjela en reposo 5 o 6 minutos; luego sírvala.

Quiche vallesana

Funda la mantequilla en un bol, mézclela con el pan y cubra con este preparado el interior de un molde redondo de pyrex de, aproximadamente, 22 cm de diámetro.

Pele y lave los puerros e introdúzcalos en un recipiente de cristal con los bordes altos que contenga agua salada hirviendo.

Ponga el recipiente en el horno, programe el tiempo de cocción en 5 minutos y regule la potencia del horno al máximo.

Transcurrido este tiempo, retire la fuente del horno, escurra los puerros y córtelos.

Luego reparta los puerros y el lardo picado sobre la pasta base.

A continuación, bata el huevo, añada la nata líquida y el queso rallado.

Riegue con la leche, salpimiente y aderece con la nuez moscada.

Después mezcle bien y ponga a cocer en el horno de microondas durante 4 minutos a media potencia.

Retire del horno y viértalo todo sobre el contenido de la pasta base.

Introduzca de nuevo el molde en el horno. Programe el tiempo de cocción en 12 minutos y regule la potencia del horno al máximo.

Recuerde que debe girar el molde para que el relleno pueda cocerse de modo uniforme y luego dejar que repose la quiche durante 5 minutos antes de cortarla.

PREPARACIÓN: 21 minutos
COCCIÓN: 21 minutos
REPOSO: 5 minutos
DIFICULTAD: media

Ingredientes

150 g de miga de pan
50 g de mantequilla
20 g de lardo ahumado
30 g de queso suizo rallado
1 huevo
1/2 vaso de nata líquida
1/2 vaso de leche
2 puerros
nuez moscada
agua hirviendo
sal y pimienta

Huevos y tartas saladas

PREPARACIÓN: *5 minutos*
COCCIÓN: *5-6 minutos*
REPOSO: –
DIFICULTAD: *media*

Ingredientes

300 g de calamares
4 cucharadas de aceite de oliva virgen
6 huevos
1 diente de ajo picado
1 cucharadita de perejil picado
sal

HUEVOS REVUELTOS CON CALAMARES

Limpie los calamares; quíteles la concha interna transparente, la boca en forma de pico y los ojos. Después lávelos y quíteles la piel.

Ponga en una fuente de pyrex el aceite y el ajo, e introdúzcala sin tapar en el horno a la máxima potencia 1 minuto.

Agregue los calamares y prosiga la cocción 1 minuto y 30 segundos.

Bata los huevos en un bol, sálelos, llévelos a la fuente de pyrex y espolvoree el perejil.

Mezcle y prosiga la cocción en el horno 3 minutos, removiendo con una cuchara de madera cada 30 segundos.

Retire del horno y sirva directamente en la fuente de pyrex.

TORTILLA DE HIGADITOS Y CEBOLLA

PREPARACIÓN: 10 minutos

COCCIÓN: 10-11 minutos

REPOSO: 2 minutos

DIFICULTAD: media

Ingredientes

200 g de hígados de pollo
40 g de mantequilla
2 cucharadas de zumo de naranja
6 huevos
2 cebollas
1 ramita de tomillo picado
sal

Limpie los hígados, lávelos y córtelos en trozos gruesos. Pele la cebolla y córtela en rodajas finas.

Disponga 20 g de mantequilla en una fuente de pyrex y llévela sin tapar al horno a la máxima potencia 50 segundos. Agregue las cebollas y el tomillo; tape y cueza 2 minutos más.

Añada a la fuente los hígados bañados con el zumo de naranja, y prosiga la cocción 3 minutos. Retire del horno y deje enfriar.

Casque los huevos en un bol y bátalos con un tenedor. Sazónelos y, a continuación, agregue los hígados con la cebolla, removiendo todo para mezclarlo bien.

Disponga los 20 g de mantequilla restantes en un recipiente e introdúzcalo en el horno a la máxima potencia 1 minuto. Incorpore la mezcla de huevos, hígado y cebollas. Cueza 3 minutos y 30 segundos.

Deje reposar 2 minutos y sirva directamente en el recipiente de cocción.

Huevos con jamón

PREPARACIÓN: *10 minutos*
COCCIÓN: *8 minutos*
REPOSO: *2 minutos*
DIFICULTAD: *baja*

Ingredientes

200 g de queso tierno
100 g de jamón serrano
20 g de mantequilla
4 huevos
2 patatas
sal

Lave la patata sin pelarla, agujeréela en varios puntos con un palillo, y hornéela poniéndole por encima una hoja de papel para horno de microondas.

Cuézala a la máxima potencia 6 minutos, dándole la vuelta dos veces.

Sáquela del horno y enfríela bajo el chorro de agua del grifo. Séquela con un paño, pélela y córtela en rodajas.

Corte en lonchas el queso.

Unte con mantequilla una fuente de pyrex y disponga una capa de patatas; sazone.

Cubra la primera capa con las lonchas de queso, el jamón y las patatas restantes.

Sobre la segunda capa, disponga los huevos, cascándolos con cuidado para que no se rompan las yemas; agujeree estas en tres puntos con un palillo.

Deje que se haga todo con el recipiente destapado durante 2 minutos a la máxima potencia, interrumpiendo la cocción cada 30 segundos y dejando que repose otros tantos segundos antes de volver a encender el horno.

Una vez finalizada la cocción, sale, deje que repose con el horno apagado 2 minutos y sirva.

Huevos revueltos con verduras

PREPARACIÓN: 15 minutos
COCCIÓN: 8-9 minutos
REPOSO: 1 minuto
DIFICULTAD: media

Ingredientes

150 g de pulpa de tomate
150 ml de nata
20 g de mantequilla
1 pimiento verde
5 huevos
1 cebolla pequeña
sal
pimienta

Disponga un tercio de la mantequilla con la cebolla picada y la pulpa de tomate en un bol y cueza a la máxima potencia 3 minutos; salpimiente.

En una fuente de pyrex caliente el resto de la mantequilla y la nata, e introdúzcala en el horno a la máxima potencia unos 20 segundos.

Agregue los huevos, bata con una pizca de sal y cueza 5 minutos removiendo dos veces. Deje que repose 1 minuto.

Disponga sobre los huevos la salsa de tomate, adorne con los pimientos y caliente todo 45 segundos a la máxima potencia. Sirva.

PREPARACIÓN: *23 minutos*
COCCIÓN: *16 minutos*
REPOSO: *5 minutos*
DIFICULTAD: *media*

Ingredientes

150 g de miga de pan
50 g de mantequilla
2 cebollas
15 g de lardo
1 huevo
1/2 vaso de nata
1/2 vaso de leche
1 cucharada de semillas
  de comino en polvo
nuez moscada
aceite de oliva
harina
sal y pimienta

QUICHE DE CEBOLLA

Funda la mantequilla en un bol, mézclela con el pan y cubra con este preparado el interior de un molde redondo de pyrex de, aproximadamente, 22 cm de diámetro.

Pele y corte en juliana las cebollas y, luego, póngalas en un recipiente refractario con algunas cucharadas de aceite.

Después introduzca el recipiente en el horno de microondas 2 minutos y regule la potencia del horno al máximo.

Retire y deje enfriar.

Mientras tanto, bata en un bol el huevo y, después, añada el comino y una cucharada de harina.

Cuando obtenga una mezcla lisa, dilúyala con la leche, que verterá poco a poco.

Mezcle bien y agregue la nata líquida; aderece con una pizca de sal y pimienta.

Espolvoree con un poco de nuez moscada y deje que repose.

Por último, trinche bien el lardo y después distribúyalo junto a las cebollas sobre la pasta base.

Vierta el contenido del bol y cueza en el horno de microondas a la potencia máxima durante 14 minutos.

QUICHE DE MENTA Y CALABACÍN

Funda 50 g de la mantequilla en un bol, mézclala con el pan y cubra con este preparado el interior de un molde redondo de pyrex de, aproximadamente, 22 cm de diámetro.

Lave y despunte los calabacines; córtelos en rodajas y póngalas en una cazuela de pyrex con la mantequilla restante.

Introduzca el recipiente en el horno de microondas durante 3 minutos y regule la potencia al máximo.

Después retire del horno, condimente con sal y pimienta, mezcle bien y vierta el contenido sobre la pasta base.

A continuación, bata en un bol los huevos, a los que incorporará la nata líquida, la leche y una pizca de sal.

Cubra con esta mezcla los calabacines, espolvoree con las hojas de menta lavadas y ponga el molde en el horno de microondas.

Cueza durante 12 minutos y regule la potencia del horno al máximo.

Al final de la cocción, deje en reposo durante 4 minutos y sirva.

PREPARACIÓN: 15 minutos
COCCIÓN: 15 minutos
REPOSO: 4 minutos
DIFICULTAD: media

Ingredientes

150 g de miga de pan
65 g de mantequilla
3 calabacines
3 hojas de menta
2 huevos
1/2 vaso de nata líquida
1/2 vaso de leche
sal y pimienta

HUEVOS CON CHALOTE

PREPARACIÓN: 5 minutos
COCCIÓN: 1-2 minutos
REPOSO: 1 minuto
DIFICULTAD: baja

Ingredientes

160 g de mantequilla
8 huevos
2 chalotes
sal

Pele los chalotes, píquelos finamente y póchelos en una cazuela con 80 g de mantequilla.

Ponga en una fuente de pyrex la mantequilla restante e introdúzcala en el horno a la máxima potencia 30 segundos.

Casque los huevos en la fuente, con cuidado para que no se rompan las yemas; agujeree estas con un palillo en 3-4 puntos. Tape e introduzca la fuente en el horno a la máxima potencia durante 50 segundos.

Retire la fuente del horno y sale. Disponga sobre los huevos la mantequilla con el chalote, deje reposar 1 minuto y sirva.

HUEVOS
CON ESPINACAS

PREPARACIÓN: *10 minutos*

COCCIÓN: *5-6 minutos*

REPOSO: *–*

DIFICULTAD: *baja*

Ingredientes

500 g de espinacas

30 g de mantequilla

8 huevos

sal

Lave cuidadosamente las espinacas. Póngalas húmedas en un recipiente con la mantequilla troceada.

Sale ligeramente, tape y cueza en el horno a la máxima potencia 4 minutos, removiendo una vez.

Si las espinacas soltaran mucha agua, destape el recipiente durante el último minuto de cocción.

Con una cuchara, forme ocho agujeros y vierta un huevo en cada uno. Agujeree las yemas con un palillo.

Vuelva a introducir todo en el horno durante 1 minuto y 20 segundos, vigilando que los huevos se hagan a su gusto.

Durante la cocción, apague el horno cada 20 segundos, dejando reposar todo otros tantos segundos antes de volver a encenderlo.

Retire el recipiente del horno, rectifique la sal y sirva en platos individuales.

CAZUELITA
DE BERZA

PREPARACIÓN: 15 minutos
COCCIÓN: 13 minutos
REPOSO: 2 minutos
DIFICULTAD: media

Ingredientes

1/2 berza
100 g de salchichas
3 cucharadas de aceite de oliva virgen
6 huevos
1 cebolla pequeña
sal

Limpie la berza y quítele las hojas externas, el troncho y los nervios más duros de las hojas, y córtelas en tiras.

Pele la cebolla y córtela en dados.

Pinche las salchichas con un palillo y sumérjalas 2 minutos en agua hirviendo. Escúrralas y córtelas en trozos de 2 cm.

Bata los huevos en un bol y sazónelos.

Disponga el aceite y la cebolla en una fuente de pyrex e introdúzcala sin tapar en el horno a la máxima potencia durante 1 minuto y 30 segundos.

Añada la berza, sale y riegue con 2 cucharadas de agua. Tape y deje que cueza 4 minutos, removiendo una vez.

Destape y prosiga la cocción 2 minutos; vuelva a remover.

Agregue las salchichas; continúe la cocción 2 minutos más y remueva de nuevo.

Vierta los huevos batidos en la fuente de pyrex y prosiga la cocción 3 minutos y 30 segundos, removiendo dos veces.

Deje que repose 2 minutos y sirva.

Verduras y guarniciones

BRÉCOL
A LA ITALIANA

PREPARACIÓN: *15 minutos*
COCCIÓN: *12-13 minutos*
REPOSO: *2 minutos*
DIFICULTAD: *media*

Ingredientes

600 g de brécol
4 tomates
1 pimiento
2 filetes de anchoas en aceite
2 dientes de ajo
4 cucharadas de aceite de oliva virgen
sal

Ponga una cazuela al fuego con abundante agua y llévela a ebullición.

Limpie el brécol, quitando los tallos más duros; divídalo en ramitas y lávelo.

Corte en trocitos los filetes de anchoa. Pele y machaque el ajo.

Lave el pimiento y córtelo por la mitad en sentido longitudinal.

Sale el agua que está hirviendo en el fuego y cueza el brécol unos 2 minutos. Escúrralo.

Lave los tomates, póngalos en una fuente e introdúzcalos en el horno a la máxima potencia 30 segundos. Sáquelos, pélelos, quíteles las semillas y trocéelos.

Disponga en una fuente de pyrex el aceite, el ajo y el pimiento, e introdúzcala destapada en el horno a la máxima potencia 1 minuto.

Agregue los tomates, sale y prosiga la cocción unos 5 minutos, removiendo dos veces.

Añada los filetes de anchoa y el brécol, y retire el ajo. Tape y cueza 4 minutos más, removiendo una vez.

Deje reposar la fuente en el horno apagado 2 minutos y sirva.

ALCACHOFAS A LAS HIERBAS AROMÁTICAS

PREPARACIÓN: 20 minutos
COCCIÓN: 10 minutos
REPOSO: 2 minutos
DIFICULTAD: media

Ingredientes

8 alcachofas
5 cucharadas de caldo vegetal
4 cucharadas de aceite de oliva virgen
1 chalote
5 tallos de cebollino
1 cucharada de tomillo, albahaca, mejorana y perejil picados
sal
pimienta

Limpie las alcachofas: quíteles las hojas más duras, el tallo, la punta y la pelusilla interna. Córtelas en cuartos y sumerja estos en agua acidulada.

A continuación, pele el chalote y córtelo en rodajas finas.

Limpie el cebollino con un trapo húmedo y píquelo.

Disponga en un recipiente de pyrex 2 cucharadas de aceite y el chalote. Seguidamente, introdúzcalo sin tapar en el horno de microondas a la máxima potencia 2 minutos.

Añada las alcachofas, salpimiente y riegue con el caldo. Prosiga la cocción unos 8 minutos más.

Incorpore las hierbas aromáticas y el aceite restante, tape y deje que repose durante 2 minutos.

ACHICORIA CON ANCHOAS

PREPARACIÓN: 15 minutos
COCCIÓN: 11 minutos
REPOSO: –
DIFICULTAD: media

Ingredientes

1 achicoria
8 champiñones pequeños
2 chalotes
1 diente de ajo picado
1/2 pimiento rojo
4 aceitunas verdes deshuesadas
4 filetes de anchoas en aceite
4 cucharadas de aceite de oliva virgen
sal

Lave bien la achicoria y separe las hojas y los brotes. Lávela y córtela en trozos de 2 cm.

Limpie el pimiento, quítele las pepitas y las membranas blancas internas; después, lávelo y córtelo en tiras.

Pele, lave y corte por la mitad los chalotes. Corte las aceitunas en cuatro trozos. Desmenuce los filetes de anchoa.

Lave los champiñones, quíteles con un cuchillo los restos de tierra, límpielos con cuidado con un trapo húmedo y córtelos por la mitad.

Disponga en una fuente de pyrex 2 cucharadas de aceite con el ajo e introdúzcala sin tapar en el horno a la máxima potencia 1 minuto.

Añada el pimiento y la achicoria, y prosiga la cocción 2 minutos más.

Junte todos los ingredientes, excepto el aceite; sale y cueza en el horno 8 minutos, removiendo a menudo. Si se secara demasiado, tape la fuente.

Una vez finalizada la cocción, incorpore el aceite restante y sirva el plato caliente o a temperatura ambiente.

CHAMPIÑONES AL AZAFRÁN

PREPARACIÓN: 15 minutos
COCCIÓN: 12 minutos
REPOSO: 2-3 minutos
DIFICULTAD: media

Ingredientes

400 g de champiñones
20 g de mantequilla
4 cucharadas de nata líquida
2 cucharadas de jerez
1 cebolla
1/2 sobrecito de azafrán
1/2 cucharadita de pimentón dulce
sal

Pele la cebolla y, a continuación, córtela en rodajas finas.

Limpie los champiñones y quite con un cuchillo los restos de tierra; lávelos con cuidado con un paño húmedo y córtelos en trozos.

Disponga la mantequilla en una fuente de pyrex e introdúzcala sin tapar en el horno de microondas a la máxima potencia 50 segundos.

Seguidamente, agregue la cebolla y prosiga la cocción durante 3 minutos.

Incorpore el azafrán, el pimentón y el jerez, y cueza unos 2 minutos.

Agregue los champiñones y continúe la cocción 4 minutos. Vierta la nata y cueza 2 minutos más.

Deje que repose todo unos 2-3 minutos y sirva.

PIMIENTOS PICANTES

PREPARACIÓN: 10 minutos
COCCIÓN: 9 minutos
REPOSO: –
DIFICULTAD: media

Ingredientes

1 pimiento rojo
1 pimiento amarillo
1 tomate
100 ml de aceite de oliva virgen
1 cucharada de vinagre balsámico
6 guindillas
2 filetes de anchoas en aceite
3 dientes de ajo
1 cardamomo
1 cucharadita de semillas de cilantro
1 cucharadita de semillas de comino
1 cucharadita de azúcar
sal

Un consejo

Si prefiere una salsa más espesa, destape la fuente 2 minutos antes de finalizar la cocción.

Pele el ajo, pique 2 dientes y corte en trocitos el tercero.

Quite a los pimientos el tallo, las semillas y los filamentos blancos internos, y córtelos en tiras.

Corte en trozos gruesos las guindillas. Pele el tomate y píquelo. Recoja las semillas del cardamomo. Aplaste un poco las semillas del cilantro.

Disponga en un recipiente de pyrex el diente de ajo troceado, 2 cucharadas de aceite y los pimientos; sale, tape e introdúzcalo en el horno a la máxima potencia 7 minutos. Saque el recipiente del horno.

Disponga en un bol las guindillas, el tomate, el cardamomo, el cilantro, los ajos picados, los filetes de anchoa, el comino, el vinagre balsámico, el azúcar y el aceite restante.

Sale, tape con papel para microondas y llévelo al horno a la máxima potencia durante 2 minutos, removiendo a la mitad de la cocción.

Agregue la salsa así obtenida a los pimientos, remueva y sirva el plato caliente o frío, según lo desee.

NABOS SABROSOS

PREPARACIÓN: *10 minutos*
+ tiempo de cocción en el fuego
COCCIÓN: *7 minutos*
REPOSO: *2 minutos*
DIFICULTAD: *baja*

Ingredientes

500 g de nabos
4 cucharadas de aceite de oliva
1 cucharada de tomate concentrado
2 filetes de anchoas en aceite
1 diente de ajo picado
1 cucharada de alcaparras
sal

Ponga una cazuela al fuego con abundante agua con sal y llévela a ebullición.

Pele los nabos y lávelos; introdúzcalos en el agua hirviendo y cuézalos durante 5 minutos.

Escúrralos y córtelos en rodajas de medio centímetro de grosor.

Desmenuce los filetes de anchoas y quite el exceso de sal de las alcaparras enjuagándolas bajo el chorro de agua del grifo.

Diluya el concentrado de tomate añadiendo 5 cucharadas de agua.

Ponga el aceite y el ajo en una fuente de pyrex de paredes bajas y llévela sin tapar al horno a la máxima potencia 1 minuto.

Añada las anchoas, las alcaparras y el concentrado de tomate diluido. Cueza en el horno con el recipiente tapado 2 minutos.

Agregue los nabos, sale ligeramente y cueza 4 minutos más. Deje que repose todo con el horno apagado 2 minutos y sirva.

HABAS CON PANCETA

PREPARACIÓN: 15 minutos
COCCIÓN: 12 minutos
REPOSO: 2 minutos
DIFICULTAD: baja

Ingredientes

600 g de habas desgranadas
60 g de panceta
4 cucharadas de vino blanco
2 cucharadas de aceite de oliva virgen
1 diente de ajo picado
1 cucharada de perejil picado
sal

Corte la panceta en dados.

Ponga el aceite y la panceta en una fuente de pyrex e introdúzcala sin tapar en el horno de microondas a la máxima potencia 2 minutos, hasta que la panceta esté crujiente.

A continuación, retírela de la fuente y resérvela al calor.

Ponga en la fuente el ajo y, una vez transcurrido 1 minuto de cocción, añada las habas.

Riegue con el vino, sale, tape y deje que cueza 8 minutos, hasta que las habas estén bien hechas, removiendo un par de veces.

Añada el perejil, remueva y deje que repose 2 minutos.

Lleve todo a una fuente de servir o a platos individuales, y adorne con la panceta antes de servir.

ESPÁRRAGOS GRATINADOS

PREPARACIÓN: *15 minutos*
COCCIÓN: *13-14 minutos*
REPOSO: *–*
DIFICULTAD: *media*

Ingredientes

1 kg de espárragos
60 g de jamón cocido cortado grueso
80 g de emmental
20 g de mantequilla
1 diente de ajo picado
sal

Limpie los espárragos y quíteles bien las partes duras. Lávelos, sumergiéndolos primero en agua y luego pasándolos bajo el chorro de agua del grifo. Déjelos escurrir un rato.

Corte el queso en lonchas.

Ponga la mantequilla en una fuente de pyrex e introdúzcala sin tapar en el horno a la máxima potencia 50 segundos.

Agregue el ajo y continúe la cocción durante 1 minuto.

Incorpore los espárragos, sale, riegue con 3 cucharadas de agua, tape y deje que cuezan 10-12 minutos. Vigile el tiempo de cocción, porque puede variar según el grosor de los espárragos.

Disponga sobre los espárragos el jamón y cueza 30 segundos.

Cubra con el queso y prosiga la cocción con el recipiente tapado 30 segundos.

Sirva enseguida.

ENDIBIAS CON SALSA DE JAMÓN

PREPARACIÓN: *15 minutos*
COCCIÓN: *9-10 minutos*
REPOSO: *–*
DIFICULTAD: *media*

Ingredientes

4 endibias
60 g de mantequilla
1 loncha de jamón cocido
1 huevo cocido
2 cucharadas de pan rallado
el zumo de medio limón
1 ramita de perejil
sal
pimienta

Lave las endibias, dispóngalas en un recipiente y tápelo. Introdúzcalo en el horno de microondas a la máxima potencia durante 8 minutos; compruebe que, una vez transcurrido este tiempo, están en su punto.

Escúrralas y resérvelas al calor en una fuente.

Lave el perejil y píquelo finamente junto con el huevo y el jamón.

Disponga la mantequilla en una fuente de pyrex y llévela al horno a la máxima potencia 1 minuto, sin tapar.

Añada la picada y el pan rallado, y deje que se haga 1 minuto.

Salpimiente, incorpore el zumo de limón y prosiga la cocción 40 segundos a media potencia.

Remueva bien la salsa, viértala sobre las endibias calientes y sirva.

BERENJENAS CON MAYONESA

PREPARACIÓN: 15 minutos
COCCIÓN: 11 minutos
REPOSO: 2 minutos
DIFICULTAD: baja

Ingredientes

500 g de berenjenas
1 vaso de caldo vegetal
sal y pimienta

Pele las berenjenas, lávelas y córtelas en rodajas de un centímetro de grueso.

Vierta en un recipiente el caldo, sumerja las berenjenas y sale ligeramente.

Disponga el recipiente en el plato giratorio, deje cocer combinando grill y microondas y programe la potencia al máximo durante 11 minutos.

Cuando la cocción haya terminado, deje en reposo durante 2 minutos en el horno apagado y sirva.

AVENA EN TERRACOTA

PREPARACIÓN: 15 minutos
COCCIÓN: 30 minutos
REPOSO: –
DIFICULTAD: baja

Ingredientes

40 g de copos de avena
1 apio
1/2 cebolla
1/2 zanahoria
1/2 cucharada de aceite de oliva virgen
1 cucharadita de perejil picado
1 cucharadita de nata líquida
agua caliente
sal

Monde, lave y trinche las verduras en trozos no muy finos.

Luego póngalas en una cazuela honda de barro en la que debe añadir el agua, la sal y los copos de avena.

Introduzca el recipiente en el horno y haga cocer 30 minutos a alta potencia.

Extraiga el recipiente del horno, añada la nata líquida, riegue con el aceite y espolvoree con el perejil picado.

Sirva a continuación.

SETAS
AL HORNO

Limpie las setas, con cuidado, con un paño húmedo y córteles el pie.

Luego pele el ajo y pique la cebolla, no muy finamente, junto con el perejil lavado y el apio raspado y trinchado.

Introduzca en la batidora la picada con los pies de las setas y un poco de aceite; luego bata hasta obtener una mezcla homogénea.

Ponga el preparado en una cazuela de cristal, previamente untada con mantequilla, e introdúzcala en el microondas durante 2 minutos a media potencia.

Saque del horno y rellene con la mezcla el sombrero de las setas; agujeree un poco las láminas, adrece con una pizca de sal y disponga en una cazuela.

Introduzca de nuevo en el horno durante 3 minutos y deje cocer con la potencia al máximo.

Cuando la cocción haya terminado, deje en reposo durante 1 minuto con el horno apagado y sirva enseguida.

PREPARACIÓN: *20 minutos*
COCCIÓN: *5 minutos*
REPOSO: *1 minuto*
DIFICULTAD: *baja*

Ingredientes

4 setas grandes
30 g de mantequilla
1 manojo de perejil
1 cebolla
1 diente de ajo
1 tallo de apio
aceite de oliva virgen

ZANAHORIAS AL PEREJIL

PREPARACIÓN: *5 minutos*
COCCIÓN: *11 minutos*
REPOSO: *2 minutos*
DIFICULTAD: *fácil*

Ingredientes

500 g de zanahorias
50 g de mantequilla
200 ml de nata
1 chalote
2 cucharadas de perejil picado
sal y pimienta

Pele las zanahorias, lávelas y córtelas en rodajas no muy gruesas.

Pele y corte en rodajas el chalote.

Disponga las zanahorias y el chalote, una vez cortados, junto con la mantequilla y cuatro o cinco cucharadas de agua en una fuente de pyrex que tenga los bordes altos.

Tápela e introdúzcala en el horno de microondas a la máxima potencia durante 10 minutos.

A continuación, agregue la nata y cueza otro minuto o más.

Destape, salpimiente y añada el perejil, picado previamente.

Deje que repose 2 minutos antes de servir.

COLIFLOR CON QUESO Y ACEITUNAS

PREPARACIÓN: 10 minutos
COCCIÓN: 9 minutos
REPOSO: 2 minutos
DIFICULTAD: media

Ingredientes

1 coliflor pequeña
150 g de queso emmental
80 g de aceitunas verdes deshuesadas
6 cucharadas de aceite de oliva virgen
sal y pimienta

Después de separar la coliflor en ramilletes, lávelos, séquelos y dispóngalos en una bandeja de pyrex.

Introdúzcala en el horno de microondas y cueza a la máxima potencia durante 4 minutos.

En un recipiente adecuado para el grill acomode la coliflor junto con las aceitunas cortadas y el queso. Seguidamente, aderece con un poco de aceite, sal y pimienta.

A continuación, cueza a la máxima potencia y con el grill durante 5 minutos.

Deje reposar durante 2 minutos y sirva.

COLIFLOR
CON SALSA PICANTE

PREPARACIÓN: 25 minutos
COCCIÓN: 17 minutos
REPOSO: 1 minuto para la salsa
DIFICULTAD: media

Ingredientes

1 coliflor
20 g de mantequilla
1 cucharada de concentrado de tomate
2 cucharadas de queso grana rallado
1 diente de ajo picado

Para la salsa

50 g de harina
60 g de mantequilla
50 g de queso rallado grueso
400 ml de leche
100 ml de nata
1 cucharadita de pimienta de Cayena
sal

Prepare la salsa. Ponga 40 g de mantequilla en dos trozos en una fuente e introdúzcala sin tapar en el horno a la máxima potencia 40 segundos.

Tamice la harina y mézclela con la mantequilla en la fuente; remueva con cuidado y tape. Cueza en el horno 30 segundos o menos, si observa que la harina se empieza a quemar. Añada poco a poco la leche fría y 100 ml de agua, sin dejar de remover. Sale y continúe removiendo para que se mezclen bien todos los ingredientes. Prosiga la cocción con el recipiente destapado 3-4 minutos, hasta que la salsa espese.

Apague el horno, remueva y deje que repose 1 minuto. Si no le parece bastante homogénea, puede pasar la salsa por la batidora. Añada la nata, el queso, la mantequilla restante en copos y la pimienta de Cayena.

Remueva e introduzca la salsa sin tapar en el horno a media potencia unos 15 segundos. Incorpore el tomate, mezcle de nuevo y reserve la salsa al calor.

Separe la coliflor en ramilletes, lávela y escáldela durante 1 minuto en agua hirviendo con sal; escúrrala.

Ponga el ajo y la mantequilla en una fuente de pyrex y llévela tapada al horno a la máxima potencia 1 minuto. Añada la coliflor, tape y prosiga la cocción 8 minutos, removiendo dos veces.

Vierta la salsa por encima, espolvoree el queso rallado y cueza con el recipiente destapado 2 minutos (si el horno no dispone de grill, puede alternar la cocción en microondas con el gratinado en el horno tradicional). Saque del horno y sirva enseguida.

PREPARACIÓN: 20 minutos
COCCIÓN: 10 minutos
REPOSO: 2 minutos
DIFICULTAD: baja

Ingredientes

200 g de brécol
200 g de coliflor
200 g de coles de Bruselas
300 g de patatas
200 g de cebollas
200 g de calabaza
3 cucharadas de aceite de oliva virgen
sal y pimienta

CAZUELA DE COLES Y PATATAS

Limpie todas las verduras, lávelas y córtelas en trozos que no sean demasiado pequeños.

Dispóngalas todas en una fuente de pyrex, ligeramente engrasada, mezcle y salpimiente.

Introduzca y cueza en el horno a la máxima potencia y con el recipiente tapado durante 10 minutos.

Destape, deje que repose 2 minutos y sirva después de rectificar la sal y la pimienta.

TOMATES RELLENOS CON ACEITUNAS

PREPARACIÓN: *15 minutos*
COCCIÓN: *3 minutos*
REPOSO: *1 minuto*
DIFICULTAD: *media*

Ingredientes

200 g de tomates canarios
100 g de mozzarella
2 filetes de anchoa
30 g de caviar de aceitunas negras
30 g de pan rallado
30 g de aceite de oliva virgen
sal y pimienta

Lave los tomates, córtelos por la mitad tras haberlos vaciado y dispóngalos en un recipiente de pyrex untado con aceite.

Corte la mozzarella en daditos y póngalos encima de los tomates, junto con las anchoas troceadas y los demás ingredientes.

Sale ligeramente y sazone con pimienta.

Luego introduzca los tomates en el horno de microondas durante 3 minutos.

Deje reposar durante 1 minuto.

Sirva de inmediato.

TOMATES RELLENOS DE MOZZARELLA

PREPARACIÓN: *15 minutos*
COCCIÓN: *3 minutos*
REPOSO: *1 minuto*
DIFICULTAD: *baja*

Ingredientes

300 g de tomates canarios
100 g de mozzarella
2 filetes de anchoa
30 g de parmesano rallado
30 g de pan rallado
30 g de aceite de oliva virgen
perejil picado
sal y pimienta

Unte con el aceite un recipiente de pyrex. Luego disponga en él los tomates lavados, sin las semillas y cortados por la mitad.

Corte la mozzarella en daditos y mézclela con el parmesano, el pan rallado y el perejil picado.

Después añada a la mezcla las anchoas troceadas.

Sale y sazone con pimienta.

Ponga el recipiente de pyrex en el horno de microondas y deje cocer 3 minutos a la potencia máxima.

Antes de servir, deje en reposo 1 minuto.

COL CON BUEY

Pele y pique la cebolla. Corte el tocino en dados y póngalo en un recipiente refractario junto con la cebolla picada.

Introduzca el recipiente en el horno de microondas durante 2 minutos, como máximo, a alta potencia y añada el laurel, la pimienta y la sal.

Mezcle, condimente con nuez moscada y, a continuación, incorpore la carne de buey cortada en trozos pequeños, la manteca de cerdo y las hojas de col cortadas en tiras.

Después, riegue con un poco de caldo, rocíe con el vino e introduzca de nuevo en el horno de microondas.

Prosiga la cocción 25 minutos a media potencia.

Compruebe a menudo cómo va la cocción.

Saque del horno y sirva inmediatamente.

PREPARACIÓN: *15 minutos*
COCCIÓN: *27 minutos*
REPOSO: *–*
DIFICULTAD: *media*

Ingredientes

150 g de carne de buey (un trozo de carne plano, como la del vientre)
180 g de hojas de col limpias y escurridas
30 g de tocino
1 cucharada de manteca de cerdo
1/2 vaso de vino tinto
1 cebolla
1 hoja de laurel
nuez moscada
caldo de buey
sal y pimienta

COLIFLOR SABROSA

PREPARACIÓN: 15 minutos
COCCIÓN: 11 minutos
REPOSO: 2 minutos
DIFICULTAD: media

Ingredientes

1 coliflor
100 ml de tomate triturado
4 cucharadas de aceite de oliva virgen
2 filetes de anchoas en aceite
2 cebolletas
1 pimiento verde
2 guindillas
1 cucharadita de pimienta verde en grano
sal

Ponga una cazuela al fuego y lleve a ebullición abundante agua.

Limpie la coliflor: quítele las hojas y el troncho; sepárela en ramilletes, lave estos y escúrralos.

Pele las cebolletas; quíteles las raíces, las capas externas y la parte verde, lávelas y córtelas en rodajas.

Lave el pimiento; quítele el tallo, las semillas y los filamentos blancos internos, y córtelo en tiras. Pique finamente las guindillas.

Lleve a la cazuela que está al fuego la coliflor, sálela y cuézala 5 minutos. A continuación, escúrrala.

En una fuente de pyrex ponga el aceite, las cebolletas, la pimienta verde y las guindillas, y llévela sin tapar al horno a la máxima potencia 2 minutos.

Incorpore los pimientos y prosiga la cocción 3 minutos más.

Añada la coliflor cocida y el tomate triturado y, al cabo de 3 minutos, incorpore también las anchoas desmenuzadas. Prosiga la cocción 1 minuto.

Deje que repose todo 2 minutos en el horno apagado y sirva.

BRÉCOL
CON ACEITUNAS

PREPARACIÓN: 15 minutos
COCCIÓN: 8-9 minutos
REPOSO: 2 minutos
DIFICULTAD: media

Ingredientes

700 g de brécol
80 g de aceitunas negras deshuesadas
50 g de panceta
100 ml de vino blanco
1 cebolla pequeña
2 dientes de ajo picados
5 cucharadas de aceite de oliva virgen
sal y pimienta

Limpie el brécol y sepárelo en ramilletes. Pele y pique la cebolla, y corte la
panceta en dados.

En una cazuela de pyrex, sin tapar, haga
la panceta, la cebolla y el ajo a la máxima potencia durante 1 minuto y 30 segundos, removiendo una vez.

Añada el brécol, las aceitunas y el vino;
salpimiente.

Cueza 5 minutos, removiendo una vez.

Destape la cazuela, cueza otros 2 minutos, deje reposar 2 minutos y sirva.

FLAN DE ESPINACAS Y ZANAHORIAS

PREPARACIÓN: *15 minutos*
COCCIÓN: *32 minutos*
REPOSO: *2 minutos*
DIFICULTAD: *media*

Ingredientes

400 g de espinacas
400 g de zanahorias
2 huevos
80 g de parmesano rallado
nuez moscada
20 g de mantequilla
sal y pimienta

Hierva las espinacas en un recipiente bajo y ancho con el agua de escurrir durante 2 minutos a la potencia máxima.

Raspe las zanahorias, córtelas en trocitos y póngalas en un recipiente a medida; luego cuézalas durante 5 minutos a la potencia máxima.

A continuación, escurra los vegetales y bátalos por separado.

Agregue el parmesano rallado dividido en dos partes iguales en ambos purés, sale ligeramente y espolvoree con un poco de nuez moscada la mezcla de zanahoria.

Seguidamente, incorpore un huevo a cada mezcla.

Unte con aceite un molde de rosca con una capacidad de 3/4 l, vierta primero la mezcla de espinacas y luego la de zanahorias.

Tápelo y déjelo cocer en el horno de microondas 25 minutos, girando de vez en cuando el molde.

Por último, deje en reposo durante 2 minutos, luego desmóldelo en una fuente de servicio y sírvalo.

TARTA DE ZANAHORIAS Y ALCACHOFAS

Limpie y corte la zanahoria en juliana, y las alcachofas, en láminas.

En un molde engrasado vierta primero los huevos batidos con la harina, el puré de tomate, sal y pimienta, y después añada las verduras. Cueza durante 7 minutos.

PREPARACIÓN: *10 minutos*
COCCIÓN: *7 minutos*
REPOSO: *–*
DIFICULTAD: *baja*

Ingredientes

4 alcachofas
1 zanahoria
80 g de puré de tomate
2 huevos
20 g de harina
1 cucharada de aceite de oliva virgen
sal y pimienta

CÓCTEL DE VERDURAS Y ACEITUNAS

Limpie las verduras y córtelas en dados pequeños.

En un recipiente de pyrex untado con aceite, disponga las verduras. Salpimiente ligeramente, incorpore las aceitunas y mezcle. Cueza a la máxima potencia, con el recipiente cubierto, durante 10 minutos.

Destape el recipiente, deje que repose todo 10 minutos y sirva.

PREPARACIÓN: *15 minutos*
COCCIÓN: *10 minutos*
REPOSO: *10 minutos*
DIFICULTAD: *media*

Ingredientes

300 g de patatas
300 g de calabacines
200 g de pimientos
200 g de cebolla
30 g de aceitunas negras deshuesadas
2 cucharadas de aceite de oliva virgen
sal y pimienta

CEBOLLETAS AL LIMÓN

PREPARACIÓN: 10 minutos
COCCIÓN: 11 minutos
REPOSO: –
DIFICULTAD: media

Ingredientes

280 g de cebolletas
4 cucharadas de aceite de oliva
2 cucharadas de vino blanco
4 cucharadas de zumo de limón
1 ramita de tomillo picado
sal
pimienta

Un consejo

Las cebolletas preparadas así son la guarnición ideal para los pies de cerdo cocidos o algunos embutidos.

Pele las cebolletas, lávelas y séquelas bien.

Ponga el aceite y las cebolletas en una fuente de pyrex, sale ligeramente e introdúzcala tapada en el horno a la máxima potencia durante 3 minutos, removiendo una vez.

Riegue con 100 ml de agua y el vino, mezcle y prosiga la cocción 8 minutos, hasta que las cebolletas estén tiernas.

Agregue el zumo de limón, rectifique la sal y la pimienta, espolvoree el tomillo y sirva.

CANAPÉS DE CEBOLLA

PREPARACIÓN: 14 minutos
COCCIÓN: 2 minutos
REPOSO: 1 minuto
DIFICULTAD: baja

Ingredientes

4 rebanadas de pan de hogaza
4 lonchas de queso gruyère
1 cebolla
1 cucharadita de semillas de comino
2 cucharadas de aceite de oliva virgen
sal

Pele la cebolla y córtela en rodajas finas.

Dispóngalas en un recipiente con el aceite, tápelo y llévelo al horno 3 minutos, a la máxima potencia, removiendo a la mitad de la cocción.

Deje que repose 1 minuto y distribuya la cebolla sobre las rebanadas de pan; espolvoree las semillas de comino y sale.

Cubra cada rebanada con una loncha de queso, disponga todo sobre una fuente e introdúzcalo 1 minuto en el horno a la máxima potencia. Sirva inmediatamente.

CEBOLLETAS CON ESPECIAS

PREPARACIÓN: *5 minutos*

COCCIÓN: *6-7 minutos*

REPOSO: *2 minutos*

DIFICULTAD: *media*

Ingredientes

400 g de cebolletas

60 g de aceitunas deshuesadas

4 cucharadas de aceite de oliva virgen

2 guindillas

1 diente de ajo picado

vinagre

sal

Corte las guindillas por la mitad en sentido longitudinal.

Corte las aceitunas en 4 trozos.

Ponga el aceite en una fuente de pyrex; añada el ajo y las guindillas y, sin taparlo, llévelo al horno a la máxima potencia 1 minuto y 30 segundos.

Agregue las cebolletas (cortando por la mitad las más gruesas), las aceitunas, una pizca de sal, 4 cucharadas de agua y 4 de vinagre.

Tape y deje que se haga 5 minutos más; compruebe que el grado de cocción sea el deseado.

Deje que repose todo durante 2 minutos y sirva.

FLORES DE CALABACÍN RELLENAS

PREPARACIÓN: 20 minutos

COCCIÓN: 11-12 minutos

REPOSO: 2 minutos

DIFICULTAD: media-alta

Ingredientes

16 flores de calabacín

120 g de mozzarella

100 ml de aceite de oliva virgen

2 tomates

4 filetes de anchoa

1 diente de ajo picado

1 ramita de perejil

sal

Limpie las flores de calabacín, quitando el pistilo y los filamentos externos, y lávelas con un paño húmedo.

Lave los tomates, colóquelos en una fuente e introdúzcalos en el horno a la máxima potencia 30 segundos. Sáquelos, pélelos, quíteles las semillas y trocéelos.

Escurra la mozzarella y córtela en dados.

Parta cada filete de anchoa en 4 trozos.

Rellene las flores de calabacín con la mozzarella y un trocito de anchoa, y ciérrelas retorciendo la parte superior.

Ponga el aceite y el ajo en una fuente de pyrex e introdúzcala sin tapar en el horno a la máxima potencia 1 minuto.

Añada las flores de calabacín, tape y continúe la cocción 4 minutos, dándoles la vuelta una vez. Retire las flores de calabacín del horno y resérvelas en una fuente.

Ponga los tomates en la fuente de pyrex, salpimiente y deje que se hagan sin tapar durante 5 minutos, removiendo un par de veces.

Añada las flores de calabacín, cubra con perejil picado y cueza otro minuto.

Deje que repose todo con el horno apagado 2 minutos, y sirva.

HINOJO
CON ACEITUNAS
Y ALCAPARRAS

PREPARACIÓN: *10 minutos*
COCCIÓN: *3 minutos*
REPOSO: *1 minuto*
DIFICULTAD: *baja*

Ingredientes

600 g de hinojo
3 cucharadas de aceite de oliva virgen
1 cucharada de aceitunas negras
   deshuesadas
1 cucharada de alcaparras
sal

Lave bien los hinojos y córtelos en rodajas finas.

Póngalos en una fuente y riéguelos con 200 ml de agua; sale ligeramente y añada las aceitunas y las alcaparras previamente desaladas.

Tape con plástico adecuado para cocinar en el microondas y cueza en el horno a la máxima potencia 3 minutos, dando la vuelta a la fuente al menos una vez.

Incorpore el aceite, deje que repose 1 minuto y sirva.

CHAMPIÑONES CON TOMATE

PREPARACIÓN: *15 minutos*

COCCIÓN: *5 minutos*

REPOSO: *2 minutos*

DIFICULTAD: *baja*

Ingredientes

250 g de champiñones

200 ml de tomate triturado

3 cucharadas de aceite de oliva virgen

1 cucharada de perejil picado

1 diente de ajo

sal

pimienta

Variante

Puede añadir a este plato unas aceitunas verdes troceadas y un poco de orégano.

Lave muy bien los champiñones y córtelos en láminas.

Dispóngalos en una fuente con el aceite, el diente de ajo picado, el perejil y el tomate.

Cueza en el horno a la máxima potencia 5 minutos.

Salpimiente, deje que repose 2 minutos y sirva.

PIMIENTOS AL SÉSAMO

PREPARACIÓN: 15 minutos
COCCIÓN: 13 minutos y medio
REPOSO: 2 minutos
DIFICULTAD: baja

Ingredientes

2 tomates
1 pimiento rojo
1 pimiento amarillo
1 patata pequeña
100 g de judías verdes
2 cucharadas de aceite de oliva virgen
1 cucharada de pistachos
1 cucharada de semillas de sésamo
1 cucharadita de azúcar
sal

Prepare los pimientos: lávelos y córtelos en tiras.

Lave los tomates; colóquelos en una fuente e introdúzcalos 30 segundos en el horno a la máxima potencia. Pélelos, quíteles las semillas y trocéelos.

Lave las judías verdes, y quíteles las puntas y los hilos.

Pele la patata, lávela y córtela en dados.

Ponga el aceite y las judías verdes en una cazuela, tápela e introdúzcala 5 minutos en el horno a una potencia media-alta.

Añada las otras verduras, sazone y prosiga la cocción durante 6 minutos.

Incorpore los pistachos, espolvoree el azúcar y las semillas de sésamo, remueva y deje que cueza todavía durante 2 minutos más.

Deje que repose 2 minutos y sirva.

CHAMPIÑONES AL CURRY

Lave los tomates, colóquelos en una fuente e introdúzcalos en el horno durante 30 segundos a la máxima potencia. Pélelos y trocéelos.

Lave los champiñones y córtelos en cuatro trozos. Pele la patata, lávela y córtela en dados. Pele las cebollas y trocéelas.

Disponga la mantequilla en un recipiente, tápelo e introdúzcalo en el horno 30 segundos a la máxima potencia.

Añada las cebollas y el cebollino picado, y deje que se hagan durante 3 minutos a una potencia alta.

Añada los tomates, los champiñones y las patatas. Sale, tape y prosiga la cocción 6 minutos.

Diluya el curry con la nata y viértalo sobre las verduras. Remueva y termine la cocción a la máxima potencia durante 2 minutos. Sirva este plato caliente o tibio.

PREPARACIÓN: *20 minutos*
COCCIÓN: *12 minutos*
REPOSO: *–*
DIFICULTAD: *media*

Ingredientes

500 g de champiñones
2 cebollas
2 tomates
1 patata
20 g de mantequilla
5 cucharadas de nata
1 ramito de cebollino
1 cucharada de curry en polvo
sal

BERENJENAS AROMATIZADAS

PREPARACIÓN: 10 minutos

COCCIÓN: 4 minutos

REPOSO: 2 minutos

DIFICULTAD: baja

Ingredientes

400 g de berenjenas cortadas en dados

1 manojo de perejil

1 cucharadita de orégano

1 cucharadita de mejorana

1 ramita de romero

2 hojas de salvia

1/2 diente de ajo

3 cucharadas de aceite de oliva virgen

sal y pimienta

Triture finamente con la batidora las hierbas con el aceite, la sal, la pimienta y el ajo.

A continuación, disponga los dados de berenjena en una bandeja de pyrex.

Vierta sobre ellos la mezcla de hierbas y cubra la bandeja con película para microondas.

Cueza en el horno a la máxima potencia durante 4 minutos.

Por último, deje reposar durante 2 minutos.

Retire la película, remueva las berenjenas y sírvalas.

BERENJENAS CON CREMA DE TOMATE

PREPARACIÓN: 15 minutos

COCCIÓN: 12 minutos

REPOSO: –

DIFICULTAD: media

Ingredientes

500 g de tomates
1 berenjena
5 cucharadas de aceite de oliva virgen
1 cucharada de hojas
  de albahaca picadas y 6-8 enteras
1 diente de ajo
1 cebolla
1 cucharadita de tomillo picado
sal

Quite el tallo a la berenjena, lávela y córtela en dados.

Pele el ajo y aplástelo.

Corte en cuartos los tomates.

Pele y corte en dados la cebolla.

Ponga en una fuente de pyrex 2 cucharadas de aceite, la berenjena, el ajo y el tomillo.

Sale, tape e introdúzcala en el horno a la máxima potencia 6 minutos (hasta que la berenjena esté en su punto), removiendo dos veces.

Saque la fuente del horno. Retire el ajo.

En otro recipiente, ponga 1 cucharada de aceite, la cebolla, los tomates y una pizca de sal.

Tape e introduzca en el horno a la máxima potencia 4 minutos.

Destape y continúe la cocción 2 minutos más.

Triture la mezcla y póngala en un bol.

Rectifique la sal, añada la albahaca picada y el aceite restante.

Distribuya la crema en platos individuales, poniendo en el centro de cada uno los dados de berenjena.

Adorne con las hojas de albahaca enteras y sirva.

PATATAS
A LAS HIERBAS

PREPARACIÓN: *13 minutos*
COCCIÓN: *10 minutos*
REPOSO: *3 minutos*
DIFICULTAD: *media*

Ingredientes

600 de patatas nuevas
1 ramito de hierbas aromáticas picadas
(menta, romero, tomillo)
3 dientes de ajo
8 cucharadas de aceite de oliva virgen
sal

Lave las patatas, limpiando con mucho cuidado la piel.

Pínchelas con una aguja, para evitar que se hinchen y revienten durante la cocción.

Póngalas en una fuente de pyrex con el aceite, el ajo y las especias. Cuézalas en el horno a la máxima potencia durante 10 minutos, dándoles la vuelta dos veces.

Al final de la cocción, sálelas, tápelas y deje que reposen 3 minutos.

PATATAS
AL QUESO

PREPARACIÓN: *15 minutos*
COCCIÓN: *10 minutos*
REPOSO: *3 minutos*
DIFICULTAD: *media*

Ingredientes

600 g de patatas
150 g de emmental rallado
40 g de mantequilla
1 pizca de nuez moscada
sal

Pele las patatas, lávelas y séquelas.

Unte con mantequilla una fuente de pyrex, disponga en el fondo una capa de patatas, sale y aromatice con la nuez moscada; cubra con el queso.

Forme otra capa.

Cueza 10 minutos a la máxima potencia con el grill.

Deje que repose 3 minutos y sirva caliente.

TOMATES
A LA ALBAHACA

PREPARACIÓN: 10 minutos
COCCIÓN: 8 minutos y medio
REPOSO: 3 minutos
DIFICULTAD: media

Ingredientes

6 tomates
1 diente de ajo picado
1 cebolleta
4 cucharadas de aceite de oliva virgen
4 hojas de albahaca
sal

Pele la cebolleta y córtela en rodajas finas. Limpie bien las hojas de albahaca con un paño.

Lave los tomates, dispóngalos en una fuente e introdúzcalos en el horno a la máxima potencia 30 segundos. Sáquelos, pélelos, quíteles las semillas y trocéelos, recogiendo en un bol el jugo que suelten.

Disponga el ajo, la cebolleta y 1 cucharada de aceite en una fuente de pyrex e introdúzcala en el horno a la máxima potencia 1 minuto sin tapar.

Añada los trozos de tomate y continúe la cocción otro minuto, removiendo una vez.

Sale, incorpore el jugo de tomate recogido antes, tape y cueza 6 minutos, removiendo dos veces. Añada la albahaca troceada y deje que repose todo con el horno apagado 3 minutos.

Vierta poco a poco el aceite restante mientras remueve con una cuchara de madera. Sirva.

TOMATES AL PESTO

PREPARACIÓN: 15 minutos
COCCIÓN: 8 minutos
REPOSO: –
DIFICULTAD: media-alta

Ingredientes

4 tomates
50 g de queso fresco
30 g de queso manchego tierno
4 cucharadas de aceite de oliva virgen
2 cucharadas de pan rallado
1 cucharada colmada de piñones
1 diente de ajo
30 hojas de albahaca
sal

Limpie bien las hojas de albahaca con un paño y pele el diente de ajo.

Lave los tomates, quíteles la parte de arriba (resérvela) y vacíelos con una cucharita. Machaque la pulpa e introdúzcala en un bol.

Triture la albahaca y el ajo.

Añada 1 cucharada de esta mezcla a la pulpa de tomate, e incorpore con cuidado el pan rallado, los piñones triturados, el queso fresco y una pizca de sal.

Rellene los tomates con esta mezcla.

Tape de nuevo los tomates con la parte reservada, póngalos en una fuente e introdúzcalos en el horno sin tapar durante 8 minutos, a una potencia media-alta.

Añada el queso manchego triturado muy pequeño a la mezcla de albahaca y ajo restante, sale y añada un hilillo de aceite de oliva, mientras remueve.

Lleve los tomates a una fuente de servir, retire la parte superior y riegue con la mezcla anterior.

Vuelva a colocar la «tapita» a los tomates, y sirva.

CALABACINES SALTEADOS CON AJO Y PEREJIL

Lave los calabacines y córtelos en dados.

Ponga el ajo, al que previamente le habrá quitado el germen, en una fuente, y caliente en el horno 30 segundos a la potencia máxima. Añada los calabacines y tape con un plástico transparente.

Cueza a la máxima potencia 4 minutos y medio.

Retire el plástico transparente y deje que repose 1 minuto.

Sale y añada el perejil y pimienta.

Quite el diente de ajo, remueva de nuevo y sirva.

Si desea acentuar el sabor de los calabacines, sírvalos con el diente de ajo finamente picado.

PREPARACIÓN: *10 minutos*
COCCIÓN: *5 minutos*
REPOSO: *1 minuto*
DIFICULTAD: *baja*

Ingredientes

600 g de calabacines
2-3 cucharadas de aceite de oliva virgen
1/2 diente de ajo
1 ramito de perejil picado
sal
pimienta

PUERROS ESTOFADOS

PREPARACIÓN: *10 minutos*

COCCIÓN: *11 minutos*

REPOSO: *2 minutos*

DIFICULTAD: *media*

Ingredientes

700 g de puerros
100 ml de caldo de carne
2 cucharadas de aceite de oliva virgen
1 cebolla pequeña
1 zanahoria pequeña
1 tallo de apio
sal

Pele la cebolla y la zanahoria.

Quite al apio los hilos y lávelo.

Pique todas estas verduras.

Limpie los puerros: quíteles las raíces, las capas externas y la parte verde; lávelos, séquelos y córtelos por la mitad en sentido longitudinal.

Ponga las verduras picadas y el aceite en una fuente de pyrex e introdúzcala en el horno a la máxima potencia 2 minutos, sin tapar.

Agregue los puerros, riéguelos con el caldo, tape y deje que cuezan 8 minutos, removiendo 2 veces.

Destape y continúe la cocción 1 minuto. Finalmente, apague el horno y rectifique la sal.

Deje que repose este plato durante 2 minutos, y sirva.

RATATOUILLE

PREPARACIÓN: *10-15 minutos*
COCCIÓN: *10 minutos*
REPOSO: *2 minutos*
DIFICULTAD:

Ingredientes

300 g de patatas
300 g de calabacines
200 g de cebollas
200 g de pimientos
6 tomates de rama
3 cucharadas de aceite de oliva virgen
3 cucharadas de queso grana (opcional)
sal
pimienta

Lave las verduras y córtelas en dados de 2 cm de lado.

Dispóngalas en una fuente de pyrex ligeramente engrasada y a continuación salpimiéntelas.

Seguidamente, cuézalas en el horno a la máxima potencia durante 10 minutos, con el recipiente tapado.

Destape, deje que repose 2 minutos, rectifique la sal y la pimienta si fuera necesario y sirva.

Si lo desea, puede espolvorear un poco de queso grana.

DELICIAS DE LA HUERTA

PREPARACIÓN: *15 minutos*
COCCIÓN: *10-11 minutos*
REPOSO: *2 minutos*
DIFICULTAD: *media*

Ingredientes

2 patatas
2 calabacines
2 tomates
1 cebolla picada
2 cucharadas de aceite de oliva virgen
sal
pimienta

Pele las patatas, lávelas y luego córtelas en dados.

Lave los calabacines y trocéelos.

Lave los tomates, dispóngalos en una fuente e introdúzcalos en el horno a la máxima potencia 30 segundos.

Sáquelos, pélelos, quíteles las semillas y trocéelos.

Ponga las verduras en un recipiente, añada el aceite, sale y tape.

Introdúzcalas en el horno a la máxima potencia durante 10 minutos, removiendo dos veces.

Deje que repose todo con el horno apagado 2 minutos, espolvoree pimienta y sirva.

ESPINACAS LORENA

PREPARACIÓN: 15 minutos
COCCIÓN: 12 minutos
REPOSO: 1 minuto
DIFICULTAD: baja

Ingredientes

350 g de espinacas congeladas
100 g de jamón cocido
4 huevos
4 lonchas de queso fundido
50 g de salsa de tomate
40 g de mantequilla
sal y pimienta

Disponga las espinacas en un recipiente de pyrex y cuézalas en el horno a la máxima potencia durante 5 minutos.

Remueva, agregue la mantequilla y prosiga la cocción otros 5 minutos.

Salpimiente y separe las espinacas creando cuatro huecos en los que colocará los cuatro huevos cascados, salpimentados y con la yema perforada con un palillo para que no estalle.

A continuación, recubra cada huevo con una loncha de queso y decore con jamón cortado en tiras.

Cueza en el horno durante 2 minutos a la máxima potencia.

Para finalizar, decore con salsa de tomate, deje reposar 1 minuto antes de servir y lleve el plato a la mesa.

TUPINAMBOS ESTOFADOS

PREPARACIÓN: 25 minutos

COCCIÓN: 10 minutos

REPOSO: 1 minuto

DIFICULTAD: media

Ingredientes

400 g de tupinambos

60 g de mantequilla

1 puerro

1 trocito de apio

2 hojas de salvia

sal

Limpie con cuidado las hojas de salvia con un paño húmedo.

Pele el tupinambo, lávelo, séquelo y córtelo en rodajas de 2-3 mm de grosor.

Limpie el puerro: quítele las raíces, las capas externas y la parte verde; lávelo y córtelo en rodajas.

Quite los hilos al apio, lávelo y córtelo en dados.

Disponga 40 g de mantequilla junto con las hojas de salvia en un recipiente y llévelo al horno sin tapar a la máxima potencia 2 minutos. Saque el recipiente del horno y resérvelo al calor.

Ponga la mantequilla restante en una fuente de pyrex e introdúzcala tapada en el horno a la máxima potencia durante aproximadamente 50 segundos.

Agregue el puerro y el apio, y continúe la cocción 3 minutos.

Añada el tupinambo, sale, riegue con 2 cucharadas de agua, remueva y tape. Introduzca de nuevo en el horno y prosiga la cocción 4 minutos.

Complete el plato añadiendo la mantequilla fundida con las hojas de salvia.

Deje que repose 1 minuto y sirva.

CALABACINES RELLENOS

PREPARACIÓN: 20 minutos
           + 40 minutos de purga

COCCIÓN: 5 minutos

REPOSO: 2 minutos

DIFICULTAD: media

Ingredientes

4 calabacines
5 champiñones
2 tomates
6 gambas
1/2 pimiento
4 cucharadas de aceite de oliva virgen
1 ramita de perejil
sal

Lave los champiñones, séquelos y córtelos en dados. Pele las gambas, quíteles el hilo intestinal y trocéelas.

Lave el pimiento y córtelo en dados.

Pele los tomates, quíteles las semillas y trocee la pulpa.

Lave los calabacines, séquelos, córtelos por la mitad en sentido longitudinal y vacíelos; sale el interior, deles la vuelta y déjelos así 40 minutos.

Corte en dados la pulpa extraída de los calabacines, y dispóngala en un bol; mézclela bien con las verduras troceadas, los champiñones y las gambas. Sazone y condimente con 3 cucharadas de aceite.

Unte una fuente de pyrex con el aceite restante y disponga en ella los calabacines con la parte vaciada hacia arriba; hornéelos a la máxima potencia 1 minuto sin tapar.

Rellene los calabacines con la mezcla preparada anteriormente y prosiga la cocción 4 minutos; luego deje que repose todo en el horno 2 minutos.

Espolvoree con perejil picado, y sirva.

CALABACINES GRATINADOS

PREPARACIÓN: 25 minutos

COCCIÓN: 9 minutos

REPOSO: 1 minuto

DIFICULTAD: alta

Ingredientes

8 calabacines

50 g de queso emmental rallado

50 g de harina

60 g de mantequilla

400 ml de leche

100 ml de nata

1 cucharadita de pimienta de Cayena

sal

Prepare la salsa poniendo 40 g de mantequilla en una fuente de pyrex e introduciéndola, sin tapar, en el horno a la máxima potencia 40 segundos (hasta que la mantequilla esté fundida).

Tamice la harina y únala a la mantequilla en la fuente; mezcle con cuidado y tape. Cueza en el horno 30 segundos o menos si observa que la harina comienza a tostarse.

Añada la leche fría poco a poco y 100 ml de agua, mezclando bien. Sale y continúe removiendo, de forma que se mezclen perfectamente los ingredientes. Prosiga la cocción con el recipiente destapado 3-4 minutos (hasta que la salsa se espese).

Apague el horno, remueva y deje que repose 1 minuto. Si le parece que la salsa no queda lo suficientemente homogénea, puede pasarla por la batidora.

Añada la nata, el queso, la mantequilla restante y la pimienta de Cayena. Remueva e introduzca la fuente sin tapar de nuevo en el horno a media potencia durante 15 segundos. Mezcle y resérvela al calor.

Lave los calabacines, séquelos, pártalos por la mitad en sentido longitudinal y vacíe la pulpa; corte esta en dados y mézclela con la salsa.

Rellene los calabacines con la mezcla obtenida y colóquelos en una fuente. Introdúzcalos en el horno, accionando también el grill, durante 4 minutos (hasta que los calabacines estén bien hechos).

Salsa barbacoa

PREPARACIÓN: *5 minutos*
COCCIÓN: *13 minutos*
REPOSO: *–*
DIFICULTAD: *baja*

Ingredientes

300 ml de tomate triturado
3 cucharadas de aceite de maíz
2 cucharadas de vino
2 cucharadas de vinagre blanco
1 cebolla
2 cucharadas de kétchup
2 cucharadas de mostaza
1 cucharada de azúcar de caña
1 cucharadita de pimentón
1/2 cucharadita de salsa Worcester
sal
pimienta

Un consejo

En el refrigerador, en un tarro de cristal herméticamente cerrado, la salsa se conserva 2 semanas. Utilícela para acompañar asados de carne o costillas de buey a la parrilla.

Pele la cebolla, córtela en dados y póngala en una fuente de pyrex junto con el vino. Introdúzcala sin tapar en el horno a la máxima potencia 2 minutos.

Añada el tomate triturado, salpimiente y tape con papel para horno microondas, practicándole algunos agujeros para facilitar la salida del vapor. Cueza 6 minutos y remueva dos veces.

Agregue a la mezcla el vinagre, el kétchup, el azúcar, el jengibre, la salsa Worcester, el pimentón y 2 cucharadas de agua. Cubra con la hoja de papel utilizada anteriormente y cueza 5 minutos removiendo dos veces.

SALSA PICANTE

PREPARACIÓN: 15 minutos

COCCIÓN: 12 minutos

REPOSO: 3-4 horas

DIFICULTAD: media

Ingredientes

2 pimientos rojos

4 guindillas

5 cucharadas de aceite de oliva virgen

1 cucharada de tomate en conserva

1 cucharadita de semillas de cilantro

1/2 cucharadita de comino en polvo

6 dientes de ajo picados

sal

Un consejo

Esta salsa es típica de la cocina del norte de África. Acompaña bien al cuscús y los platos de carne, especialmente los platos de cordero.

Lave los pimientos; quíteles el tallo, las semillas y los filamentos blancos internos, y córtelos en tiras. Quite a las guindillas la parte verde y córtelas por la mitad en sentido longitudinal. Machaque las semillas de cilantro en un mortero hasta reducirlas a un fino polvo.

Ponga 2 cucharadas de aceite, el ajo y las guindillas en una fuente de pyrex, e introdúzcala en el horno sin tapar a la máxima potencia 1 minuto.

Agregue el pimiento, las semillas de cilantro y el comino; sale y riegue con 1 cucharada de agua. Tape y deje que se haga durante 6 minutos.

Diluya el concentrado de tomate con 2 cucharadas de agua y llévelo a la fuente con los pimientos. Mezcle y prosiga la cocción sin tapar durante 4 minutos, removiendo dos veces.

Pase todo por el pasapurés, recoja la salsa en una taza y póngala 1 minuto en el horno a la máxima potencia sin tapar. Incorpore el aceite restante, mezcle y deje reposar 3-4 horas antes de servir.

SALSA DE TOMATE CON CHAMPIÑONES

PREPARACIÓN: *10 minutos*
COCCIÓN: *10 minutos*
REPOSO: *2 minutos*
DIFICULTAD: *baja*

Ingredientes

600 g de tomates
150 g de champiñones
5 cucharadas de vino tinto
100 ml de aceite de oliva virgen
1 cebolla
1 diente de ajo
1 pizca de pimentón
sal

Un consejo

Sirva la salsa como acompañamiento de carnes a la parrilla (pollo, ternera o costillas de cordero).

Limpie bien los champiñones, quitando con un cuchillo los restos de tierra; lávelos con un paño húmedo y córtelos en láminas.

Pele y corte en dados la cebolla y el ajo.

Lave los tomates, póngalos en una fuente y llévelos al horno a la máxima potencia 30 segundos. Sáquelos, pélelos, quíteles las semillas y trocéelos.

Disponga en una fuente de pyrex 3 cucharadas de aceite, la cebolla y el ajo, e introdúzcala sin tapar en el horno a la máxima potencia 1 minuto y 30 segundos.

Agregue los champiñones, sale y prosiga la cocción 2 minutos más.

Riegue con el vino y, al cabo de 2 minutos, añada el tomate. Rectifique la sal y cueza 4 minutos, removiendo dos veces.

Deje que repose todo 2 minutos; a continuación, agregue el pimentón y complete con el aceite restante, incorporándolo poco a poco mientras trabaja la salsa con un batidor de varillas.

Postres

ÁSPIC AL CAVA

PREPARACIÓN: *30 minutos*
+ 2 horas de refrigeración

COCCIÓN: *3 minutos*

REPOSO: *–*

DIFICULTAD: *media*

Ingredientes

80 g de azúcar

10 g de gelatina

100 ml de cava

20 uvas blancas

2 naranjas

1/2 melón

Lave con cuidado las naranjas, exprímalas y reserve parte de la piel (cortada en tiras y sin la parte blanca).

Ponga en una fuente de pyrex 200 ml de agua, el azúcar y la piel de naranja. Cueza en el horno a la máxima potencia 3 minutos, removiendo una vez.

Remoje en agua fría la gelatina, disuélvala, agregue el almíbar y cuele la mezcla.

Añada a la gelatina 100 ml de zumo de naranja, el cava y agua hasta que alcance un volumen de 500 ml. Incorpore la fruta lavada y seca, dejando enteras las uvas y alternando con bolas de melón.

Vierta todo en un molde humedecido y deje que cuaje en el frigorífico aproximadamente 2 horas.

Para desmoldar, sumerja el molde casi hasta el borde en agua caliente realizando un movimiento circular hasta que el contenido se despegue de las paredes.

Sáquelo, seque el molde por fuera y disponga el áspic en una fuente.

Reserve en el frigorífico hasta el momento de servir.

PLÁTANO FLAMBEADO

PREPARACIÓN: 10 minutos
COCCIÓN: 4 minutos
REPOSO: –
DIFICULTAD: baja

Ingredientes

2 plátanos
1 chorrito de ron
1 cucharadita de azúcar de caña
2 cucharadas de chocolate
  para postres rallado

Corte los dos plátanos en sentido longitudinal y dispóngalos en una fuente de servir.

Cúbralos con azúcar y vierta por encima el ron.

Cueza en el horno a la máxima potencia 4 minutos.

Cubra con el chocolate, flambee y sirva inmediatamente.

PIÑA FLAMBEADA

PREPARACIÓN: 5 minutos
COCCIÓN: 4 minutos
REPOSO: –
DIFICULTAD: baja

Ingredientes

4 rodajas de piña
1 chorrito de marrasquino
1/2 limón (el zumo)
1 cucharada de azúcar

Disponga las rodajas de piña en una fuente de servir.

Riéguelas con el zumo de limón y espolvoree el azúcar por encima.

Introdúzcalas en el horno a la máxima potencia durante 4 minutos.

Sáquelas del horno, riéguelas con el marrasquino y flambéelas.

Sirva este postre inmediatamente.

CORONA DE FRUTAS CONFITADAS

PREPARACIÓN: *30 minutos*
COCCIÓN: *25 minutos*
REPOSO: *2 minutos*
DIFICULTAD: *media*

Ingredientes

400 g de manzanas
400 g de peras
20 g de mantequilla
50 g de fruta escarchada en trocitos
80 g de bizcochos secos triturados
2 huevos
1 cucharada de azúcar glas
1 pizca de nuez moscada

Lave las manzanas, pélelas, póngalas en un recipiente bajo y largo y, después, cuézalas en el horno a la máxima potencia durante 4 minutos.

Lave las peras, pélelas y córtelas en trocitos. Cuézalas con un poquito de agua en el horno a la máxima potencia 6 minutos.

Bata la fruta por separado.

Añada a los dos purés los bizcochos y la fruta escarchada, divididos en partes iguales. Endulce ligeramente y añada una pizca de nuez moscada sólo a la mezcla de manzana.

Incorpore 1 huevo a cada mezcla.

Unte con mantequilla un molde que tenga forma de corona, con una capacidad de 750 ml, y vierta primero el compuesto de manzana y luego el de pera. Tape el molde con papel transparente para horno de microondas.

Introduzca el molde en el horno a la potencia máxima 15 minutos, girándolo dos veces.

Deje que repose la corona 2 minutos. Vuélquela sobre una fuente de servir y espolvoree azúcar glas.

Plátanos delight

PREPARACIÓN: *5 minutos*
COCCIÓN: *1 minuto*
REPOSO: *–*
DIFICULTAD: *media*

Ingredientes

50 g de yogur entero
50 g de miel
1 plátano no muy maduro
1 cucharadita de agua
2 cucharaditas de zumo de limón
1 cucharadita de vainilla

Primero pele el plátano, pártalo en pequeños trozos y mézclelo con el yogur.

A continuación, añada la vainilla y el zumo de limón, y reparta la mezcla en copas individuales.

Vierta en un recipiente de barro una cucharadita de agua y la miel.

Introduzca el recipiente en el horno de microondas durante 1 minuto, regulando la potencia del horno al máximo.

Retire del horno, remueva el contenido y riegue con él la mezcla de las copas.

PLÁTANOS FRITOS

Primero pele los plátanos y córtelos en rodajitas.

Vierta el aceite en un recipiente especial para microondas.

Luego disponga los plátanos en el recipiente e introdúzcalo en el horno de microondas.

Programe el tiempo de cocción en 2 minutos y regule la potencia del horno al máximo.

Mientras tanto, en un recipiente de cristal térmico, prepare una mezcla rápida con la miel, el agua y las semillas de sésamo tostadas.

Retire el primer recipiente del horno e introduzca el segundo durante 1 minuto programando la potencia al máximo.

Cubra los plátanos con la crema y sirva enseguida.

PREPARACIÓN: *6 minutos*
COCCIÓN: *3 minutos*
REPOSO: *–*
DIFICULTAD: *media*

Ingredientes

2 plátanos un poco verdes
4 cucharaditas de aceite
2 cucharaditas de agua
50 g de miel
1 cucharadita de semillas de sésamo tostadas

HIGOS CON MIEL

PREPARACIÓN: *10 minutos*
+ 2 horas de refrigeración
COCCIÓN: *3 minutos*
REPOSO: *1 minuto*
DIFICULTAD: *baja*

Ingredientes

12 higos verdes
6 cucharadas de azúcar
2 cucharadas de miel

Lave los higos, séquelos con cuidado y recúbralos con la miel.

Dispóngalos en un plato e introdúzcalos sin tapar en el horno a la máxima potencia durante 3 minutos, girando una vez el plato.

Deje que reposen 1 minuto.

Espolvoree con azúcar y deje que enfríen los higos en el frigorífico. Sírvalos fríos.

TARTALETAS DE HIGOS

PREPARACIÓN: *5 minutos*
COCCIÓN: *3 minutos*
REPOSO: *–*
DIFICULTAD: *baja*

Ingredientes

500 g de higos
3 cucharadas de miel
8 bases de tartaletas de pasta quebrada

Lave, pele y bata los higos.

Cueza el puré obtenido durante 3 minutos en el horno a la máxima potencia.

Llene cada tartaleta con una cucharada de puré de higos.

Disponga una cucharadita de miel sobre cada tartaleta, y sirva.

Bastones
DE FRUTA
CON CHOCOLATE

PREPARACIÓN: 15 minutos
COCCIÓN: 5 minutos
REPOSO: –
DIFICULTAD: baja

Ingredientes

120 g de chocolate de cobertura
40 g de fresas duras
40 g de frambuesas
20 g de uvas

Para la preparación

2 (o más) pinchos de madera largos

Pele, lave y seque toda la fruta con mucho cuidado.

Ponga el chocolate en un recipiente especial para microondas y déjelo fundir en el horno a media potencia, durante 4 minutos.

Remueva a media cocción.

Retire del horno y sumerja con un tenedor la fruta preparada.

Disponga en una fuente de pastelería la mezcla y deje enfriar.

Cuando la fruta esté preparada, ensártela en los pinchos de madera. Sirva en platos de cristal nevados.

COMPOTA DE MORAS Y GROSELLAS

Lave bien las moras y las grosellas, y después páselas por la batidora.

Vierta en un recipiente especial para microondas el azúcar y el vino; mezcle hasta que el azúcar esté completamente disuelto.

Ponga el recipiente en el horno de microondas y caliente el almíbar unos 3 minutos a media potencia.

Saque del horno, incorpore el batido, el almidón y el almíbar, e introduzca de nuevo la mezcla en el microondas.

Programe el tiempo de cocción en 2 minutos y regule la potencia del horno de microondas al máximo.

Cuando la cocción haya terminado, deje en reposo durante 2 minutos con el horno apagado.

Sirva la compota en copas individuales.

PREPARACIÓN: 10 minutos
COCCIÓN: 15 minutos
REPOSO: 2 minutos
DIFICULTAD: media

Ingredientes

50 g de moras muy maduras
70 g de grosellas rojas desgranadas
70 g de grosellas negras desgranadas
80 g de azúcar
1/2 vaso de vino tinto
1/2 cucharadita de almidón de tapioca

Ensalada de fruta con miel

PREPARACIÓN: 15 minutos
COCCIÓN: 3 minutos
REPOSO: –
DIFICULTAD: baja

Ingredientes

200 g de helado de fruta
15 g de azúcar
1 cestita de frambuesas
1 cestita de arándanos
1 cestita de fresas silvestres
3 cucharadas de miel
1/2 limón (el zumo)
nata montada para decorar

Lave con cuidado las frutas del bosque en agua fría, escúrralas y séquelas con un paño.

Ponga las frutas en una fuente de pyrex, cúbralas con miel y añada 1 cucharada de agua.

Riegue con el zumo de limón, tape la fuente e introdúzcala en el horno a la máxima potencia 3 minutos, removiendo a mitad de la cocción.

Distribuya el helado en copas de cristal y vierta por encima la preparación caliente. Adorne con nata montada y sirva.

MACEDONIA DE FRUTAS

PREPARACIÓN: *30 minutos*
COCCIÓN: *3 minutos*
REPOSO: *–*
DIFICULTAD: *baja*

Ingredientes

100 g de peras
100 g de membrillos
100 g de naranjas
2 cucharadas de miel
1 vasito de vino blanco seco

Pele las naranjas y córtelas en dados; resérvelas en un bol.

Lave y limpie las peras y los membrillos; córtelos en trozos.

Disponga las peras y los membrillos en boles separados; añada a cada uno 1 cucharada de miel e introdúzcalos en el microondas 3 minutos a la máxima potencia.

Bata una cucharadita de cada fruta con el vino.

Disponga las frutas en recipientes individuales, y añada las naranjas y el puré al vino. Sirva esta macedonia tibia.

Manzanas
con almendras

PREPARACIÓN: *10 minutos*

COCCIÓN: *15 minutos*

REPOSO: *–*

DIFICULTAD: *media*

Ingredientes

4 manzanas

40 g de mantequilla

2 cucharadas de almendras picadas

2 cucharadas de pasas sultanas

1 cucharadita de vino blanco

Lave las manzanas, séquelas y quíteles el corazón con el utensilio adecuado.

No las pele, pero realice unas incisiones en la piel para evitar que durante la cocción se abran.

Mezcle la mantequilla con las almendras y las pasas, y, a continuación, añada el vino. Rellene el interior de las manzanas con esta mezcla.

Disponga las manzanas en un recipiente donde quepan justas, y llévelas al horno a la máxima potencia unos 15 minutos.

Sirva este postre templado.

PERAS AL VINO

PREPARACIÓN: *5 minutos*
COCCIÓN: *6 minutos*
REPOSO: –
DIFICULTAD: *media*

Ingredientes

5 peras pequeñas
1 vasito de vino
150 g de azúcar
el zumo de una naranja
1 pizca de canela

Lave las peras, séquelas y pélelas con mucho cuidado. Dispóngalas en un recipiente de pyrex que no sea demasiado ancho.

Cúbralas con el vino y el zumo de naranja, en los que habrá disuelto previamente el azúcar.

A continuación, espolvoree un poco de canela por encima de las peras.

Cubra el recipiente con papel transparente de cocina o papel de horno, y cuézalas durante 6 minutos a la máxima potencia.

COPA
DE MELOCOTONES

PREPARACIÓN: *20 minutos*
COCCIÓN: *5 minutos*
REPOSO: *1 minuto*
DIFICULTAD: *media*

Ingredientes

200 g de melocotones
20 g de mantequilla
1 cucharada de azúcar
1 limón (el zumo)
nata montada para adornar

Pele los melocotones, quíteles el hueso y córtelos en cuartos. Báñelos con el zumo de limón.

Funda la mantequilla en el horno durante unos segundos.

Disponga los melocotones en una fuente de servir, sin que se superpongan. Después, riéguelos con la mantequilla y cúbralos con azúcar.

Tape con papel transparente el recipiente y llévelo al horno a la máxima potencia durante 3 minutos.

Destape, bañe los melocotones con el líquido que han soltado y prosiga la cocción 2 minutos más.

Deje que reposen 1 minuto y sírvalos adornados con nata montada.

BAVARESA DE FRESAS

PREPARACIÓN: 15 minutos
+ 4 horas de refrigeración

COCCIÓN: 1 minuto

REPOSO: –

DIFICULTAD: alta

Ingredientes

400 g de fresas
100 g de azúcar
12 g de gelatina
200 ml de nata
1 chorrito de brandy

Ponga a remojo la gelatina en agua fría. Cuando esté blanda, escúrrala un poco y dispóngala en una fuente de pyrex junto con el brandy y 2 cucharadas de agua.

Derrítala en el horno dejándola un minuto a la máxima potencia. Saque la fuente del microondas y remueva.

Lave las fresas y quíteles el rabillo. Bátalas y vierta el puré así obtenido en la gelatina disuelta.

Monte la nata bien fría e incorpórela con cuidado al puré de fresas.

Vierta en un molde de bavaresa y reserve en el frigorífico durante 4 horas. Desmolde en una fuente de servir, decore y sirva.

BAVARESA DE FRUTA VARIADA

PREPARACIÓN: *15 minutos*
+ 4 horas de refrigeración

COCCIÓN: *1 minuto*

REPOSO: *–*

DIFICULTAD: *alta*

Ingredientes

400 g de fruta variada

100 g de azúcar

12 g de gelatina

200 ml de nata

1 chorrito de licor de nueces

Ponga a remojo la gelatina en agua fría.

Cuando esté blanda, escúrrala un poco y llévela a una fuente de pyrex junto con el brandy y 2 cucharadas de agua.

Derrítala en el horno dejándola un minuto a la máxima potencia. Saque la fuente del microondas y remueva.

Lave la fruta y córtela en trocitos. Bata y vierta el puré así obtenido en la gelatina disuelta.

Monte la nata bien fría e incorpórela con cuidado al puré de fruta.

Vierta todo en un molde de bavaresa y reserve en el frigorífico durante al menos 4 horas.

Desmolde la bavaresa en una fuente de servir, acompáñela con salsa de frambuesas y decórela con trocitos de las frutas utilizadas.

BAVARESA DE FRUTAS DEL BOSQUE

PREPARACIÓN: *15 minutos*
                + 4 horas de refrigeración

COCCIÓN: *1 minuto*

REPOSO: *–*

DIFICULTAD: *alta*

Ingredientes

400 g de frutas del bosque

100 g de azúcar

12 g de gelatina

200 ml de nata

1 cucharadita de licor de nueces

Humedezca la gelatina en agua fría. Cuando esté blanda, estrújela con la mano y dispóngala en un recipiente de pyrex con el licor de nueces y dos cucharadas de agua.

Disuelva la gelatina en el horno a la máxima potencia durante 1 minuto; remuévala. Lave las frutas y reserve unas pocas para decorar; triture el resto y mezcle con la gelatina. Después, monte la nata muy fría e incorpórela al compuesto de fruta.

En un molde de bavaresa vierta la mezcla y enfríe en el refrigerador 4 horas. Desmolde, acompañe con salsa de frambuesas y decore con frutas.

PREPARACIÓN: 15 minutos
+ 12 horas de refrigeración
COCCIÓN: 1 minuto
REPOSO: –
DIFICULTAD: alta

Ingredientes

200 g de albaricoques
200 g de frambuesas
100 g de azúcar
12 g de gelatina
200 ml de nata
1 chorrito de brandy
fruta fresca para decorar

BAVARESA ESTIVAL

Ponga a remojo la gelatina en agua fría.

Cuando esté blanda, escúrrala un poco y llévela a una fuente de pyrex junto con el brandy y 2 cucharadas de agua.

Derrítala en el horno dejándola un minuto a la máxima potencia.

Saque la fuente del horno de microondas y remueva.

Lave la fruta y bátala por separado.

Divida la gelatina en dos; agregue el puré de albaricoques a una mitad y el de frambuesas a la otra.

Monte la nata bien fría e incorpórela con cuidado a los dos purés de fruta.

Vierta en un molde, formando dos capas, y reserve en el frigorífico 12 horas.

Desmolde la bavaresa en una fuente de servir y decórela con trocitos de frutas frescas.

DELICIA DE CHOCOLATE E HIGOS

PREPARACIÓN: 15 minutos
+ tiempo de refrigeración
COCCIÓN: 5 minutos
REPOSO: 1 minuto
DIFICULTAD: media

Ingredientes

300 g de chocolate para fundir
100 g de requesón
50 g de azúcar
10 higos frescos
3 yemas de huevo
nata montada para decorar
fruta fresca para decorar

Ponga el chocolate en un bol y fúndalo en el horno a la máxima potencia durante 5 minutos, para obtener una crema densa. Deje que repose 1 minuto.

Mientras, trabaje bien el azúcar con las yemas. Añada el chocolate fundido y el requesón.

Mezcle con cuidado estos ingredientes y reserve todo en el frigorífico.

Lave los higos y córtelos en rodajas finas, sin quitar la piel.

Recubra la mousse con los trozos de higo.

Lleve todo al frigorífico y sirva este postre bien frío en copas adornadas con nata montada y trozos de fruta.

FLAN DE FRAMBUESAS Y PISTACHOS

PREPARACIÓN: *30 minutos*
COCCIÓN: *9 minutos*
REPOSO: *2 minutos*
DIFICULTAD: *media*

Ingredientes

120 g de pistachos
100 g de azúcar
50 g de mantequilla
1 cestita de frambuesas
5 huevos

Un consejo

Para decorar este postre puede rodearlo de flores de nata montada.

Quite la piel a los pistachos, póngalos en un recipiente con 100 ml de agua y llévelos al horno a la máxima potencia durante 2 minutos. Sáquelos y córtelos por la mitad.

Engrase ligeramente un molde de 1 l de capacidad.

En un bol, mezcle la mantequilla a punto de pomada con el azúcar. Agregue las yemas una a una, sin incorporar la siguiente hasta que la anterior no se haya disuelto.

Monte las claras a punto de nieve bien firme e incorpórelas con cuidado a la mezcla con un movimiento de abajo hacia arriba.

Vierta el compuesto en el molde. Cubra con papel transparente para horno agujereado, para que pueda salir el vapor, y lleve al horno a la máxima potencia durante 7 minutos, girando el recipiente por lo menos dos veces.

Deje que repose 2 minutos.

Desmolde el dulce una vez haya comprobado que se ha solidificado. Adorne con frambuesas y cubra con los pistachos.

Ingredientes

120 g de almendras picadas
100 g de azúcar
30 g de galletas integrales trituradas
50 g de mantequilla
5 huevos
5 kiwis

FLAN DE ALMENDRAS

Pele los kiwis; corte dos en rodajas muy finas y bata los 3 restantes.

Unte con mantequilla un molde de cristal de 1 l de capacidad.

Mezcle en un bol la mantequilla a punto de pomada con el azúcar. Agregue las yemas de una en una, sin incorporar la siguiente hasta que la anterior no se ha disuelto bien. Añada también las almendras picadas y las galletas trituradas.

Monte las claras a punto de nieve bien firme e incorpórelas con cuidado a la mezcla con un movimiento de abajo hacia arriba.

Vierta el compuesto en el molde.

Tape con papel transparente para horno microondas agujereado, para que pueda salir el vapor, e introduzca el molde en el horno a la máxima potencia durante 7 minutos, girándolo por lo menos dos veces.

Deje que repose el dulce 2 minutos, y desmóldelo una vez haya comprobado que se ha solidificado.

Sirva el flan decorándolo con el puré de kiwis y los kiwis en rodajas.

DULCE DE PERAS AL YOGUR

PREPARACIÓN: *20 minutos*
+ 2 horas de refrigeración

COCCIÓN: *2 minutos*

REPOSO: *–*

DIFICULTAD: *media*

Ingredientes

2 peras

300 g de yogur griego

100 g de azúcar

10 g de gelatina

fresas y frambuesas para decorar

Pele las peras, quíteles el corazón y córtelas en trocitos.

Ponga a remojo la gelatina en agua fría y, cuando esté blanda, escúrrala ligeramente.

Diluya el azúcar con 200 ml de agua en un bol e introdúzcalo en el horno a la máxima potencia unos 2 minutos. Agregue la gelatina y disuélvala removiendo bien.

Bata el almíbar con las peras e incorpórele el yogur.

Vierta la mezcla en un molde con una capacidad de 500 ml e introdúzcalo en el frigorífico por lo menos 2 horas.

Adorne con rodajas de fresas alternadas con frambuesas y sirva.

MOLDES
DE MELOCOTÓN

PREPARACIÓN: *10 minutos*
+ 4 horas de refrigeración
COCCIÓN: *1 minuto*
REPOSO: *–*
DIFICULTAD: *media*

Ingredientes

2 melocotones
750 g de yogur de melocotón
20 g de gelatina
1 chorrito de oporto
1 limón (el zumo)
1 ramito de menta
fresitas silvestres para decorar

Lave bien los melocotones y córtelos en rodajas.

Remoje la gelatina en agua fría. Una vez se haya quedado blanda, escúrrala un poco y póngala en un vaso de vidrio con el zumo de limón.

Funda la gelatina en el horno a la máxima potencia durante 1 minuto.

Sáquela, remueva bien y póngala en un bol. Agregue el yogur, mezclando con cuidado.

Vierta el compuesto en un molde de flan regado con el oporto, o bien en moldes individuales, e introdúzcalo en el frigorífico 4 horas.

Desmolde en un plato de servir, adorne con rodajitas de melocotón y fresas silvestres, y sirva.

FLAN DE YOGUR Y FRUTAS DEL BOSQUE

PREPARACIÓN: 10 minutos
    + 4 horas de refrigeración
COCCIÓN: 1 minuto
REPOSO: –
DIFICULTAD: media

Ingredientes

750 g de yogur de frutas del bosque
1 cestita de arándanos
1 cestita de moras
1 cestita de frambuesas
20 g de gelatina
1 chorrito de pacharán

Ponga a remojo la gelatina en agua fría. Cuando esté blanda, escúrrala un poco y mézclela en un vasito de vidrio con el pacharán.

Funda la gelatina en el horno a la máxima potencia durante 1 minuto.

Sáquela, remueva bien y dispóngala en un bol, comprobando que se ha disuelto completamente.

Añada el yogur y mezcle con cuidado.

Vierta el compuesto en un molde e introdúzcalo en el frigorífico durante 4 horas como mínimo.

Desmolde el postre en una fuente de servir, adorne con frutas del bosque y sirva.

MOLDE DE YOGUR GRIEGO Y MIEL

PREPARACIÓN: 20 minutos
+ 4 horas de refrigeración
COCCIÓN: 1 minuto
REPOSO: –
DIFICULTAD: media

Ingredientes

750 g de yogur griego
20 g de gelatina
4 cucharadas de miel
2 naranjas (el zumo)
1 cucharada de almendras picadas
1 chorrito de vino dulce

Ponga a remojo la gelatina en agua fría, escúrrala un poco y mézclela en un vasito de vidrio con el vino.

Funda la gelatina en el horno a la máxima potencia durante 1 minuto.

Sáquela, remueva bien y dispóngala en un bol. Añada el yogur y mezcle con cuidado.

Vierta el compuesto en un molde e introdúzcalo en el frigorífico durante 4 horas como mínimo.

Diluya la miel en el zumo de naranja.

Sirva el postre formando un pequeño agujero en la parte superior y vierta en él parte de la mezcla de naranja y miel.

Espolvoree las almendras picadas y riegue con el resto de la mezcla de zumo y miel. Adorne con piel de naranja.

POSTRE HELADO DE CHOCOLATE Y CASTAÑAS

PREPARACIÓN: *15 minutos*
+ 12 horas de refrigeración
COCCIÓN: *2 minutos*
REPOSO: *–*
DIFICULTAD: *media*

150 g de chocolate para fundir
100 g de castañas cocidas
100 g de azúcar
4 huevos
1 chorrito de brandy
pastitas de almendra para decorar
nata montada para decorar

Trocee el chocolate y dispóngalo en una fuente de pyrex con 2 o 3 cucharadas de agua.

Fúndalo en el horno a media potencia durante 2 minutos, removiendo una vez. Después, agregue las castañas cocidas y bata todo.

A continuación, bata las yemas con el azúcar hasta que estén espumosas. Aromatice con el brandy y luego añada el compuesto de chocolate y castañas.

Monte las claras a punto de nieve bien firme e incorpórelas con mucho cuidado a la mezcla anterior, removiendo con suavidad de abajo hacia arriba.

Vierta todo en un molde y déjelo en el frigorífico 12 horas como mínimo. Desmolde y decore con galletitas de almendra y nata montada.

Semifrío de Chocolate y plátano

PREPARACIÓN: 10 minutos
            + 2 horas de refrigeración
COCCIÓN: 2 minutos
REPOSO: –
DIFICULTAD: media

Ingredientes

150 g de chocolate blanco troceado
100 g de azúcar
4 huevos
2 plátanos
2-3 hojas de menta
1 chorrito de ron

Ponga el chocolate en una fuente de pyrex con 2-3 cucharadas de agua y fúndalo en el horno a media potencia durante 2 minutos, removiendo una vez.

Bata los plátanos —reservando un trozo para adornar— e incorpore el batido al chocolate fundido.

Bata las yemas con el azúcar hasta que estén espumosas. Aromatice con el ron y agregue la mezcla de plátano y chocolate.

Monte las claras a punto de nieve bien firme e incorpórelas con cuidado a la mezcla preparada, removiendo de abajo hacia arriba.

Vierta el compuesto en un bol y déjelo en el frigorífico 2 horas como mínimo.

Decore con rodajas de plátano y hojas de menta, y sirva.

PERAS CON CREMA

PREPARACIÓN: 25 minutos
COCCIÓN: 12 minutos
REPOSO: 30 minutos
DIFICULTAD: media

Ingredientes

4 peras
1 yema de huevo
1 vaso de leche
1 cucharadita de fécula de patata
1 pizca de sal
agua y azúcar

Para decorar

granada

Pele las peras, ábralas por la mitad y retire con cuidado el corazón.

Dispóngalas en una cazuela de cristal con una cucharada de azúcar y vierta un chorro de agua; hornee a la máxima potencia durante 3 minutos.

Cuando la cocción haya terminado, sáquelas del horno y déjelas enfriar.

En otra cazuela refractaria, vierta la yema de huevo y seis cucharadas de azúcar. Con una espátula pequeña trabaje ligeramente la mezcla, añada la fécula, la sal y la leche, y remueva hasta obtener una mezcla lisa y homogénea.

Cueza en el horno 9 minutos programando la potencia al máximo.

Vierta la mezcla en un bol y deje que temple 30 minutos.

Escurra las peras con una espumadera y dispóngalas en una fuente de servicio.

Vierta la crema por encima de las peras. Decore con la granada y sirva a continuación

Higos en hojas de vid

Lave y seque bien los higos; después córtelos por la mitad dejándolos unidos por la parte del peciolo.

Rellene luego ambas partes de los frutos con una almendra y un clavo.

Cierre otra vez los higos con hilo de cocina incoloro.

Vierta la miel en un recipiente de cristal y témplelo en el horno de microondas a media potencia durante 1 minuto.

Unte los higos con la miel derretida, recupérelos con un tenedor y déjelos escurrir durante un momento.

Luego disponga los higos sobre las hojas de vid, doble los bordes y enrolle hacia la parte del tallo.

Disponga los rollos de vid en línea en un recipiente de porcelana, de modo que no se abran, e introdúzcalos en el horno.

Programe el tiempo de cocción en 2 minutos y regule la potencia del horno de microondas al máximo.

Antes de servir, deje reposar la preparación durante unos 2 minutos con el horno apagado.

PREPARACIÓN: *25 minutos*
COCCIÓN: *3 minutos*
REPOSO: *2 minutos*
DIFICULTAD: *media*

Ingredientes

4 higos tiernos
8 almendras peladas
8 clavos
miel

Para la preparación

4 hojas de vid lavadas y hervidas
hilo de cocina incoloro

PREPARACIÓN: *20 minutos*
+ 30 minutos de refrigeración
COCCIÓN: *2 minutos*
REPOSO: *–*
DIFICULTAD: *baja*

Ingredientes

500 g de pulpa de sandía
150 g de azúcar
1 limón (el zumo)
1 sobrecito de vainilla
fresas y menta para decorar

SORBETE DE SANDÍA

Quite con cuidado las semillas a la sandía y bátala.

A continuación, añada el zumo del limón al puré de sandía.

Disponga en un bol el azúcar con 1 cucharada de agua y la vainilla.

Seguidamente, introdúzcalo durante 2 minutos en el horno de microondas a la máxima potencia.

Después, disponga todo en la heladera e introdúzcalo en el congelador durante 30 minutos.

Cuando el sorbete esté listo, adorne con fresas y hojitas de menta.

CREMA AL CAFÉ

PREPARACIÓN: 10 minutos
COCCIÓN: 6 minutos
REPOSO: 3 minutos
DIFICULTAD: baja

Ingredientes

400 ml de leche
80 g de azúcar
50 g de harina
2-3 cucharadas de café fuerte
1 cucharada de ron
3 huevos
nata montada para decorar

Bata los tres huevos con todo el azúcar en un bol.

A continuación, añada la harina, el café, el ron y la leche.

Bata bien todos los ingredientes hasta conseguir una mezcla lisa y homogénea.

Introduzca todo en el horno a media potencia y déjelo 6 minutos, removiendo de vez en cuando.

Deje reposar 3 minutos.

Sirva la crema fría en copas, decorando con nata montada.

CREMA DE LIMÓN Y MANDARINAS

PREPARACIÓN: *20 minutos*
COCCIÓN: *2 minutos*
REPOSO: *–*
DIFICULTAD: *media*

Ingredientes

5 mandarinas
70 g de azúcar glas
200 ml de leche
1 limón (el zumo)
3 huevos
1 cucharadita de almidón de maíz

Pele 3 mandarinas y divídalas en cuartos.

Ponga la leche al fuego y llévela a ebullición junto con la piel rallada de las mandarinas.

En una fuente de pyrex, trabaje las yemas de huevo con el azúcar glas. Añada el almidón.

Diluya la mezcla con el zumo de limón y el de las dos mandarinas restantes.

A continuación, vierta la leche hirviendo poco a poco, sin dejar de remover para evitar la formación de grumos.

Cueza 2 minutos en el horno a la máxima potencia.

Deje enfriar o, si prefiere una crema más esponjosa, añada antes las claras montadas a punto de nieve bien firme.

Decore con los cuartos de mandarina y, si lo desea, sirva con galletitas.

CREMA DE VAINILLA

Bata los huevos en un bol junto con el azúcar.

A continuación, añada la harina, la vainilla y la leche, y continúe removiendo.

Introduzca esta mezcla en el horno y cuézala 6 minutos a media potencia, removiendo bien de vez en cuando.

Por último, transcurrido este tiempo, deje que repose 3 minutos.

Sirva la crema una vez que esté bien fría, decorada con la nata montada.

PREPARACIÓN: *10 minutos*
COCCIÓN: *6 minutos*
REPOSO: *3 minutos*
DIFICULTAD: *media*

Ingredientes

80 g de azúcar
50 g de harina
400 ml de leche
3 huevos
1 sobrecito de vainilla
nata montada para adornar

CREMA DE NUECES

PREPARACIÓN: *10 minutos*
COCCIÓN: *5 minutos*
REPOSO: *1 minuto*
DIFICULTAD: *media*

Ingredientes

400 ml de leche
100 ml de licor de nueces
70 g de azúcar
3 huevos
3-4 nueces peladas
1 cucharadita de maicena
bizcochos para decorar

Bata los huevos con el azúcar en un recipiente de pyrex.

Seguidamente, agregue la maicena y diluya con la leche, que debe estar a temperatura ambiente.

A continuación, remueva y cueza en el horno a media potencia durante 3 minutos.

Aromatice con el licor de nueces y prosiga la cocción a la máxima potencia unos 2 minutos.

Deje reposar durante 1 minuto.

Sirva la crema fría y decore con nueces y bizcochos.

CREMA PASTELERA

PREPARACIÓN: *10 minutos*
COCCIÓN: *5 minutos*
REPOSO: –
DIFICULTAD: *media*

Ingredientes

500 ml de leche
70 g de azúcar
60 g de harina
3 yemas de huevo
1 sobrecito de vainilla

Bata bien las tres yemas con el azúcar en un bol.

Incorpore toda la harina y la leche poco a poco.

Remueva bien hasta que obtenga una mezcla lisa y homogénea.

Aromatice la mezcla preparada con el sobre de vainilla.

Cubra con papel transparente para microondas y cueza en el horno a una potencia media-alta durante 5 minutos.

Bata la crema y sirva en platos pequeños individuales.

MOUSSE
DE CHOCOLATE

PREPARACIÓN: 10 minutos
            + 2 horas de refrigeración

COCCIÓN: 2 minutos

REPOSO: –

DIFICULTAD: media

Ingredientes

150 g de chocolate para fundir

100 g de azúcar

4 huevos

1 cucharadita de ron

Trocee el chocolate y dispóngalo en un recipiente de pyrex con 2 o 3 cucharadas de agua.

Funda el chocolate en el horno a media potencia durante 2 minutos, removiendo una vez.

Bata las yemas de los cuatro huevos con el azúcar hasta que estén espumosas. Aromatice con el ron y añada poco a poco el chocolate fundido mientras va removiendo.

Monte 3 claras a punto de nieve bien firme e incorpórelas con cuidado a la mezcla preparada, removiendo de abajo hacia arriba.

Reparta en copas y enfríe en el frigorífico durante 2 horas como mínimo.

Decore a su gusto y sirva.

MOUSSE DE CHOCOLATE BLANCO

PREPARACIÓN: *10 minutos*
+ 2 horas de refrigeración
COCCIÓN: *2 minutos*
REPOSO: *–*
DIFICULTAD: *media*

Ingredientes

200 g de chocolate blanco

50 g de chocolate negro en escamas

50 g de azúcar

3 huevos

Disponga el chocolate blanco en una fuente de pyrex.

Introduzca el recipiente en el horno de microondas y funda el chocolate a la máxima potencia durante 2 minutos, para obtener una crema densa.

Bata las yemas con el azúcar hasta que estén espumosas.

Añada el chocolate fundido y las claras montadas a punto de nieve.

Mezcle todo y refrigérelo en el frigorífico durante 2 horas como mínimo.

En el momento de servir, decore con las escamas de chocolate negro.

MOUSSE DE LICOR DE PERAS

PREPARACIÓN: 20 minutos
COCCIÓN: 10 minutos
REPOSO: –
DIFICULTAD: media

Ingredientes

800 g de peras
100 g de requesón
20 g de mantequilla
2 cucharadas de leche
1 cucharada de licor de peras
1 cucharada de azúcar

Lave las peras, pélelas y córtelas en trozos.

Dispóngalas en un plato de pyrex junto con la mantequilla y el azúcar, e introduzca todo en el horno durante 7 minutos a la máxima potencia.

Mezcle en un bol el requesón, la leche y el licor. Añada las peras y bata todo.

Introduzca esta mezcla en el horno a la máxima potencia durante 2 minutos, remueva y cueza todavía 1 minuto más.

Deje reposar.

Sirva este postre acompañado de lenguas de gato cubiertas con chocolate.

MOUSSE DE CANELA

Bata las yemas de huevo con el azúcar en un bol.

Añada la fécula y remueva.

Ponga a calentar al fuego la leche de soja con la canela y viértala sobre las yemas, sin dejar de remover.

Cubra el bol con plástico transparente para microondas, y cueza 2 minutos en el horno a la máxima potencia.

Deje que repose 1 minuto, y luego llévela al refrigerador.

Monte las claras a punto de nieve bien firme.

Monte también la nata.

Incorpore con delicadeza las claras montadas y la nata a la crema, removiendo de abajo hacia arriba.

Conserve la mousse en el refrigerador hasta el momento de servir.

PREPARACIÓN: *15 minutos*
+ tiempo de refrigeración

COCCIÓN: *2 minutos*

REPOSO: *1 minuto*

DIFICULTAD: *media*

Ingredientes

60 g de azúcar

35 g de fécula de patata

400 ml de leche de soja

3 huevos

4 cucharadas de nata

1 cucharadita de canela

MOUSSE DE MANZANAS

PREPARACIÓN: 25 minutos

            + 2 horas de refrigeración

COCCIÓN: 10 minutos

REPOSO: –

DIFICULTAD: media

Ingredientes

600 g de manzanas

100 g de requesón

20 g de mantequilla

2 cucharadas de leche

1 cucharada de zumo de naranja

1 cucharada de azúcar

Pele las manzanas y córtelas en pequeños trozos.

Disponga en una fuente de pyrex la mantequilla, las manzanas, el azúcar y el zumo de naranja.

Cueza en el horno de microondas a la máxima potencia durante 7 minutos.

Mezcle el requesón y la leche, y agréguelo al compuesto de manzana. Bata todo.

Cueza en el horno 2 minutos, remueva y prosiga la cocción otro minuto.

Refrigere la mousse durante 2 horas en el frigorífico.

Repártala en copas y sirva, adornando con frutas.

SALSA DE CHOCOLATE

PREPARACIÓN: 5 minutos
COCCIÓN: 1 minuto
REPOSO: 1 minuto
DIFICULTAD: baja

Ingredientes

150 g de chocolate para fundir, troceado
4-5 cucharadas de nata

Disponga en una fuente de pyrex el chocolate para fundir, ya troceado, con 4 cucharaditas de agua.

A continuación, tape el recipiente y cueza en el horno de microondas a una potencia media-alta durante 1 minuto.

Seguidamente, saque la fuente del horno y deje que repose 1 minuto.

Antes de servir, añada la nata y mezcle con cuidado.

SALSA DE FRAMBUESAS

PREPARACIÓN: *10 minutos*
COCCIÓN: *2 minutos*
REPOSO: *1 minuto*
DIFICULTAD: *baja*

Ingredientes

400 g de frambuesas
60 g de azúcar
1 cucharada de licor de naranja
1 cucharadita de zumo de limón
frambuesas para decorar

Lave con cuidado las frambuesas y dispóngalas en un recipiente que sea alargado y poco profundo.

A continuación, espolvoree el azúcar por encima de las frambuesas y agregue el zumo de limón y el licor de naranja.

Seguidamente, cueza en el horno de microondas a la máxima potencia durante 2 minutos.

Deje reposar 1 minuto, bata y elimine las semillas tamizando el puré.

Sirva en copas la salsa sobre bolas de helado de diferentes sabores y adorne con algunas frambuesas enteras.

ESPUMA DE CHOCOLATE Y AVELLANA

PREPARACIÓN: *20 minutos*
+ 2 horas de refrigeración
COCCIÓN: *2 minutos*
REPOSO: *–*
DIFICULTAD: *media*

Ingredientes

150 g de chocolate para fundir troceado
100 g de azúcar
50 g de avellanas
4 huevos
1 chorrito de brandy

Ponga el chocolate en una fuente de pyrex con 2 o 3 cucharadas de agua y fúndalo en el horno de microondas a potencia media durante 2 minutos, removiendo una vez.

Pique las avellanas.

Bata las yemas con el azúcar en un bol hasta que estén espumosas. Aromatice con el brandy y agregue el chocolate fundido y las avellanas.

Monte las claras a punto de nieve bien firme e incorpórelas con cuidado a la mezcla, removiendo de abajo hacia arriba.

Reparta en copas y manténgalo en el frigorífico durante 2 horas como mínimo.

Sirva adornado con virutas de chocolate.

PREPARACIÓN: *20 minutos*
+ 2 horas de refrigeración
COCCIÓN: *2 minutos*
REPOSO: *–*
DIFICULTAD: *media*

Ingredientes

150 g de chocolate fondant

100 g de azúcar

100 g de turrón duro de almendra
desmenuzado

4 huevos

1 cucharada de brandy

Mousse de turrón

Corte el chocolate en trozos pequeños y dispóngalo en un recipiente de pyrex con 2 o 3 cucharadas de agua. Fúndalo en el horno a media potencia durante 2 minutos, mezclando una vez.

En un bol, bata las yemas con el azúcar hasta obtener una espuma. Aromatice con el brandy e incorpore el chocolate fundido y el turrón.

Bata 2 claras en otro bol a punto de nieve firme e incorpórelas suavemente, con movimientos de abajo a arriba, a la mezcla preparada anteriormente.

Finalmente, vierta la mousse en copas individuales y enfríe en el refrigerador durante 2 horas como mínimo.

Decore con trocitos de turrón y virutas de chocolate.

CHARLOTTE DE BIZCOCHOS

PREPARACIÓN: *40 minutos*
+ temps de refrigeración
COCCIÓN: *5 minutos*
REPOSO: *2 minutos*
DIFICULTAD: *media*

Ingredientes

200 g de bizcochos
100 g de azúcar
500 ml de leche
150 ml de nata
4 yemas de huevo
4 hojas de gelatina
1 cucharada de azúcar glas
1 cucharada de vainillina

Ponga una cazuela al fuego con la leche y añada la vainillina.

Deje la gelatina a remojo en agua fría durante 15 minutos y luego dilúyala.

Ponga las yemas y el azúcar en una fuente de pyrex y remueva hasta obtener un compuesto cremoso.

Agregue la leche caliente, incorporándola poco a poco y sin dejar de remover.

Introduzca esta mezcla en el horno sin tapar y cueza a una potencia media-baja durante 5 minutos, removiendo cada minuto y poniendo mucha atención en que no llegue a hervir.

Deje que repose 2 minutos y añada la gelatina. Espere a que enfríe.

Monte la nata con el azúcar glas y mezcle esto con la crema, removiendo con cuidado.

Forre un molde con los bizcochos y vierta la crema.

Deje que enfríe en el frigorífico, desmolde y sirva.

CREPES
CON CHOCOLATE

PREPARACIÓN: 40 minutos
COCCIÓN: 6-7 minutos
REPOSO: –
DIFICULTAD: media

Ingredientes

120 g de chocolate para fundir
100 g de harina
20 g de azúcar
25 g de mantequilla
150 ml de leche
2 huevos
1 pizca de nuez moscada
sal

Tamice la harina en un bol. Añada el azúcar, 2 pizcas de sal, la nuez moscada y los huevos.

Incorpore también la leche y continúe removiendo para evitar que se formen grumos en la masa.

Caliente el plato para gratinar del horno de microondas a la máxima potencia durante 3 minutos.

Engráselo con un poco de mantequilla, vierta un cazo de masa y repártala por toda la superficie de manera uniforme.

Cueza a la máxima potencia unos 30 segundos.

Dé la vuelta al crepe y deje que se haga por el otro lado 30 segundos más. Retírelo del horno y resérvelo aparte.

Utilizando el mismo procedimiento vaya haciendo los crepes, uno cada vez, hasta que se acabe la masa.

Ponga el chocolate en un recipiente de pyrex e introdúzcalo en el horno a la máxima potencia y sin tapar durante 2 minutos, hasta que esté fundido.

Reparta el chocolate en los crepes y vaya doblándolos.

Dispóngalos en una fuente de servir e introdúzcalos en el horno 30 segundos. Sáquelos y sírvalos.

TARTA DE ALBARICOQUES

PREPARACIÓN: *30 minutos*
+ tiempo de refrigeración
COCCIÓN: *5 minutos*
REPOSO: *30 minutos*
DIFICULTAD: *media*

Ingredientes

170 g de harina
150 g de confitura de albaricoque
90 g de mantequilla
70 g de azúcar
3 yemas de huevo
1/2 cucharada de piel de limón rallada
1 cucharada de bizcochos secos desmenuzados
1 pizca de sal

Ablande 80 g de mantequilla y mézclela con la harina, amasando bien con las manos.

Forme un volcán y añada el azúcar, las yemas, la piel de limón y la sal. Amase enérgicamente y deje que repose 30 minutos.

Enharine la superficie de trabajo y extienda la masa con el rodillo formando una capa muy fina.

Engrase una fuente de pyrex, espolvoree los bizcochos desmenuzados y cúbrala con la masa. Corte en tiras la masa sobrante.

Recubra la tarta con la confitura, repartiéndola uniformemente y disponga encima las tiras de masa.

Cueza en el horno a la máxima potencia 5 minutos.

Deje que repose en el horno apagado hasta que esté fría.

TARTA DE CREMA

PREPARACIÓN: 1 hora
+ tiempo de refrigeración
COCCIÓN: 6-7 minutos
REPOSO: –
DIFICULTAD: media

Ingredientes

200 g de harina
90 g de mantequilla
75 g de azúcar
1 huevo
1 piel de limón rallada
1 cucharada de pan rallado
1/2 sobrecito de levadura
sal

Para el relleno

400 ml de crema pastelera
3 yemas de huevo
6 cucharadas de vino dulce
6 cucharadas de azúcar

Ablande 80 g de mantequilla y trocéela. Vierta la harina en una superficie de trabajo con una pizca de sal. Agregue el azúcar y la piel de limón, y mezcle con cuidado. Forme un volcán y casque el huevo en el centro; añada la mantequilla y la levadura, y amase bien.

Envuelva la masa obtenida en una hoja de papel parafinado e introdúzcala una hora en el frigorífico. Luego, amásela con un rodillo hasta obtener un disco que cubra el fondo y los lados de una tartera de 24 cm de diámetro.

Engrase la tartera y espolvoree el pan rallado. Coloque en ella el disco de masa, iguale los bordes y cúbralo con una hoja de papel para horno sobre la que habrá de poner otra tartera que tenga 22 cm de diámetro.

Introduzca todo en el horno a la máxima potencia 3 minutos. Retire del horno la tartera más pequeña y el papel, y prosiga la cocción 2 minutos más.

Saque la tarta del horno, deje que enfríe y desmóldela.

Ponga las yemas con el azúcar en un bol y trabájelas bien hasta obtener una crema. Incorpore el vino dulce poco a poco, sin dejar de remover para que se mezclen bien todos los ingredientes. Lleve el bol al microondas y deje que cueza sin tapar y a media potencia durante 1 minuto. Remueva enérgicamente y prosiga la cocción unos 50 segundos más. Espere a que enfríe.

Mezcle bien este preparado con la crema pastelera y rellene la tarta.

Pastel de cerezas

PREPARACIÓN: 50 minutos
+ tiempo de refrigeración
COCCIÓN: 15 minutos
REPOSO: 3 minutos
DIFICULTAD: media

Ingredientes

500 g de cerezas
125 g de harina
50 g de azúcar
100 ml de leche
3 huevos
1 limón (la piel rallada)

Lave las cerezas, quíteles el hueso, dispóngalas en una fuente e introdúzcalas en el horno a la máxima potencia durante 10 minutos.

Bata los huevos con el azúcar en un bol. Agregue la harina y la leche poco a poco, sin dejar de remover para que no se formen grumos. Por último, añada la piel de limón.

Vierta la mezcla sobre las cerezas, cubra con papel transparente para microondas y cueza en el horno a una potencia media-alta durante 5 minutos, removiendo al menos una vez y girando el plato.

Deje que repose el pastel 3 minutos y sírvalo frío.

Pastel
DE CARDAMOMO

PREPARACIÓN: *10 minutos*
+ 6 horas de refrigeración
COCCIÓN: *10-11 minutos*
REPOSO: *1 minuto*
DIFICULTAD: *media*

Ingredientes

500 g de queso fresco
100 g de azúcar
60 g de nata montada
100 ml de leche
2 cucharadas de zumo de limón
3 huevos
1 pizca de canela
1 cucharada de cardamomo en polvo
sal

Caliente en el fuego la leche con el cardamomo durante 1 minuto.

Espere a que enfríe y cuélela.

Bata los huevos en un bol con el zumo de limón.

Disponga el queso fresco en una fuente de pyrex e introdúzcala en el horno 1 minuto a media potencia.

Añada el azúcar, la leche y los huevos batidos.

Cueza la mezcla en el horno a la máxima potencia durante 4 minutos, removiendo una vez para que espese.

Forre un molde de pyrex con papel para horno y vierta en él la mezcla; cuézala 5-6 minutos a media potencia.

Deje que repose 1 minuto e introdúzcala en el refrigerador durante 6 horas.

Añada el cardamomo a la nata montada; recubra con esto el pastel y sírvalo.

Brazo de gitano con frambuesas

Lave las frambuesas y córtelas por la mitad. Disponga en un bol 15 g de mantequilla e introdúzcalo 30 segundos en el horno a la máxima potencia.

Unte con mantequilla una hoja de papel para horno de 24 × 28 cm, y dispóngala en una bandeja de cartón. Espolvoree un poco de harina sobre el papel y sacúdalo para eliminar el excedente.

Tamice el resto de la harina.

En un bol, bata las yemas con el azúcar hasta que estén esponjosas. Incorpore la harina y continúe removiendo para evitar la formación de grumos.

Monte las claras a punto de nieve bien firme, e incorpórelas delicadamente a la mezcla.

Extienda esta mezcla sobre el papel para horno en una sola capa, e iguale los bordes con una espátula.

Cueza en el horno a la máxima potencia 5 minutos, girando la bandeja una vez a la mitad de la cocción.

Deje que repose 2 minutos con el horno apagado, y dele la vuelta sobre un paño húmedo. Gire la lámina de bizcocho sobre sí misma con la ayuda del trapo, y coloque el rollo obtenido sobre una fuente cubierta con plástico transparente. Consérvelo en el frigorífico durante una hora como mínimo.

Bata la nata con una cucharada de azúcar glas.

Saque del frigorífico el rollo de bizcocho, dispóngalo en una fuente y decórelo con la nata montada y las frambuesas.

PREPARACIÓN: *30 minutos*
+ 1 hora de refrigeración
COCCIÓN: *5-6 minutos*
REPOSO: *2 minutos*
DIFICULTAD: *media*

Ingredientes

200 g de frambuesas
60 g de harina
25 g de mantequilla
50 g de azúcar
200 ml nata
3 huevos
1 cucharada de azúcar glas

TARTA DE REQUESÓN CON NARANJAS

PREPARACIÓN: *40 minutos*
+ 8 horas de refrigeración
COCCIÓN: *20-25 minutos*
REPOSO: *1 minuto*
DIFICULTAD: *media*

Ingredientes

500 g de requesón
100 g de bizcochos desmenuzados
100 g de azúcar
5 g de mantequilla
100 ml de leche
2 cucharadas de zumo de limón
2 naranjas
3 huevos
1 pizca de canela
sal

Pele las naranjas y córtelas en rodajas finas. Forre una tartera antiadherente con ellas, reservando 1 o 2 rodajas para la decoración.

Derrita la mantequilla: póngala en un recipiente que debe introducir tapado en el horno a la máxima potencia durante 1 minuto.

Mezcle la mantequilla con los bizcochos y la canela, y presione bien esta masa en el fondo de la tartera.

Caliente la mezcla introduciéndola en el horno a la máxima potencia 1-2 minutos.

Bata los huevos con el zumo de limón.

Disponga el requesón en un bol e introdúzcalo en el horno a media potencia durante 1 minuto. Añada el azúcar, la sal, la leche y los huevos batidos.

Cueza todo en el horno a la máxima potencia 4 minutos, removiendo una vez para que espese.

Lleve este compuesto a la tartera y cueza a media potencia 5-10 minutos.

Saque la tarta del horno, adorne con las rodajas de naranja y deje reposar 1 minuto.

Mantenga en el frigorífico 8 horas antes de servir.

GALLETITAS DE ALMENDRAS

PREPARACIÓN: *40 minutos*
COCCIÓN: *2-3 minutos*
REPOSO: *5 minutos*
DIFICULTAD: *media*

Ingredientes

24 almendras
180 g de harina
100 g de mantequilla
75 g de azúcar
25 g de cacao
1 pizca de sal

Deje que se ablande la mantequilla y bátala con el azúcar en un bol hasta que esté a punto de pomada.

Añada la harina tamizada, la sal, el cacao y dos cucharaditas de agua.

Trabaje todo hasta obtener una masa lisa y compacta.

Forme 24 bolas y dispóngalas bastante separadas en una bandeja cubierta de papel para horno.

Aplaste las bolas con un tenedor y disponga una almendra en el centro de cada una.

Cueza 2-3 minutos con el horno a media potencia.

Deje que reposen las galletitas 5 minutos, y luego colóquelas sobre una rejilla para que se sequen.

Dulces turcos

Disponga en un bol el azúcar, el zumo de limón y el de naranja, las pieles de ambos y 200 ml de agua.

Introdúzcalo en el horno a la máxima potencia durante 8 minutos, removiendo cuatro veces para que se disuelva bien el azúcar.

Cueza 5-10 minutos más sin remover, para obtener un almíbar.

Remoje la gelatina en agua, escúrrala e incorpórela al almíbar caliente, removiendo bien para que se disuelva completamente.

Añada el colorante.

Humedezca un molde con agua y vierta dentro el almíbar.

Introduzca el molde en el congelador durante toda una noche.

Espolvoree la superficie de trabajo bien limpia y seca con azúcar glas, y desmolde el dulce.

Córtelo en cubitos, reboce estos con azúcar glas y déjelos secar sobre una rejilla.

PREPARACIÓN: *30 minutos*
+ 12 horas de refrigeración
COCCIÓN: *13-18 minutos*
REPOSO: *–*
DIFICULTAD: *media*

Ingredientes

700 g de azúcar
50 g de azúcar glas
3 hojas de gelatina
1 naranja (la piel y el zumo)
1 limón (la piel y el zumo)
200 ml de agua
colorante alimentario rojo

DULCES
DE REQUESÓN

PREPARACIÓN: *30 minutos*
COCCIÓN: *12 minutos*
REPOSO: *10 minutos*
DIFICULTAD: *media*

Ingredientes

500 g de requesón

100 g de azúcar

150 g de fruta escarchada troceada

50 g de pasas sultanas remojadas

30 g de avellanas picadas

100 ml de leche

2 cucharadas de zumo de limón

1 pizca de canela

3 huevos

1 pizca de sal

Introduzca el requesón con un par de cucharadas de leche en el horno a media potencia durante 1 minuto. Sáquelo y remueva bien.

En un bol, bata los huevos con el azúcar, la sal, la leche restante y el zumo de limón. Cueza en el horno a la máxima potencia 4 minutos, removiendo una vez para que espese.

Pase el requesón por un tamiz e incorpórelo a la mezcla anterior. Añada ahora también las avellanas, la fruta escarchada y las pasas.

Reparta esta mezcla en 4 moldes y cueza sin tapar en el horno a la máxima potencia durante 7 minutos.

Deje que reposen 10 minutos y sirva estos dulces calientes o fríos, espolvoreados con canela y adornados con fruta escarchada.

DULCE DE AVELLANAS Y ZANAHORIAS

PREPARACIÓN: 30 minutos
+ tiempo de refrigeracion
COCCIÓN: 12-13 minutos
REPOSO: –
DIFICULTAD: media

Ingredientes

150 g de zanahorias
40 g de avellanas tostadas
100 g de azúcar
80 g de mantequilla
40 g de pasas sultanas remojadas
750 ml de leche
1 trozo de coco rallado

Ponga una cazuela con la leche al fuego y llévela a ebullición.

Lave y pele las zanahorias, séquelas y rállelas.

Disponga la leche hirviendo, las zanahorias y el coco en una fuente de pyrex alargada e introdúzcala en el horno 3 minutos a una potencia media-alta.

Añada el azúcar y prosiga la cocción unos 5 minutos, removiendo cada minuto.

Incorpore la mantequilla y cueza 4 minutos más, hasta que espese.

Añada las pasas, distribuya por encima las avellanas, deje que enfríe y sirva.

PREPARACIÓN: *40 minutos*
                + tiempo de refrigeración
COCCIÓN: *8 minutos*
REPOSO: *3 minutos*
DIFICULTAD: *media*

Ingredientes

125 g de azúcar
75 g de harina
75 g de fécula de patata
50 g de mantequilla
100 ml de leche
2 huevos
3 bizcochos secos picados
1 sobrecito de levadura

Para el relleno

100 g de mantequilla troceada
70 g de confitura de fresas o cerezas
50 g de azúcar glas
100 ml de licor de alquermes
100 ml de licor de hierbas
100 ml de jarabe de fresas o cerezas
cacao para adornar
fresas o cerezas para decorar

TABLERO DULCE

Unte con mantequilla una tartera cuadrada y cúbrela con los bizcochos.

Trabaje 30 g de mantequilla con el azúcar en un recipiente de pyrex hasta obtener una crema. Añada las yemas (de una en una), la harina tamizada y la fécula mezclada con la levadura. Vierta la leche y mezcle hasta formar una pasta.

Monte las claras a punto de nieve e incorpórelas a la masa anterior. Vierta todo en la tartera, nivele sin tapar en el horno a la máxima potencia 8 minutos. Deje la tarta 3 minutos más con el horno apagado, desmóldela sobre una rejilla y déjela enfriar.

Prepare el relleno. Ponga la mantequilla en un bol y trabájela con una cuchara de madera. Agregue la confitura y 2 o 3 cucharadas de licor de alquermes.

Con un cuchillo, corte la tarta en dos rectángulos y, luego, abra estos por la mitad en el sentido del espesor para obtener dos partes iguales. Coloque juntas las dos bases y únalas con un poco de crema.

Vierta el licor de alquermes restante en un bol, agregue el jarabe y unte uno de los dos rectángulos de la base con esta mezcla. Pinte la otra base con el licor de hierbas, para obtener así una mitad rosada y otra de color natural.

Cubra los dos rectángulos con una capa de crema y ponga encima los otros dos rectángulos, uniéndolos también con un poco de crema. Empape la parte que tapa el rectángulo rosado con licor de hierbas y la otra con la mezcla de alquermes.

Refrigere la tarta y, antes de servirla, cúbrala con azúcar glas. Decore con el cacao (formando un tablero), la crema restante y la fruta.

TARTA DE CACAO Y AVELLANAS

PREPARACIÓN: 30 minutos
COCCIÓN: 3-4 minutos
REPOSO: 5 minutos
DIFICULTAD: media

Ingredientes

115 g de avellanas picadas muy finas
4 cerezas confitadas
50 g de azúcar
40 g de pan rallado
20 g de mantequilla
250 ml de nata
2 cucharadas de licor de hierbas
2 huevos
1 cucharada de cacao amargo
1 sobrecito de vainillina
1 cucharada de azúcar glas
1 pizca de sal

Corte las cerezas en trocitos muy pequeños y colóquelos en una taza. Cúbralos con 1 cucharada de licor.

Unte con mantequilla un molde de corona para pudin y cúbralo de forma uniforme con pan rallado.

Disponga en un bol las yemas, el azúcar y la vainillina, y trabaje con un tenedor hasta obtener un compuesto cremoso.

Añada 2 cucharadas de nata, las avellanas, el cacao, 1 cucharada de licor, las cerezas y el pan rallado restante.

Monte las claras a punto de nieve bien firme, sale e incorpórelas con mucho cuidado al compuesto, removiendo de abajo hacia arriba.

Vierta la preparación en el molde, nivele e introdúzcalo sin tapar en el horno a la máxima potencia 3-4 minutos. Deje que repose con el horno apagado 5 minutos.

Monte la nata restante y añada el azúcar glas tamizado.

Desmolde sobre una fuente redonda, ponga la nata montada en el agujero central y sirva.

PASTEL
DE CHOCOLATE

PREPARACIÓN: 20 minutos
COCCIÓN: 3 minutos
REPOSO: 1 minuto
DIFICULTAD: media

Ingredientes

50 g de harina
50 g de azúcar
20 g de mantequilla
3-4 cucharadas de leche
1 cucharada de cacao amargo
1 clara de huevo
1/2 cucharadita de levadura

Funda la mantequilla en un recipiente de pyrex y añada la harina y el azúcar.

Trabaje hasta obtener una mezcla lisa y homogénea.

Añada el cacao y luego la leche, a cucharadas. Continúe removiendo.

Monte la clara de huevo a punto de nieve bien firme, e incorpórela delicadamente removiendo de abajo hacia arriba.

Por último, añada la levadura.

Vierta la mezcla en un molde ligeramente engrasado con mantequilla, e introdúzcalo en el horno 3 minutos a la máxima potencia.

Deje que repose 1 minuto y sirva el pastel cortado en pequeños cuadraditos.

Pastel frío
con fresas silvestres

Ponga a remojo la gelatina en agua fría. A continuación, escúrrala y llévela a una fuente de pyrex junto con el licor de fresa y 2 cucharadas de agua.

Funda la gelatina en el horno durante 1 minuto a la máxima potencia.

Retire la fuente del horno y remueva de nuevo.

Lave las fresas silvestres con el vinagre. Bátalas y vierta el puré obtenido en la fuente donde reserva la gelatina fundida.

Bata la nata bien fría e incorpórela delicadamente al puré.

Vierta todo en un molde para tarta de, aproximadamente, 20 cm de diámetro e introdúzcalo en el frigorífico 12 horas como mínimo.

Desmolde en una fuente de servir, decore, si lo desea, con unas fresitas reservadas y sirva.

PREPARACIÓN: *15 minutos*
+ 12 horas de refrigeración
COCCIÓN: *1 minuto*
REPOSO: *–*
DIFICULTAD: *alta*

Ingredientes

400 g de fresas silvestres

100 g de azúcar de caña

12 g de gelatina

200 ml de nata

1 chorrito de licor de fresa

1 cucharadita de vinagre

PREPARACIÓN: 15 minutos
COCCIÓN: 12 minutos
REPOSO: 2-3 minutos
DIFICULTAD: baja

Ingredientes

150 g de hojaldre
100 g de caramelo
80 g de chocolate en escamas
50 g de requesón
90 g de azúcar de caña
50 g de frutas confitadas troceadas
3 huevos
1 cucharadita de canela

TARTA DE REQUESÓN

Bata el azúcar con los huevos.

Añada el requesón, las frutas confitadas y el chocolate, y trabaje todo hasta obtener una mezcla lisa y homogénea.

Vierta el preparado en un molde de pyrex redondo, ligeramente untado con mantequilla y forrado con la masa de hojaldre, y cueza con el recipiente tapado en el horno a potencia media-alta durante 12 minutos.

Deje que repose 2-3 minutos.

Sirva la tarta tibia, acompañada con el caramelo.

PASTEL
DE BONIATO

PREPARACIÓN: *25 minutos*
+ 3 horas de refrigeración
COCCIÓN: *12-13 minutos*
REPOSO: *–*
DIFICULTAD: *media*

Ingredientes

1 kg de boniatos
200 g de chocolate para fundir troceado
120 g de pastas de almendra
100 g de azúcar
80 g de mantequilla
1 cucharadita de aceite de semillas
2 cucharadas de brandy
2 yemas de huevo
1 pizca de canela

Un consejo

Antes que el chocolate se endurezca puede adornar el pastel con fruta escarchada, pistachos o *marron glacé.*

Lave los boniatos, pélelos, vuélvalos a lavar y córtelos en trozos gruesos.

Dispóngalos en un recipiente y cúbralos con agua fría. Tápelos e introdúzcalos en el horno a la máxima potencia 10 minutos, hasta que estén tiernos. Saque el recipiente del horno.

Ponga la mantequilla en un plato e introdúzcala en el horno a potencia media-baja 20 segundos, para que se reblandezca.

Pase por la picadora las pastas con el azúcar hasta que se reduzcan a polvo.

Escurra los boniatos y páselos por el pasapurés. Recoja el puré en un bol y añada luego la picada anterior, las yemas, la mantequilla, el brandy y la canela.

Unte con un poco de aceite un molde para postres y vierta en él la mezcla, poniendo atención para que no se formen burbujas de aire. Nivele, tape con papel para horno y resérvelo en el frigorífico durante 3 horas como mínimo.

Disponga el chocolate en un recipiente con 2-3 cucharadas de agua e introdúzcalo en el horno a la máxima potencia durante 2 minutos, hasta que esté fundido.

Desmolde el postre 30 minutos antes de servir y cúbralo con el chocolate, con ayuda de una espátula.

Índice de recetas

ENTRANTES

PRIMEROS

SEGUNDOS DE CARNE

SEGUNDOS DE PESCADO

HUEVOS Y TARTAS SALADAS

Índice de recetas

VERDURAS Y GUARNICIONES

POSTRES

Índice de recetas

Impreso en China por
SNP Leefung